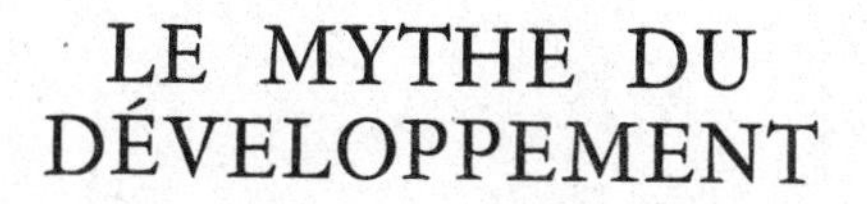

LE MYTHE DU DÉVELOPPEMENT

LE MYTHE DU DÉVELOPPEMENT

par
Cornelius Castoriadis, Jean-Marie Domenach
James P. Grant, Amilcar O. Herrera, Helio Jaguaribe
Pierre Massé, Candido Mendès, Edgar Morin
Alessandro Pizzorno
et
Jacques Attali, Ernest J. Bartell, Lucien Bianco
René Dumont, Stephen R. Graubard, Felipe Herrera
Alex Inkeles, W.C.M. Mutsaers, Edmund Neuwissen
sous la direction de Candido Mendès

Préparation de l'ouvrage assurée par
Juliette Minces

ÉDITIONS DU SEUIL
27, rue Jacob, Paris VIe

Les textes et interventions en langue anglaise ont été traduits par Juliette Minces.

Les rapports de H. Jaguaribe, O. Herrera et J.P. Grant ont été traduits par Mme de Venoge. Le texte de Candido Mendes est traduit du portugais par Françoise Bonnal.

La mise au point du manuscrit a été faite par Françoise Bonnal, J.-M. Domenach, Hélène Maillard et Edgar Morin.

ISBN 2-02-00-4703-9

Introduction

Le dialogue limite de Figline-Valdarno

L'ensemble universitaire Candido Mendes a patronné récemment à Figline-Valdarno, dans le *palaggio* du duc de San Clemente, sa première Rencontre intercontinentale consacrée à la crise du développement. L'objectif central de l'entretien était de rassembler des spécialistes en sciences sociales venus d'Amérique latine, des États-Unis et d'Europe dans le but d'élucider et d'articuler le débat sur les sombres perspectives que la nouvelle décennie dresse devant les espérances de progrès social.

L'idée de base était d'examiner les impasses actuelles, qui se manifestaient au centre du système international dans la société de consommation ainsi qu'à sa périphérie avec l'écroulement des espoirs qu'avait fait naître l'idée même de développement.

Au départ : la constatation d'un certain « épuisement des utopies » pour appréhender l'évolution du prochain quart de siècle. Cette défaillance s'observe dans le caractère intégrateur de la société de consommation et l'impossibilité de lui opposer de véritables alternatives. Dans l'optique de l'Amérique latine, c'est naturellement l'accroissement du fossé entre les pays développés et sous-développés, doublé encore de l'écart grandissant entre les pauvres et les très pauvres, qui s'est trouvé au cœur du débat. Ce phénomène se manifeste de nos jours par l'émergence d'un « Quart Monde » condamné au néo-colonialisme et de plus en plus consciemment dépendant de la charité internationale et de l'aide des États riches.

Même dans le cas des nations viables, le déséquilibre se manifeste dans le haut degré de marginalisation sociale à côté d'un dynamisme économique croissant, signe que le processus de changement crée des tensions et des contradictions à la jonction des niveaux économique, social, politique et culturel du développement.

Les invités de Figline-Valdarno constituaient un ensemble d'intellectuels porteurs de plus de questions que de réponses et disposés à imposer au dialogue une sorte de méthodologie d' « alcooliques anonymes ». Toute échappatoire – approches académiques ou discours conventionnel sur la crise – s'est trouvée proscrite au profit d'une véritable « réciprocité des perspectives » entre les participants.

Pour aborder le défi de la crise, les membres du colloque ont tenté de se garder de la simple substitution d'idéologies, en se consacrant à l'examen des idées-forces de la décennie. Et le cadavre encore tiède du concept de développement s'est trouvé enterré pour laisser place à une nouvelle vision du processus social, axée sur les nouvelles entéléchies, sur l'harmonie avec la nature qu'exige la nouvelle conscience écologique.

La contribution la plus importante de Figline-Valdarno a été cette tentative, dans le dialogue, d'échapper à la rhétorique de la crise et à ses stéréotypes. « Anti-conférence », cette réunion le fut dans la mesure où elle s'est résumée à une série de résistances aux tentations du discours intellectuel plutôt qu'elle n'a débouché sur la conquête emphatique de conclusions.

Les conversations du *palaggio* ont été fertiles par leur analyse de la contrebande des analogies faciles qui submergent les sciences sociales. Elles ont permis en outre de révéler combien toute vision « technologique » du changement peut tirer parti de ce trafic conceptuel et illégitime en l'absence d'une révision critique des fondements et des valeurs du développement.

Il fallait mener à ses conséquences ultimes la perspective dialectique de toute analyse du processus historique; opposer une perspective ouverte à toute vision dogmatique de la causalité sociale ou à toute conception fatalisante des idéologies, superstructures et infrastructures sociales. Il se trouvait à Figline-Valdarno quelques penseurs qui ont accompli cette longue « marche du Yenan », partis du marxisme conventionnel pour aboutir à une interprétation ouverte du devenir de notre temps.

Le troisième axe de travail et d'épuration visait à un éventuel dépassement de perspective entre le centre et la périphérie dans la crise du développement.

Il s'agissait d'examiner jusqu'à quel point la perspective du centre pourrait comprendre la *marginalité* des périphéries et échapper à la vision « rationnelle » des déséquilibres. Le premier palier n'a pas été difficile à atteindre, c'est-à-dire le dépassement du *fonctionnalisme naïf* qui assimilait le développement à un élargissement « missionnaire » du progrès. C'est en effet cette vision qui vient d'être détruite par la faillite du programme de développement et des idéologies de coopération internationale nées dans les années 50.

Par les portes qui se sont fermées, par la crise des chemins trop battus ou par la proscription d'une rhétorique bien connue, la réunion de Figline-Valdarno aura peut-être rencontré des questions précises et fondamentales à poser à la crise du développement.

Les échanges d'idées auront pu, à l'occasion, déboucher sur des questions cruciales. Dans quelle mesure la nouvelle « conscience écologique » n'escamote-t-elle pas, en matière de division internationale des responsabilités, le mécanisme de socialisation des pertes et de capitalisation des profits avancé par l'actuelle combinaison des facteurs capital et technologie? Quel est l'enjeu des nouvelles idéologies malthusiennes des années 70, de la croissance zéro à la référence excessive au spectre de la pollution et de l'épuisement des ressources naturelles du globe?

Dans quelle mesure peut-on encore parler de systèmes de valeurs distincts de celui de la société d'abondance, lui opposant une alternative viable et opérationnelle par-delà le néo-rousseauisme naïf du sermon écologique?

Dans quelle mesure, encore, peut-on parler de l'existence de modèles pour notre époque, et tout particulièrement pour la construction d'un humanisme capable d'engendrer un ordre international légitime, assurant à tous le « plus-être » proclamé par les doctrines de la promotion des années 50, par le biais d'un véritable développement? *A qui,* finalement, le discours des intellectuels s'adresse-t-il encore?

Candido Mendes

I

Crise du développement, crise de la rationalité

JEAN-MARIE DOMENACH

Du pathos à l'éthos.

Notre époque exploite les idées et les sentiments à peine formés, de sorte qu'il est difficile d'établir une discussion sur des bases stables. Les idéologies naissantes n'ont, pour ainsi dire, pas le temps de se cristalliser. Cela leur ôte de la nocivité. Mais, en contrepartie, l'idéologie dominante peut continuer de régner sans souci des contestations épisodiques. Quant à nous, qui prétendons mener un débat intellectuel, nous devons prendre garde à cette frénésie de consommation idéologique, nous devons éviter tout ce qui nous transformerait en producteurs de slogans et de bribes d'idéologie, que les mass media jettent ensuite, comme des biscuits, à un public avide de nouveautés.

Qu'est-ce qui dépend de nous et qu'est-ce qui ne dépend pas de nous? La vieille question stoïcienne doit prendre un sens urgent et précis dès lors que nous croyons apercevoir une menace de mort qui pèse sur l'humanité. Ce qui dépend de nous, d'abord, c'est de changer de comportement. Mais cette preuve de conviction et de cohérence, si exemplaire soit-elle, est insuffisante. Il est d'ailleurs difficile de pratiquer une vie radicalement différente dans un système qui continue d'imposer sa loi, et je trouve futile le reproche fait aux écologistes de prendre l'avion pour se rendre à un congrès. En revanche, dans la mesure où des intellectuels alimentent le milieu idéologique au sein duquel l'action humaine prend sa consistance, s'évalue et se corrige, il me semble que nous pouvons faire quelque chose. Nous pouvons contribuer à changer un *pathos* en *éthos,* et de deux manières. D'abord par une analyse critique, par une ascèse conceptuelle, qui déconsidère l'usage lyrique et indéterminé de mots comme *croissance, expansion, progrès, développement.* D'autre part, nous pouvons articuler sur l'anxiété de l'opinion et ses aspirations nouvelles une perspective morale et politique qui soit positive. Le mépris ostensible qui recouvre toute proposition morale n'est, à mon avis, qu'une parade passagère, un alibi contre la gravité des problèmes moraux qui se posent et se poseront de plus en plus à l'humanité, devenue capable d'une intervention, jusqu'alors inimaginable, sur la nature physique et humaine, et par conséquent sur les générations à venir [1].

La némésis de la technique.

J'espère que nous tomberons d'accord pour ne pas nous perdre dans la discussion du fameux rapport du M.I.T. sur la croissance [2]. Bien des statistiques, bien des opinions peuvent s'affronter sur le point de savoir quelles sont les réserves dont dispose effectivement l'humanité. L'essentiel n'est pas là. L'essentiel n'est même pas le sentiment, présenté souvent comme traumatique, que ces réserves sont limitées. Depuis le commencement de l'âge technique, l'humanité a vécu dans la pénurie, ou au moins dans la conscience de la pénurie, et l'image d'un monde limité était beaucoup plus forte, il y a dix siècles ou même un siècle, que maintenant. La crise, ou du moins l'inquiétude, concerne, au-delà d'une nature piétinée, menacée, notre propre pouvoir d'agir et de modifier nos conditions d'existence. Déjà l'enthousiasme du progrès s'était brisé contre la crise de 1929, les guerres mondiales et les totalitarismes. Mais jusqu'à présent il apparaissait encore possible d'éliminer ces inconvénients avec davantage de démocratie, de connaissance, de technique. Et, de fait, il semble qu'on y soit presque parvenu : depuis trente ans, les crises majeures ont été conjurées à temps. Or c'est au moment où les politiques et les économies, capitalistes et socialistes, semblent en mesure d'empêcher les crises conjoncturelles que nous nous réunissons pour envisager la crise générale du développement. C'est sans doute que l'inquiétude ne concerne plus les maladies du système, mais le système industriel lui-même, son prin-

1. Cf. H. Jonas, Introduction au Congrès international des sociétés d'études religieuses (sept. 1972). Traduction française : « Technologie et responsabilité, pour une nouvelle éthique », *Esprit*, septembre 1974.

2. « Rapport Meadows », publié en français dans *Halte à la croissance*, Fayard.

cipe, sa légitimité, sa capacité, par-dessus, ou par-dessous les différences de régime.

Plus l'intervention humaine se renforce et se perfectionne, et plus elle ranime ce sentiment, vieux comme notre culture, d'un tragique inhérent à l'action, d'un châtiment qui sanctionne toute démesure, de sorte que, à partir d'un certain seuil, le mal, fatalement, l'emportera sur le bien – plus encore : le mal se nourrira de ce bien et finira par le corrompre entièrement. Ainsi, par le biais de considérations statistiques, d'apparence rationnelle, nous nous trouvons renvoyés à une conscience archaïque, née en même temps que la raison moderne pour la contredire et la stimuler : la conscience tragique. Les thèmes de l'*hubris* et de la *némésis* reparaissent, aussi bien au théâtre et au cinéma que sous une forme diffuse dans l'opinion. Selon l'angle sous lequel on les regarde, ils peuvent signifier aussi bien la part de la réalité extérieure qui n'est pas encore éclairée par la science, qu'une forme de connaissance intuitive portant sur la structure et les possibilités de tout individu et de tout groupe humain.

Quelle part de vérité peut-on reconnaître dans cette mise en cause par la tragédie de notre capacité d'agir? Pour le dire concrètement, est-il vrai que, à partir d'un certain seuil que les pays les plus avancés sont en train de franchir, le progrès technique s'inverse en un destin fatal? Qu'aller toujours plus vite, construire des villes toujours plus vastes, enseigner, soigner toujours davantage, entraîne une rétroaction aussi inévitable que la *némésis* grecque, et de surcroît chiffrable? Ivan Illich semble le penser [1]. D'autres, sans s'exprimer aussi clairement, disent la même chose; ainsi le professeur Dubos, qui affirme qu'une évolution humaine ne revient en arrière qu'après avoir atteint son degré maximal de nocivité [2]. Il est vrai qu'il affirme aussi que les capacités humaines d'adaptation sont immenses, ce qui cadre difficilement avec l'affirmation précédente, ou alors nous place devant la perspective de souffrances très longues et très dures.

Une telle vision contredit non seulement l'optimisme de l'*Aufklärung*, mais la croyance plus modeste à laquelle s'était ralliée notre époque et que Heidegger exprimait en écrivant que, au sein de l'activité technique, là où surgit le mal surgit aussi le remède. Sommes-nous donc

1. Cf. Ivan Illich, *Némésis médicale,* Seuil.
2. « L'homme de l'avenir », entretien avec R. Dubos, *l'Express,* 16 octobre 1972.

parvenus au point où le mal ne suscite que des remèdes qui l'aggravent et où nous n'avons plus qu'à nous préparer à la catastrophe finale? Si tel est le cas, c'est bien l'ensemble de l'entreprise occidentale qui se trouve condamné, et il est inutile de chercher des freins, des compensations et des réformes : il faut abandonner l'espoir de modifier le cours de notre destin et rompre avec la prétention d'organiser les choses, de les perfectionner et même de les connaître par les moyens que le progrès a mis à notre disposition; il faut tenter une conversion radicale de vie, changer notre logique et nos mœurs, et pour cela, comme les Indiens du Mexique, abandonner nos villes, nos usines et nos temples, après les avoir barbouillés de peinture rouge...

Écologie et idéologie.

Si bouleversantes que soient la nouvelle prise de conscience des limites et l'angoisse de l'épuisement de la nature, il faut rappeler qu'elles se situent dans un puissant courant idéologique, qui n'a cessé d'accompagner et parfois de recouvrir celui de l'optimisme technologique. Le XXe siècle a été jalonné de « petites peurs », comme disait Emmanuel Mounier en évoquant la grande peur qui marqua le Xe siècle. Le monde occidental, en effet, a connu, à la suite de la dépression économique de 1929, une panique d'où surgirent le nazisme et la Seconde Guerre mondiale; quinze ans plus tard, les explosions atomiques d'Hiroshima et de Bikini ont propagé une nouvelle angoisse. Chaque fois, le spectre de l'Apocalypse a été brandi par les meilleurs esprits; chaque fois on eut l'impression d'une « voie barrée » ou d'un abîme dans lequel l'humanité allait sombrer.

Mais ces angoisses n'ont donné aucun résultat positif. La première eut même des résultats épouvantables. A vrai dire, elle venait grossir un courant idéologique préparé depuis un siècle, celui du nationalisme. A la fin du XIXe siècle, le nationalisme intellectuel se nourrit de deux obsessions : l'exaltation des limites, la hantise du dépérissement et de la mort. Or nous retrouvons ces thèmes dans la conscience écologique, encore que d'une manière plus douce, plus généreuse et surtout universelle, alors que le nationalisme était violent, hargneux et particulariste jusqu'au racisme. De cette analogie, je ne veux tirer aucune condamnation. Il est probable que de telles réactions ont une justification, même sous la forme pathologique qu'elles ont prise en Europe, car l'industrialisation, l'urbanisation, la prolétarisation avaient déséquilibré et ravagé nos sociétés; et il est probable que c'est fondamentalement la même réaction qui se fait jour maintenant sous une forme apaisée. Cependant, il faut avoir conscience qu'un tel état d'esprit, s'il ne s'incarne pas en des perspectives d'action, se dégrade bientôt en délires contradictoires. L'obsession de la pénurie conduit à justifier « l'espace vital » et l'agression. Le préalable de la survie conduit à renforcer l'emprise de l'État et de l'Armée sur la vie publique. L'hitlérisme, bien que nourri d'un certain naturisme hostile aux perversions du progrès, a engendré une organisation ultra-rationnelle des activités nationales. Il faut prendre garde qu'une mystique écologique de détresse ne prépare, par d'autres voies, des résultats analogues; une opinion saisie par la panique peut favoriser une politique qui, en prenant argument de la pénurie et du resserrement des limites, instituerait une gestion autoritaire des ressources et un contrôle totalitaire de la consommation; on imagine facilement quelles monstrueuses inégalités, économiques, géographiques, raciales même, en résulteraient pour les nations du monde.

D'ores et déjà, le capitalisme est contraint à des mesures de réforme afin de limiter le gaspillage et l'innovation anarchique – mesures difficiles puisqu'elles vont à l'encontre de la logique de son fonctionnement. Certes, il a la possibilité – il en use déjà – d'exporter hors de son territoire les industries les plus nuisibles et les plus polluantes. Mais, confronté à la réduction des réserves mondiales et à la nécessité de limiter la croissance, il devra s'efforcer d'éliminer au maximum la concurrence, ce qui laisse prévoir une extension des monopoles internationaux et du nouvel impérialisme, qui parvient à ses fins en manipulant les gouvernements nationaux et au besoin en les renversant. Il faut s'attendre également à ce que l'entreprise capitaliste cherche de nouveaux bénéfices du côté des biens immatériels, qui échappent encore plus ou moins à son contrôle : le loisir, la sexualité, l'éducation, la médecine, etc. [1].

Ainsi l'idéologie écologique comporte une ambiguïté redoutable : derrière le souci justifié d'assurer le sauvetage de la nature et la survie de l'humanité, se profile la hantise de la mort, de notre propre mort –

1. Michel Bosquet, « Le grand complot éco-fasciste », *le Sauvage*, juillet 1973.

et cette hantise, si elle ne débouche pas sur une action politique universelle, ou du moins universalisable, risque de conduire les nations vers des solutions de désespoir et de provoquer des conflits sans merci.

C'est pourquoi, en réfléchissant sur la crise du développement, nous devons faire notre possible pour nous soustraire à cette schizophrénie de l'Occident, qui fait alterner l'exaltation et la dépression à propos des formidables moyens techniques qu'il a créés – aspects contradictoires d'une réalité unique : la difficulté de s'identifier, qui s'aggrave dans un milieu voué au changement continuel. Ces flux et reflux affectifs révèlent un malaise essentiel; l'aventure occidentale s'est éloignée de ses sources jusqu'à les trahir. Tantôt nous perdons de vue toute limite, toute mesure, et nous prétendons légiférer pour l'universel; tantôt nous revenons d'une manière pathétique à nos origines, à notre tradition, et nous proclamons notre décadence et notre fin prochaine. Ainsi l'exaltation de notre pouvoir se paye incessamment du mépris de notre héritage et de la haine de nous-mêmes. C'est pourquoi il est salutaire que nous prenions conscience de notre propre situation de nantis dans un monde pauvre; et aussi que, par une psychanalyse préalable, nous éliminions les crispations et exagérations morbides qui accompagnent la conscience que nous prenons de la crise du développement.

Est-ce à dire que nous ayons la possibilité d'échapper aux illusions de l'idéologie – aussi bien celle de la non-croissance que celle de la croissance – en constituant une connaissance supérieure, dont un cénacle d'intellectuels détiendrait les clés? Mais cette *freischwebende Intelligenz,* comme dit Alfred Weber, cette intelligence qui plane librement est une prétention utopique, que seul pourrait réaliser un esprit possédant la connaissance totale. Le lieu d'où nous pourrions nous abstraire de toute idéologie pour prendre une vue parfaitement scientifique, parfaitement juste, du développement humain, ce lieu n'existe pas [1]. Il faut admettre, comme nous y invitait Nietzsche, que tout savoir recouvre une puissance, ou une impuissance, et qu'il reste porté par un « intérêt » (J. Habermas). Il nous faut donc avancer en gardant conscience de notre imprégnation par l'esprit du temps. Mais l'intérêt que nous pouvons avoir à combattre l'idéologie ambiante du développement n'est pas obligatoirement méprisable, et il peut rencontrer

1. Cf. P. Ricœur, « Science et idéologie », *Revue philosophique de Louvain,* mai 1974.

d'autres intérêts qui proviennent de groupes et de nations qui figurent parmi les plus opprimés et les plus désavantagés.

Réfléchir sur les limites du développement implique qu'on prenne aussi la mesure de ses propres limites. Cela fait, il doit être possible de poser quelques questions. Voici celles que, pour ma part, j'énoncerai :

– A quelles conditions une pensée des limites peut-elle éviter d'être réactionnaire et de retomber dans la détestation hypocrite ou masochiste de notre civilisation?

– Comment le préalable de la survie peut-il inspirer une politique de l'espèce humaine sans passer par des formes totalitaires de contrainte?

– La notion d'équilibre a-t-elle un contenu praticable? est-elle compatible avec notre tradition culturelle ainsi qu'avec un développement humain authentique?

– Comment imaginer ce développement, alors qu'il reste soumis aux lois impérieuses du « progrès » scientifique et technique, alors qu'aucune force constituée, sociale ou nationale, ne semble pouvoir encore le soutenir?

Crise de la rationalité.

Sans doute reprochera-t-on à ces questions d'être théoriques. Elles le sont en effet, non seulement parce que je ne puis me prévaloir d'aucune compétence technique en matière de développement, non seulement parce que, comme je le disais en commençant, je crois que notre efficacité ne peut, pour le moment, que se situer sur un plan idéologique, mais surtout parce que je suis convaincu qu'une réflexion sur la crise du développement conduit inévitablement à la mise en cause des instruments de notre analyse, des concepts et de la logique auxquels nous sommes habitués. Critiquer des méthodes, des outillages ou des politiques ne suffit pas. Ce qu'on appelle développement est la tentative d'universaliser une entreprise qui a trouvé en Occident son origine et son degré de réalisation le plus élevé. Or cette tentative est dans la droite ligne d'une pensée qui a rationalisé le monde bien avant de posséder les moyens de le transformer. Dire, comme nous l'avons fait, que la crise du développement ne doit pas être abandonnée au pathétique, cela nous renvoie à la capacité rationnelle d'y faire face. Or c'est justement cette capacité qui se trouve contestée.

Bien avant qu'apparaissent les symptômes actuels de pollution et d'épuisement des ressources, des philosophes, particulièrement en Allemagne, avaient entrepris une critique fondamentale de la technique moderne. Non seulement elle a « désenchanté » la nature (M. Weber), mais elle s'est érigée en une volonté de puissance (E. Jünger) qui engage les hommes dans une violence perpétuelle. C'est Th. Adorno et M. Horkheimer qui ont poussé le plus loin cette critique, en montrant comment la raison moderne s'est retournée contre la libération qu'elle avait entreprise en se constituant en un nouveau destin, également mortel, mais plus envahissant et plus paralysant que celui des temps pré-chrétiens. « L'abstraction, instrument de la Raison, se comporte envers son objet comme le destin dont elle supprime le concept : c'est une entreprise de liquidation[1]. » La fatalité qui, jadis, concernait principalement la mort, s'étend à tous les secteurs de la vie. Ce sont en effet des mécanismes de plus en plus grands et de plus en plus autorégulés qui prennent en charge les opérations humaines de toute espèce. D'où, chez les individus et les groupes, la dépossession croissante de l'autonomie et de l'atrophie du pouvoir d'agir. C'est là, comme on sait, le motif central de la pensée d'Ivan Illich.

D'autre part, la réduction mathématique de la réalité engendre une homogénéité au bout de laquelle se trouve le totalitarisme, sous sa forme dure (fascisme, communisme) ou sous sa forme molle, vers laquelle semblent s'acheminer les démocraties libérales. « L'identité de toutes les choses entre elles se paye par l'impossibilité de chaque chose d'être identique à elle-même[2]. » Au plan individuel, cette évolution se traduit par des crises d'identité, par le dégoût de vivre, la recherche des tranquillisants et des drogues. Au plan collectif, par l'imposition d'un modèle unique, de sorte que le développement, loin de se traduire par un progrès vers un *être plus,* devient une reproduction, un progrès vers un *être comme* qui équivaut nécessairement, pour chaque culture particulière, à un *être moins*. La crise du développement n'est pas seulement le constat d'une pénurie de ressources, elle est aussi et surtout la conscience obscure et inquiète d'un épuisement de la volonté, de l'imagination et des mythes qui ont inspiré le progrès.

1. M. Horkheimer et Th. Adorno, *La Dialectique de la raison,* NRF, Gallimard.
2. Horkheimer et Adorno, *op. cit.*

Nietzsche l'avait pressenti : le développement s'avère *zwecklos,* sans but, et par suite ses contraintes sont de plus en plus mal supportées. Les explosions de la contestation occidentale sont fondamentalement des symptômes de la crise du développement.

Si cette analyse est exacte, il faut admettre que la crise du développement est d'abord une crise de la raison et de la culture occidentales, ce qui ne réduit son extension qu'en apparence, car le seul modèle qui soit actuellement opératoire dans le monde est le modèle occidental. Certains pourraient s'en réjouir comme de la fin d'une suprématie que la décolonisation avait commencé d'ébranler. Mais, hors de ce modèle de développement, d'ailleurs plus imité qu'imposé, existe-t-il une entreprise qui ait vocation universelle? Sa disparition ne signifierait-elle pas la chute dans un monde parcellisé, sans communication, où certains secteurs retourneraient à la sauvagerie jusqu'à ce que l'histoire, à force de misère et de sang, recommence? Nous ne pouvons tenir pour nul et non avenu le travail historique de libération, malgré les terribles menaces qui planent sur lui. Nous ne pouvons oublier que la technique, volonté de puissance, a aussi favorisé l'échange et la reconnaissance mutuelle, bases au moins théoriques d'une paix contractuelle et d'un droit de citoyenneté mondiale *(Weltbürgerliches Recht)* [1].

L'atrophie de la base.

La crise du développement ne porte pas seulement sur les moyens et les possibilités; elle concerne aussi la nature et les buts du développement. Nous touchons ici une contradiction essentielle : *développer* s'oppose à *envelopper,* développement évoque la mise à jour et le déploiement de ce qui était caché, implicite; on développe une intuition, une photographie. Mais en français, le mot a eu tendance à s'affaiblir en prenant le sens d'une extension surtout quantitative, alors que le mot allemand *Entwicklung* a mieux gardé sa valeur sémantique. Or, si l'on examine les conséquences de ce qu'on appelle « développement » sur les pays « sous-développés », on constate un processus très différent et même contraire de celui qu'implique le mot lui-même. Au lieu que les originalités s'expriment et se fortifient, au lieu qu'apparaissent les

1. Cf. E. Kant, *Zum ewigen Frieden.*

caractères singuliers des peuples et des cultures, c'est un modèle identique qui se propage à travers toutes les différences de situation, de régime, de culture; et, sauf de brèves périodes, ce sont des hommes identiques – planificateurs, techniciens, industriels – qui procèdent à la « mise en valeur » de leur pays.

La rationalité occidentale propage ainsi des méthodes de pensée et d'action qui ont pour effet de déraciner les élites dirigeantes et actives des pays « en voie de développement » : d'abord parce qu'elles reposent sur cette abstraction mutilante dont nous avons parlé, ensuite parce qu'elles sont liées à un modèle culturel étranger. La coupure s'opère moins entre raison instrumentale et « nature » (cela, c'est la manière dont notre culture occidentale vit la coupure) qu'entre raison et « base » – base « naturelle » et « culturelle » à la fois, qui est la source et la ressource des comportements d'un peuple. « Une crise affecte notre civilisation, non tellement parce que le progrès matériel n'aurait pas encore de contreparties dans l'éthique sociale – vue simpliste et partiellement fausse –, mais parce qu'un exercice humain, nécessairement global, se coupe de ses forces naturelles et se fixe en modes séparés et rivaux [1]. »

Le développement, au sens correct du terme, implique une prise en considération de la « base », c'est-à-dire de ce qui est latent dans un groupe et qui précisément doit être développé : sa langue, son tempérament, sa culture, son autonomie, tout ce qui donne rythme et signification à l'effort collectif. Or la conception prédominante du développement n'intègre ce dynamisme qu'au titre de moyens au service d'un processus dont l'orientation et la cadence sont soumis à des calculs eux-mêmes déterminés par l'imitation du modèle industriel et le mécanisme général de la concurrence. Loin de parvenir à un équilibre dynamique entre campagne et ville, entre « base » et superstructure administrative, on assiste, presque partout, à la constitution de métropoles gigantesques, au déclin des communautés populaires, à la disparition des sub-cultures au profit d'outillages hypertrophiés, d'administrations bureaucratisées et de cultures préfabriquées. Le discours du développement devient ainsi tautologique et finalement contradictoire. Ce n'est pas un équilibre dynamique qui est créé, mais un désé-

1. Jacques Berque, « Sociologie de la tension aujourd'hui », in *La Science et la Diversité des cultures,* Paris, Unesco, PUF, 1974.

quilibre étouffant; et les originalités, loin d'être stimulées, sont paralysées. On devrait parler d'enveloppement plutôt que de développement. Certes, on peut mentionner, en contrepartie, des succès en matière d'enseignement, d'agriculture, etc. Mais si l'on considère la tendance et non pas le bilan, on est conduit à une remise en question radicale, qui ne concerne pas seulement des excès, mais la ligne et la norme mêmes du développement – et plus encore : la possibilité d'assistance qu'il comportait, féconde pour l'échange et pour la paix. Les pays avancés peuvent-ils encore prétendre légitimement en aider d'autres? On se le demande lorsque, en Afrique, en Asie, en Amérique latine, la faim et la misère s'étendent sous des formes plus cruelles que naguère. Avons-nous d'autres moyens d'aider les pays sous-développés que de modifier la finalité, la structure et la cadence de notre propre développement?

Rareté, violence, sacrifice.

Dans quelle mesure en sommes-nous capables? Dans quelle mesure une telle décision politique est-elle imaginable?

Que l'analyse du développement – fait apparemment extérieur aux pays développés – nous ait ramenés à ces pays et à leur pouvoir de décision politique, cela nous approche peut-être d'un terrain plus solide et d'une action plus efficace. En somme, les nations industrielles parviennent au terme d'un effort qui reposait sur la conviction suivante : toujours plus de moyens pour dominer la nature, toujours plus de production et de consommation pour instaurer le bien-être. Si forte est cette conviction qu'elle a même intégré le marxisme qui pourtant reposait sur une affirmation inverse : le mal de l'homme a des causes sociales et politiques, la pénurie et l'inégalité ne s'expliquent pas par des causes extérieures mais par des causes intérieures aux sociétés... Aujourd'hui, la prise de conscience écologique des limites s'établit le plus souvent au même niveau que la conception qu'elle combat : c'est sur la raréfaction des biens naturels, donc sur la restriction de leur consommation, qu'il faudrait construire une nouvelle économie, une nouvelle politique, à l'inverse de l'économie et de la politique dominantes, fondées sur la dilapidation...

Que les conflits, l'inégalité, la misère proviennent de la rareté des choses, voilà un axiome qui correspond au sens commun et qui a été proclamé, sans autre justification, par J.-P. Sartre, au moment même où il se déclarait marxiste. Il est vrai que, dans certaines conditions, le partage de biens rares entraîne le conflit. Mais la rareté n'existe que par rapport à un certain usage des choses. D'après les ethnologues, la rareté ne semble pas avoir marqué l'époque archaïque, où pourtant nous la supposons, bien au contraire : les groupes préhistoriques de chasseurs vivaient en équilibre (homéostasie) avec leur milieu. La rareté apparaît dès lors que l'organisation sociale s'approprie certains biens et en décrète l'usage indispensable à la vie ou au prestige du groupe. Dès lors, la rivalité propage la violence, car le désir est aiguillé par la *mimesis* sur les choses désirées par les autres[1]. Il faut donc imaginer que ce n'est pas la rareté qui est à l'origine de la violence et du mal social, mais au contraire que c'est la violence, la mauvaise organisation sociale, la domination et l'exploitation qui sont à l'origine de la rareté. Si la multiplication des biens de production, ce qu'on appelle l'abondance *(affluence),* finit par raréfier les biens essentiels (espace, air, eau), ce n'est pas par hasard, mais par une logique profonde qui doit conduire vers des conflits incomparablement plus durs que ceux qu'a connus l'histoire jusqu'à présent. En conséquence, la critique et la réforme du développement doivent être déplacées du domaine de l'évaluation matérielle (potentiel des ressources) à celui de l'évaluation sociale, morale, culturelle : quel est le degré, quelle est la qualité de bonheur, d'amitié, de paix, de culture souhaités par tel groupe – ce qu'Illich résume sous le nom de *convivialité?* Quels sont les moyens politiques, intellectuels, spirituels pour organiser la société de telle sorte que les choses deviennent suffisantes?

Autrement dit, la réflexion sur le développement doit se retirer de l'univers technique et physique où elle s'est complue et où maintenant elle se culpabilise sans aucun profit, pour revenir à l'univers social et éthique : celui de la communication, de l'évaluation, de la décision (de l'*interaction* comme dit J. Habermas).

Ce renversement de conception ne devrait pas avoir le caractère d'un bouleversement brutal ni même d'une conversion mystique. Il ne tient pas au fait que la technique soit intrinsèquement perverse. La technique est éminemment humaine. La question qui se pose est de savoir si elle a effectivement atteint des seuils à partir desquels ses

1. René Girard, *La Violence et le Sacré,* Grasset.

conséquences deviennent néfastes et la croissance matérielle se paye par une régression humaine. A cette question, I. Illich prétend répondre par un constat chiffré. Je ne suis pas certain que cette réponse soit également convaincante dans tous les secteurs, mais, en gros, elle me paraît indiquer la vérité d'une évolution.

Si cette vérité est admise (et il faudra bien que nous nous prononcions à ce sujet), nous ne sommes pas du tout condamnés, comme on l'entend dire, à retomber dans une mythologie réactionnaire, anti-technologique et naturaliste; au contraire, un champ nouveau s'offre au développement des facultés humaines : l'invention et la mise en œuvre d'un outillage adapté aux buts que les groupes humains choisiront. Ainsi les limites que la nature oppose aux entreprises de la technique nous renvoient à ce qui est illimité : la liberté, le génie d'inventer et d'organiser.

Cependant, nous ne pouvons éluder une contradiction latente dans les critiques ordinairement portées contre les sociétés industrielles. On leur reproche en effet un excès de contrainte et de fatigue, qui stérilise la création, l'originalité, le plaisir. Mais comment échapper à la société de consommation sans une certaine austérité? Dès lors on risque de tomber dans ce masochisme du sacrifice, qu'avant Marcuse ont dénoncé Horkheimer et Adorno : « L'histoire de la civilisation est l'histoire de l'introversion du sacrifice. En d'autres termes : l'histoire du renoncement. » Ainsi, pour rompre avec la fatalité du progrès technique, on se livrerait plus sûrement à sa malédiction.

Je crains qu'une pensée qui soupçonne toute normativité morale d'être une instance de répression ne puisse se soustraire à cette contradiction. Pourquoi des chrétiens seraient-ils gênés de l'affronter? Le développement implique assurément une conception du sacrifice, ne serait-ce que celui des générations présentes aux générations futures. Sacrifice suspect, en effet, et que rien ne nous autorise à soutenir, ni à remplacer par un sacrifice de sens inverse. Mais peut-être sommes-nous justement sur le point de sortir de cette immense « crise sacrificielle » où a failli se perdre l'Europe du XXe siècle. Peut-être parviendrons-nous à comprendre qu'avec le sacrifice du Christ « le sacrifice a perdu son pouvoir [1] », et que le développement authentique suppose la réciprocité évangélique.

1. R. Girard, *Esprit*, novembre 1973.

Création et nature.

Une analyse critique du développement nous ramène ainsi à nos sources. Elle nous oblige à reconsidérer, non pas seulement nos techniques, mais l'impulsion culturelle, ce mélange de mythologie et de rationalité qui a nourri cette expansion technique. Jusqu'où faut-il faire remonter le procès de révision? A quel stade de notre histoire culturelle devons-nous tâcher de nous raccorder afin de reprendre une meilleure direction? C'est une immense question, que je ne puis traiter ici. Cependant, puisque je viens de faire référence au christianisme, je mentionnerai mon désaccord avec l'affirmation des deux auteurs que j'ai beaucoup utilisés ici : « En tant que souverains de la nature, le Dieu créateur et la raison organisatrice se ressemblent[1]. » Cette affirmation me semble inadéquate au Dieu de la Bible, qui, bien loin d'organiser et de régenter sa création, l'a confiée à la liberté humaine. Et cette création n'est pas composée que de choses utiles, destinées à l'exploitation humaine; elle contient aussi des merveilles telles que l'hippopotame, que Dieu, dans sa réponse à Job, appelle « la première de ses œuvres ». Si l'homme s'établit en maître absolu de la nature, alors, en effet, son pouvoir se retournera contre l'humanité et la nature souillée lui renverra l'image de son malheur. Mais la création l'enveloppe et lui résiste, elle ne lui est pas entièrement transparente.

Au sein de ce compagnonnage, il me semble, le rapport de l'homme à la nature s'humanise, il devient poétique, respectueux. Et nous comprenons que les limites matérielles auxquelles nous touchons sont l'indice et la figure d'une autre limite : notre propre condition de créature, liée à la création.

Ainsi la considération de la menace qui grossit avec le développement industriel nous conduit à reconnaître cette part oubliée de la réalité humaine : les forces de la nature, que la civilisation technique n'a regardées que comme quelque chose qui contraint ou qui doit être contraint. Il est remarquable que Marx, qui a pourtant pensé l'identité

1. Adorno et Horkheimer, *op. cit.*

des rapports naturels et culturels, n'ait pas fait place à la nature physique dans sa dialectique autrement que sous la forme de « conditions existantes » *(Naturbedingungen).* Or nous découvrons qu'une fraction croissante de la plus-value est prélevée sur la nature, au détriment des générations à venir; nous apercevons que l'exploitation de la nature et l'exploitation des hommes sont intrinsèquement liées. Mais nous n'avons pas encore l'audace ou l'imagination suffisantes pour briser les mythologies et les schémas traditionnels.

Je ne prétends certes pas échapper pour ma part à la pénombre d'une époque de transition. Je crois pourtant deviner à travers l'anxiété malsaine qui se répand parmi nous des lignes d'espérance que je résume grossièrement :

1. La menace d'une éco-catastrophe, quelle que soit sa proximité, peut inspirer la définition d'objectifs concrets et universels pour une politique de l'espèce humaine. Le préalable de la survie, étendu à l'humanité, la place devant une alternative radicale à laquelle nous avons le devoir de nous préparer.
2. Le dilemme croissance indéfinie-croissance zéro est abstrait et stérile. La prise de conscience des limites écologiques peut conduire à un développement profitable à l'humanité, pourvu qu'elle soit intégrée à une analyse et à une action portant sur la nature de nos sociétés, leur capacité de liberté, de justice, de bonheur, de culture.
3. A la racine de la crise du développement se trouvent l'atrophie des libertés et l'hypertrophie des pouvoirs et des outils. La solution doit être recherchée dans deux directions : l'expression des particularités créatrices et la dilution maximale des pouvoirs, laquelle exige une révision et un remodelage des outils techniques et institutionnels.

Il y aurait beaucoup plus à dire. Mais sans doute devons-nous résister à la tentation de rationaliser l'avenir, et même de désigner trop nettement les buts que nous souhaitons atteindre, car les idéologies de l'ultra-rationalité et le formidable appareil scientifique équipé pour le traitement utilitaire de la planète sont encore en mesure de détourner ces objectifs à leur profit. Sans doute est-il plus efficace d'imaginer que nous ne sommes pas au terme du développement, mais que nous approchons seulement du stade où il pourra commencer sous une forme vraiment humaine. Pour cela, je n'escompte pas la catastrophe, non plus qu'une révolution, ou une révélation. Nous devons nous méfier autant des apocalypses que des *Aufhebung* et tenter de penser modestement, hors de la double frénésie de l'Occident. La reconnaissance humaine n'est pas la fin du développement, mais son terrain, sa condition même. Qu'elle puisse être infiniment développée, nous en trouvons l'indice et l'espoir moins dans les théories globales que dans la poésie, le théâtre, l'art – formes esthétiques et spirituelles qui sont rebelles au « développement », mais nourrissent, consolent et relient l'effort de vivre.

COMMUNICATION

JEAN-MARIE DOMENACH

Dans mon papier, je me suis livré à une sorte de psychanalyse préalable pour conjurer ce que, peut-être, je sentais en moi-même, c'est-à-dire tout le pathétique de la question de la pénurie soulevée par le rapport Meadows. En réalité, cette peur n'est pas une peur nouvelle. Plus l'Occident développe ses capacités, plus il prend peur de lui-même. Il y a là une double frénésie : quand on se lance en avant, on s'admire puis on prend peur de ses performances et on déteste ce qu'on a adoré. C'est la « détestation », la haine de soi; le ressentiment contre sa propre civilisation est une chose qui me paraît extrêmement redoutable et que je ne voudrais pas partager, si fortes que soient les critiques que je porte contre le système auquel j'appartiens. D'ailleurs, ce climat de négation me paraît totalement irréaliste. Il faut beaucoup se méfier, lorsqu'on manie les idées, des mythes de la pénurie. Ce sont des mythes littéralement affolants, qui peuvent entraîner les populations vers de nouveaux fascismes, et l'idée d'un fascisme « écologique » ou d'un racisme « écologique » n'est pas du tout une idée impossible. Certains thèmes hitlériens comme celui de l'espace vital ont quelque chose qui devrait nous inquiéter et rejoignent des thèmes qui sont agités aujourd'hui. Pourtant, je pense que cette prise de conscience que les réserves dont dispose la civilisation industrielle ne sont pas illimitées, peut être féconde et peut nous amener à la conversion salutaire. Mais il me semble aussi que cette prise de conscience entre en contradiction avec ce qui est la conviction fondamentale, le moteur, la mythologie nourricière de notre civilisation industrielle, à savoir la mystique de l'illimité. Il y a là une sorte de rappel continuel d'un destin humain, qu'il est d'ailleurs impossible de définir d'une manière parfaitement rationnelle. Le tragique est toujours à la limite de notre raison, et pourtant il dit quelque chose de raisonnable : il dit que certaines équations posées par la raison humaine ne sont pas valables, et que l'effort humain n'est pas toujours récompensé. C'est pourquoi nous devons nous interroger sur cette notion de seuil à partir duquel les instruments, les productions de la raison humaine commencent à s'inverser et à se retourner contre nous...

La sophistication extrême de la culture aboutit à un rêve de l'innocence globale, du retour aux origines. Mais, quels que soient mon propre lyrisme, mes propres nostalgies, je ne voudrais à aucun moment vous orienter vers ce rêve d'un retour aux origines. Nous avons notre propre histoire à faire, et cette histoire n'est pas, à mes yeux, progressiste; elle est tragique, je l'ai dit; elle est faite de montées et de redescentes. Ce qui est très grave, c'est qu'aujourd'hui sont en cause la technique, la technologie, les capacités prométhéennes de la technique. Or la technique est la seule définition cohérente que nous ayons du progrès, puisqu'en matière technologique tout s'additionne, ce qu'on ne peut pas dire en matière esthétique.

Alors, ces questions auxquelles j'avais abouti, auxquelles je n'ai pas répondu, je vous les soumets. La première, c'est cette pensée des limites, qui nous renvoie à une invention nouvelle. Car le « déjà connu », c'est ce type de progrès technique dans lequel nous sommes maintenant enfermés. C'est au « pas encore connu » que je voudrais me référer, à la capacité originelle de l'invention technique, à l'innovation qui me semble maintenant nécessaire, face à cette cristallisation, à cette mécanisation générale des forces techniques et au poids qu'elles font peser sur les libertés et la création humaines.

La seconde question concerne ce préalable de la survie, qui est l'article premier de toute politique. C'est à partir de là qu'une politique de l'espèce humaine pourrait commencer à se créer. Pour la première fois, l'inquiétude de la survie, qui n'affectait jusqu'alors que des nations particulières, s'étend, par-dessus les frontières, à ce qu'on ose à peine appeler la conscience humaine.

Ma troisième question, une question d'imagination à laquelle je ne suis pas capable de répondre, concerne la notion d'équilibre. Car je crois que bien des choses qui sont dites à propos de la crise du développement supposent cette notion d'équilibre. Mais peut-être parce que je suis trop intoxiqué par cette société dans laquelle je vis, par ce progressisme qui a été la loi de notre développement, je ne vois pas comment on peut arriver à une société d'équilibre qui ne soit pas une société entropique. C'est, pour moi, la question centrale.

On a beaucoup parlé du développement. On ne l'a pas défini. Il y a, dans cette notion, l'idée de quelque chose qui était contenu et qui doit devenir à la fois lui-même et autre, et mieux. « Être plus », on pourrait dire « être davantage soi-même », c'est cela qui justifie sémantiquement le développement. Mais si nous le regardons à travers cette signification, nous nous apercevons à quel point il s'en est éloigné. Je crois que c'est un des critères de la crise actuelle du développement que cette régression vers des formes communes, vers une forme unique de modèle.

Mais je ne crois pas que l'on doive opposer développement à nature, en disant par exemple que le développement c'est l'imposition d'une technique artificielle sur une nature qui est détruite. Personne ne sait exactement ce qu'est ou ce qu'était la nature. C'est donc plutôt une « base » – je reprends le mot de Jacques Berque – qui est à la fois nature et culture, qui est ce fond à partir duquel existe chaque peuple, chaque nation. Et c'est bien là que le développement se trouve le plus contesté, car c'est là qu'il fait le plus de dommages. Je crois qu'à partir d'un certain seuil, le développement, qui jusqu'alors avait eu des conséquences favorables dans la réanimation des cultures, dans la reprise de conscience des peuples, agit comme une force d'anesthésie, de réduction, comme un égalisateur. Le « être plus » dégénère en un « être comme », un « être de la même manière que », de plus en plus contraignant et en même temps de plus en plus séduisant. Car la contrainte s'accompagne ici d'une immense séduction. Mais si vraiment nous nous inquiétons, qu'est-ce que nous pouvons faire? Je suis frappé de ce que la critique du développement se situe exactement au niveau de ce qu'elle conteste, c'est-à-dire au niveau de la mathématique, de l'addition des chiffres, de la quantité pure. A l'origine de cette controverse, se trouve cette conviction selon laquelle toute l'histoire est le produit de la rareté.

Sartre explique la violence primitive par la rareté. Je crois qu'il y a là un mythe pur et simple. En tout cas, il vaut mieux remplacer ce mythe par un autre; il faut inverser les termes et dire que ce n'est pas la rareté qui a produit la violence, mais que c'est la violence qui a produit la rareté; c'est la mauvaise organisation humaine, la mauvaise organisation politique. C'est là où la politique devient notre souci principal.

Donc, je propose de déplacer la critique du développement, de l'enlever à ces arguments chiffrés, matériels, et de la reporter au plan politique et moral. Il faut passer à une invention morale, politique et technique, qui permette autre chose que le développement tel que nous le connaissons. L'industrialisation, la mythologie productiviste ont asservi toutes les traditions culturelles de notre époque, aussi bien le socialisme lui-même que le christianisme. Or, si nous revenons à des éléments de base dans le christianisme ou le socialisme, nous trouvons la frugalité, pour parler comme Proudhon, nous trouvons la pauvreté évangélique, nous trouvons un mode de rapport avec la nature, qui est quelque chose dont nous sommes encore tout proches.

Il ne sert à rien de condamner abstraitement les excès du productivisme et le mauvais développement, si nous ne prenons pas position sur l'hypertrophie technique, qui ajoute sa violence aux violences de classes, de nations, de dominations politiques. Il ne s'agit pas de doter tel ou tel objet d'un statut de terreur ou d'un statut de salut. Il s'agit de nous interroger sur ce que nous appelons notre science, notre technologie. Et il est très difficile de mener cette interrogation parce que le stalinisme a vraiment discrédité la tentative de discuter de la science, ou de démystifier la science, en opposant une science bourgeoise et une science prolétarienne.

Comment rester dans le rationnel, tout en mettant en cause cet usage de la rationalité? C'est une difficulté réelle, parce que nous sommes toujours près du délire que le fascisme a manifesté parmi nous il y a une quarantaine d'années.

DISCUSSION

JACQUES ATTALI : Je commencerai par un très bref apologue. J'ai l'impression que la société peut se décrire comme une immense troupe humaine traversant une maison, et, peu à peu, se détache de la troupe quelqu'un qui trouve les clefs pour ouvrir les portes qui suivent. Depuis des siècles, ceux qui ouvrent les portes sont des scientifiques; depuis des siècles, celui qui accompagne ceux qui ouvrent la porte est le philosophe. Il est le chantre de la science. Aujourd'hui, nous sommes devant une porte fermée. Nous ne savons même pas s'il y a des serrures à cette porte, et le philosophe est devenu le chantre de l'a-science. Sans doute en a-t-il un peu assez : assez de la critique, assez de l'observation d'une absence. Je crois que je ne fais ainsi que manifester une impatience devant une troupe humaine restant devant une porte fermée, l'observant, la décrivant et ne cherchant pas les clefs. Domenach a merveilleusement décrit la porte. Maintenant il faut passer à la description de la problématique qui permettra de trouver les clefs. Et à mon avis, Domenach, dans son exposé, n'a pas assez déliré pour les trouver. Pourquoi? Parce que nous sommes dans une société dans laquelle c'est l'ensemble des hommes qui se trouvent maintenant devant la porte, et non plus seulement une élite, et les clefs doivent être des concepts simples, des concepts maîtrisables, pouvant guider l'action de tous et non seulement celle d'une élite. Or, dans son exposé, Domenach, à mon avis, a dit deux choses qui montrent qu'il reste à l'intérieur de l'ancienne logique. La première, c'est qu'il a fait une apologie de l'équilibre; la seconde, c'est qu'à la phrase de Sartre sur la rareté créatrice de violence il répond par la violence créatrice de rareté. A mon avis, ces deux réponses sont la manifestation du fait qu'on cherche encore les clefs dans le même trousseau. Or, qu'est-ce que c'est que la recherche d'un équilibre sinon le fait de se référer à une conception proprement physique de la réalité? Et qu'est-ce que c'est que cette observation d'une réalité physique? C'est l'essai d'observer comment des flux d'énergie peuvent s'équilibrer.

Première remarque : le problème est-il véritablement de trouver un équilibre entre les flux d'énergie dans une société dans laquelle nous observons que cette énergie, sous toutes ses formes, est définitivement limitée?

Deuxième remarque : Domenach transforme la phrase « la rareté crée la violence » en « la violence crée la rareté »; moi je dirais que la violence ne crée pas la rareté. La violence, comme toute la société, s'intéresse à la rareté; et délirer, c'est sortir vraiment à la fois de l'observation ou de la recherche d'un équilibre énergétique, d'une observation dans laquelle la violence est véritablement la manifestation d'une recherche, d'une répartition d'une énergie.

A mon sens, la seule façon de trouver une réponse ou des concepts, c'est de sortir de la définition actuelle de notre société. Notre société d'aujourd'hui se définit comme l'organisation collective de la destruction du temps par la consommation d'énergie. Je crois que chercher un équilibre, c'est chercher une autre façon d'organiser la consommation, la destruction collective de l'énergie disponible. Car l'homme n'est-il pas capable de détruire son temps autrement qu'en organisant la circulation d'énergie? N'est-il pas capable d'organiser et de consommer son temps par autre chose, qu'Illich appelle la convivialité et que j'appellerai simplement la communication?

J'ai l'impression que si on veut vraiment chercher la bonne clef ailleurs que dans le trousseau classique de la science, telle qu'elle se présente aujourd'hui, il faut la chercher dans l'équilibre actuel de l'utilisation relative de l'énergie et de l'information dans nos sociétés.

CANDIDO MENDES : Je guette le langage de cette conférence et je me propose de faire une analyse de contenu de ce qui est jusqu'à présent son langage impérial. On reste encore dans le langage du Centre, dans un langage qui se penche sur les périphéries.

Notre conférence s'enrichirait si on pouvait approcher de la marginalité radicale, la marginalité des barbares, celle de la périphérie. Si on faisait la liste de tous les mots stéréotypés, surannés, vieillis, qu'on utilise encore, on en arriverait à cette notion qu'au fond c'est encore une idée de Rousseau, celle d'un mariage avec la nature, même si on parle d'Ivan Illich et de Jérôme Bosch. Et ce qui me frappe le plus, c'est le dernier message rousseauiste de Domenach : il porte un jugement de valeur sur la technique. Il nous dit : la technique est bonne. Et ça me navre, dans le sens où moi je ne peux pas porter un jugement de valeur sur la technique. Je vois la technique comme la mini-praxis de ce que peut être effectivement notre vision prospective. Domenach nous propose une trajectoire très importante entre le pathétique et l'éthique. Je pense qu'on parle trop vite d'éthique ici. Il faut mériter ce mot; mais ce qu'on peut faire, il l'a fait merveilleusement : il nous a apporté une catharsis, pas une éthique.

PIERRE MASSÉ : Je crois que la pensée des limites entendues comme un obstacle au développement est momentanément très importante, mais je ne suis pas sûr qu'elle soit appelée à un grand avenir, à moins que nous la considérions comme un rappel à la modestie. Et je voudrais dire pourquoi : nous sommes intoxiqués par les modèles d'extrapolation linéaire, qui datent de la fin du siècle dernier, pour décrire un progrès indéfini sur une seule ligne d'avenir. Il faut absolument nous en désintoxiquer, car le mécanisme de l'évolution, qu'il s'agisse de l'homme ou de la vie, est tout à fait différent. Ce n'est pas une continuité unique. Ce sont des essais qui rencontrent des aléas, les uns provenant de la nature, les autres issus de l'essai lui-même. Une question est de savoir si nous sommes prêts à accepter suffisamment vite le verdict des faits. Cette exigence me paraît fondamentale, et je dirai franchement aux intellectuels que vous êtes – étant moi-même à demi des vôtres – qu'on a beaucoup parlé de rationalité et pas assez d'expérience. Je crois qu'il y a tout de même dans l'évolution humaine un côté expérimental.

Je dirai maintenant un mot de l'équilibre. Je ne sais pas exactement ce que c'est. Ni ce qu'est la liberté. Mais je sais très bien ce qu'est un déséquilibre. Un mot m'a frappé dans l'exposé de Domenach, c'est qu'il l'a apparenté à la mort. Or je crois à l'utilité des déséquilibres, car ils sont mobilisateurs, tandis que l'équilibre est conservateur.

EDGAR MORIN : Je pense que la rareté a été le produit de l'abondance. Ainsi, la première société où les besoins vécus sont pleinement satisfaits est la société préhistorique. Les bushmen du désert du Kalahari, dans des conditions écologiques très sévères, consacrent seulement quelques heures de la journée à satisfaire leurs besoins (chasser, ramasser), et pour le reste vivent dans le loisir. La rareté et la pénurie commencent avec l'abondance; c'est-à-dire à partir du moment où on est passé à des niveaux démographiques d'une extrême densité et où les sociétés sont devenues sédentaires (rurales/urbaines)[1]. Alors il suffit d'une inondation ou d'une sécheresse pour que survienne la pénurie dans les villes à populations immenses. Alors que les petites sociétés archaïques ont des règles de partage et de répartition de l'éventuelle pénurie, les sociétés historiques sont des sociétés de classes, d'exploitation, où coexistent misère des masses et bien-être des puissants et des possédants. Ainsi le développement historique produit la rareté sporadique (épidémies, famines) et endémique (zones de pauvreté et misère). Il produit l'exploitation. Il produit la barbarie en même temps que la civilisation.

Par ailleurs, chez les privilégiés du développement économique, apparaissent et se manifestent des sous-développements humains, moraux, psychiques et affectifs.

Aujourd'hui enfin, toutes les sociétés sont en voie de développement et de sous-développement! Les sociétés dites développées développent leur propre sous-développement, et les sociétés sous-développées sont déjà lancées dans le développement économique. Toutes les sociétés sont en devenir, avec les mêmes problèmes, mais à des stades différents. Une société en devenir n'est plus une société en équilibre, ou mieux en homéostasie. Elle va de crise en crise, de rupture en rupture. Ainsi on comprend aujourd'hui que le développement industriel est un phénomène d'*hubris*. Désormais, le problème qui se pose à nous n'est pas de retrouver les anciennes régulations, c'est celui d'un nouveau processus de régulation dans le devenir. Jusqu'à aujourd'hui on croyait que la science jouait cette fonction régulatrice, permettant le contrôle des hommes sur la nature elle-même et sur leur propre nature. Or nous voyons aujourd'hui que la science accroît l'incontrôle des hommes sur la nature et sur leur propre nature. C'est pourquoi il faut contrôler le contrôle. Alors là, nous arrivons à la contradiction bien connue, la fameuse thèse de Marx sur Feuerbach. « Qui éduquera les éducateurs », disait Marx. Aujourd'hui, le problème est : *qui contrôlera les contrôleurs?* La seule solution pour échapper à ce cercle infernal – solution qui comporte évidemment toujours des aléas, mais qui est la seule –, c'est que les contrôleurs soient contrôlés

1. Les sociétés archaïques de chasseurs-ramasseurs, très peu nombreuses, très mobiles, répondent par l'art de la chasse, la connaissance de la nature, la mobilité nomadique, aux difficultés de subsistance et ignorent la rareté.

par les contrôlés, de même que les éducateurs ne peuvent être contrôlés que par les éduqués. C'est-à-dire qu'il faut transformer un cercle vicieux en procès récursif, donc redonner un sens à ce mot démocratie, dans tous les domaines de la vie politique et sociale. C'est-à-dire, il faut métamorphoser la société. Par ailleurs, on a posé le problème de la modération. Faut-il, doit-on, peut-on modérer l'immodéré, l'emballé, le démesuré?

Ne faut-il pas plutôt crisifier, c'est-à-dire parier sur la crise? C'est aussi un pari très aléatoire et très risqué. Je suis parfois extrêmement hésitant, mais mon idée fondamentale est celle-ci : si nous voulons espérer qu'effectivement nous puissions arriver à un métasystème, à nous dépasser nous-mêmes, à nous auto-regarder, nous auto-critiquer, si nous voulons envisager de façon radicale la transformation de la société, si nous voulons affronter les problèmes de vie et de mort qui se posent à nous, alors il nous faut « crisifier », aller au bout de la crise.

FELIPE HERRERA : Je voudrais souligner, en m'associant à Candido Mendes, que le problème de l'irrationalité, en rapport avec le développement, ne se pose pas avec autant de vigueur dans les pays du Tiers Monde. Vous jouissez d'un avantage dans les sociétés développées : la société industrielle est apparue parallèlement à la création de la démocratie politique; et, dans l'ensemble, je dirai que la démocratie politique a été maintenue, perfectionnée selon le schéma des sociétés industrielles. Mais plus la société industrielle a pris de l'importance et s'est projetée dans le Tiers Monde, plus les valeurs fondamentales de la démocratie politique se sont affaiblies. Je dirai même que beaucoup de gens défendent malheureusement cette conception fondamentale en disant que le respect des valeurs humaines est secondaire, face au défi que représente le développement. Dans notre société contemporaine, le nombre de crimes commis au nom du développement est étonnant. Si on regarde le Tiers Monde, ainsi que les modèles politiques de type totalitaire, tous utilisent, sans exception, la nécessité du développement comme explication politique et philosophique.

AMILCAR HERRERA : Je crois qu'on se trouvera en présence d'un état mouvant d'équilibre, d'un état dynamique de l'équilibre, et non pas en présence d'un état statique d'équilibre. C'est le premier point. Le second point est celui des limites. Si nous acceptons cette notion en termes absolus, la limite existe. Mais si nous voulons trouver une certaine base à nos discussions, il faut prendre en considération le temps. Car en face de ce type de développement, nous ignorons l'essentiel, la quantité optimale, non pas seulement par rapport aux matériaux disponibles, mais du point de vue des besoins culturels : ce que signifie la quantité minimale ou maximale des biens matériels indispensables.

Une chose est certaine : plus de la moitié de l'humanité reste très éloignée d'un niveau raisonnable de consommation. Voici ce dont il s'agit : si nous supposons que les limites existent et que nous les avons atteintes, cela reviendrait à condamner cette partie de l'humanité à une pauvreté éternelle. Mais si les limites sont éloignées, disons de cent cinquante, deux cents ans, le problème sera tout à fait différent. Dans ce sens, il est impossible de prévoir les besoins de l'humanité, la culture, la technologie dont l'humanité aura besoin, ou la culture, la technologie qu'aura l'humanité dans cent ou cent cinquante ans; et si nous parlons de limites dans un sens absolu et abstrait, nous pouvons clore la discussion dès maintenant, car il n'y a pas de solution. Par conséquent, nous devons d'abord, si nous parlons de limites, nous mettre d'accord sur l'espace de temps que nous considérons.

RÉPONSE DE JEAN-MARIE DOMENACH

Je me contenterai de deux mises au point personnelles, parce qu'elles portent, me semble-t-il, sur des malentendus. Je ne crois pas avoir dit que la technique est bonne. Elle n'est pour moi ni bonne ni mauvaise, et je ne me sens pas capable de m'ériger en juge de la technique et de la vouer aux enfers. Simplement, nous devons prendre garde, car l'hypertrophie technique paralyse les libertés humaines, les compétences humaines, le pouvoir des individus et des groupes de prendre en main leur destin.

Quant au langage, Candido Mendes a dit que le mien, le nôtre étaient des langages impériaux. Mais, après tout, l'empire a été une des formes les plus élaborées de la politique, peut-être celle que l'esprit a le plus pénétrée. Et je reconnais que, de ce point de vue, je relève d'un certain empire qui est l'empire occidental. Là-dessus, j'ai accepté mes responsabilités et j'ai dit que le modèle occidental était le seul opératoire, le seul efficace en ce moment dans le monde. Je n'ai pas dit « bon » ou « mauvais », j'ai dit qu'il était le seul agissant réellement, pour le pire ou le meilleur. C'est aux ressources de cette culture que je me réfère et non au bouddhisme zen, simplement parce que c'est ma culture. La culture occidentale n'est pas supérieure aux autres mais elle a toujours su se reprendre, se revivifier et se régénérer à partir de ses données fondamentales. Ce qui ne signifie pas qu'elle soit meilleure, ni qu'elle soit éternelle.

Deuxièmement, je ne pense pas avoir fait l'apologie de l'équilibre. Il est vrai que le mot était mal choisi, comme c'est souvent le cas avec les métaphores. Comme Attali, je pense que la circulation de l'information est la véritable base d'une vie civique, et que c'est l'économie majeure. Mais information de quoi et pour quoi? L'information, pour moi, est absolument liée à un engagement dans une lutte, à des significations qui nous viennent de notre culture, de nos traditions. Que sera un monde où l'information circulera sans arrêt? C'est déjà le monde où nous sommes : nous baignons dans ce réseau d'informations qui provoque un encombrement extraordinaire. Tout le monde parle, et presque personne n'écoute.

Mais je reviens à cette question de limite, qui me paraît extrêmement importante. Car nous sommes confrontés concrètement à ce problème, que nous le voulions ou non. Ou bien nous acceptons les limites qui nous sont imposées autoritairement, arbitrairement, et qui vont réellement restreindre nos libertés, ou bien elles seront choisies à l'intérieur d'un éventail supposant un plancher et un plafond. Et je ne vois pas comment sortir de ce dilemme. Alors, ou bien vous déterminez vous-mêmes le plafond de la consommation et par conséquent de la production, donc de l'outillage technologique; ou bien d'autres le feront à votre place.

II

La croissance et l'homme

PIERRE MASSÉ

Pour définir son objet, la Conférence a repris le titre d'un livre que j'ai publié l'an dernier, *la Crise du Développement.* J'y avais fait écho au vertige de beaucoup d'hommes de notre temps devant le recul des certitudes et des valeurs sur lesquelles se fondaient auparavant notre vision du monde et notre action de tous les jours. Les remèdes à la crise m'avaient paru moins évidents que les symptômes, et j'avais donné la mesure de mes doutes en intitulant le dernier chapitre « A défaut de conclure ».

La présente note se limite volontairement aux facteurs économiques et sociaux, sur lesquels, en France, j'ai fait porter mon observation et parfois mon action. J'essaie de discerner quelle valeur explicative on peut leur attribuer dans la genèse de la crise, sans méconnaître que d'autres facteurs sont entrés en jeu dans l'ordre de la connaissance, de la spiritualité et de l'éthique.

Comme nous sommes en présence, à mon sens, non d'un phénomène momentané, mais d'un changement fondamental, nous ne pouvons le comprendre qu'en développant notre analyse à partir d'un passé lointain et suivant *un fil conducteur*.

Je vois celui-ci dans une interprétation de l'histoire distinguant deux points de vue. D'un côté, les hommes agissent ensemble pour tirer du milieu le meilleur parti. De l'autre, ils s'opposent dans le partage des résultats de leur action. Le premier point de vue conduit à prendre en compte une suite de progrès irréguliers, mais cumulatifs, souvent ignorés de leurs contemporains. Le second amène à considérer une suite de conflits formant la trame de l'histoire événementielle, « contée par un idiot, pleine de fureur et de bruit, et qui ne veut rien dire ».

Pour exprimer cette distinction d'une autre manière, on peut utiliser le langage de la Théorie des Jeux, c'est-à-dire considérer un jeu entre les hommes, à somme positive (ou plus généralement non nulle), plongé dans un jeu à somme nulle entre les hommes et un joueur fictif supplémentaire dont le gain algébrique serait, par définition, égal et opposé à la somme algébrique des gains des joueurs réels (Von Neumann et Morgenstern, *Theory of Games,* chapitre XI). Certains auteurs, étendant le langage courant, qui parle de victoire sur la maladie, de conquête de l'air, de maîtrise de l'atome..., appellent « nature » ce joueur fictif.

Celui-ci ne s'identifie pas cependant avec la « nature » des physiciens, des chimistes, des biologistes, des anthropologues. Une version plus adéquate consiste à considérer *l'éco-système terrestre,* un système ouvert qui gagne en organisation grâce au rayonnement solaire, dont procède, par une série de transformations de mieux en mieux connues, la vie végétale et animale, poche d'entropie décroissante dans un univers d'entropie croissante.

Avant l'apparition de l'homme, le succès d'une espèce, nous disent Darwin et les biologistes contemporains, se mesure au nombre des descendants. Cependant, à un tournant de l'évolution, l'animal adaptable devient l'homme créateur, « le premier produit de l'évolution capable de maîtriser l'évolution » (François Jacob, *La Logique du vivant,* p. 343).

Dès lors, les gains d'organisation tendent à se faire au bénéfice du sous-système humain. Il y a certes des périodes de recul, dues au déchaînement des passions irrationnelles. Mais au total, la réussite de l'espèce est attestée biologiquement, à ce jour, par la multiplication du nombre des humains *et* l'allongement de leur durée de vie. Le critère du succès est devenu dualiste. La multiplication vaut pour l'espèce, la durée pour l'individu.

La puissance créatrice de l'homme s'est d'abord manifestée par la capacité d'introduire un ordre dans le chaos des ombres, des lumières, des couleurs et des formes – poétiquement décrit par Aragon dans *Anicet* –, d'abstraire certaines figures durables du flux mouvant de ses impressions visuelles, tactiles et musculaires, d'opérer la construction mentale de l'*objet,* support de sensations renouvelables et de services répétitifs. Henri Poincaré a reconstitué ce mécanisme créateur, qui comporte a priori une part d'arbitraire, mais auquel la sélection impose a posteriori sa nécessité. L'homme dispose alors d'un système de pièces mobiles – l'arme, l'outil, le vêtement – qui lui permet une réponse flexible aux agressions du milieu.

Aussitôt après l'objet, la plus grande conquête de l'homme est le *feu,* d'abord subi, puis maîtrisé, qui fait reculer la nuit, le froid, l'adversaire, et qui est le premier opérateur chimique permettant successivement, au cours des âges, de cuire les aliments, de transformer l'argile en céramique, de réduire les minerais.

Au cours de centaines de milliers d'années obscures, à travers des essais aléatoires, tantôt sans lendemain, tantôt couronnés de succès durables, l'homme réalise une série de micro-révolutions qui aboutissent à la *civilisation néolithique.* Civilisation agraire d'abord, qui substitue la culture à la cueillette et l'élevage à la chasse, qui crée des rigoles d'irrigation et utilise la force des bœufs et du vent. Civilisation artisanale, qui s'applique à la fabrication des ustensiles rudimentaires exigés par le travail et par la vie domestique. Civilisation pré-urbaine, implantée dans de petites agglomérations où les hommes coopèrent, et où la division du travail devient possible. Enfin civilisation pré-commerciale, qui s'épanouira avec les inventions techniques (la roue, la voile) et la naissance de marchés d'échange. Points de passage obligés entre les transports terrestres et les transports fluviaux ou maritimes, les ports donneront bientôt la première image de la cité. L'homme est ainsi parvenu à *organiser l'éco-système de manière à le rendre de plus en plus « vivable » pour lui.*

On peut dire qu'entre le néolithique et la révolution industrielle notre vision du monde a été, quant à l'essentiel, fixée pour des millénaires. Agriculteur attaché à la terre ou artisan de village ou de faubourg, l'homme vivait devant un horizon immobile qui ne changeait qu'au rythme des saisons. L'outil de pierre, de bronze ou de fer, le feu de bois, la maison basse, le galop du cheval marquaient l'étendue et la limite de ses pouvoirs. Ce tableau correspondait encore à la réalité, il n'y a pas si longtemps, pour les paysans européens.

L'action sur le milieu s'est longtemps développée dans la voie ouverte par la révolution néolithique. Mais les progrès sont si lents que l'enrichissement a le plus souvent un caractère prédateur. Les guerres fréquentes, presque incessantes, commencent par détruire. Les règlements qui y mettent fin, par des traités en forme ou des annexions de fait, constituent des jeux à somme nulle, où les vaincus perdent ce que gagnent les vainqueurs. Apportant un répit à l'emprunteur aux abois, mais ne lui procurant aucune opportunité de fructification qui lui permettrait de s'acquitter, le prêt à intérêt prend un caractère usuraire. L'Église le condamne pour des raisons morales que sous-tend une réalité économique.

Cependant, l'évolution se poursuit. Le livre de Georges Duby, *Guerriers et Paysans,* montre comment aux profits de la guerre – jeu à somme nulle – ont succédé à partir du Xe siècle les conquêtes paysannes – jeu à somme modestement positive. Grâce au renouveau de l'agriculture et au mouvement commercial, les routes se raniment, les villes s'accroissent, les églises se reconstruisent. On voit apparaître peu à peu les canaux munis d'écluses, les chariots équipés d'essieux mobiles et d'un avant-train pivotant, les moulins à eau et les moulins à vent. Constitués en métiers, les saliniers, les sucriers, les teinturiers, les potiers, les briquetiers, les brasseurs bénéficient de ce recours aux forces naturelles élémentaires.

Par ailleurs, stimulée par le progrès technique – la boussole, l'astrolabe, le gouvernail d'étambot, la caravelle –, par l'appétit de métaux précieux et d'épices, par la volonté de tourner le mur de l'Islam, la navigation maritime s'enhardit. Vers la fin du XVe siècle se produit une véritable explosion de découvertes. En quelques années, le cap de Bonne-Espérance est doublé, l'Atlantique traversé, les Indes Orientales atteintes, le Pacifique reconnu. Aux Européens apparaît un *Nouveau Monde*. Peu avant, l'invention de l'imprimerie avait donné à l'écrit toute sa portée, peu après éclate la fête de la Renaissance. La démographie enregistre une conséquence significative de cette réussite de l'espèce. La population du monde, qui s'accroissait péniblement chaque année de cinq centièmes pour cent, s'accroît, à l'aube du XVIIe siècle, d'un demi pour cent.

La *Révolution industrielle,* commencée il y a deux siècles, et encore inachevée, est le plus grand tournant depuis la révolution néolithique.

Née en Angleterre au XVIIIe siècle, et propagée sur le continent européen, elle résulte de la découverte de la puissance motrice du feu et de l'essor du machinisme. Son symbole est la machine à vapeur qui a réussi parce qu'elle répondait à une attente, à une soif d'énergie mal étanchée par les moulins à eau et les moulins à vent. L'invention de Watt fait passer l'Europe du règne de l'artisanat à celui de l'industrie. Simultanément, le siècle des Lumières est un semeur d'idées nouvelles qui interféreront avec le développement matériel : 1776 est à la fois l'année de la Déclaration des Droits, celle de la publication par Adam Smith de l'essai sur la richesse des nations, celle enfin où Jouffroy d'Abbans fait naviguer un bateau à vapeur sur la Saône.

Au cours du XIXe siècle et des trois quarts du XXe, le jeu des hommes avec la nature est largement un jeu gagnant. Parmi la richesse et la diversité des innovations, rappelons simplement l'expansion des mines, de la sidérurgie, des fabriques, les chemins de fer, les navires à vapeur, les percements d'isthmes, les tunnels alpins; la découverte du pétrole ouvrant la voie à ces instruments incomparables de mobilité et d'autonomie que sont l'automobile et l'avion; celle de l'électricité produisant cette innervation générale du monde qui fait pénétrer la lumière et la force dans chaque foyer; le télégraphe, le téléphone et les ondes hertziennes qui nous apportent l'instantanéité et l'ubiquité; les vaccins, les antibiotiques, les transplantations d'organes, les satellites de télécommunication, sous-produits de l'exploration du cosmos; l'énergie nucléaire révélée d'abord par ses menaces, puis par sa promesse de suppléer un jour les combustibles fossiles. Cette maîtrise croissante des hommes sur le milieu a été célébrée à Suez par Melchior de Vogüe : « Le caractère essentiel et le grand titre d'honneur de ce siècle (le XIXe), nous les apercevons clairement à l'heure où il s'achève : c'est le rapprochement de toutes les parties du globe par les découvertes et les applications pratiques de la science; c'est la fusion des peuples et des intérêts, leur compréhension mutuelle par les courants économiques; *c'est la victoire des hommes réunis sur la nature, l'obstacle, l'espace.* »

Dans ce texte, le « jeu avec le milieu » est admirablement vu et exprimé. Les réflexions sur le « jeu entre les hommes » traduisent en revanche les illusions de l'opinion régnante au début de notre siècle. Nous savons aujourd'hui, à la suite d'expériences cruelles, que ni la science, ni la technique, ni les interdépendances économiques n'ont amené la fusion des peuples et des intérêts. La société des hommes et la société des peuples nous ont révélé leurs conflits.

Le développement de l'activité industrielle en Europe, et particulièrement en France, est en corrélation avec l'exode rural et la croissance urbaine. Entre 1830 et 1850, les premières agglomérations de travailleurs naissent dans la Loire, ainsi qu'autour de Mulhouse, de Rouen et de Paris. Elles font apparaître une réalité sociale nouvelle. Ouvriers et patrons ne sont plus côte à côte, comme les artisans et compagnons d'autrefois, mais face à face. « La disparité des genres de vie et l'inégalité des ressources (habitat, vêtements, accès à l'instruction, participation à la vie politique, etc.) aboutissent à créer comme deux humanités différentes : d'une part le capitalisme industriel, financier, bancaire, favorisé par des dispositions législatives, d'autre part une masse salariée qui n'a pour elle que sa capacité de travail physique, qui n'a ni réserves ni ressources, main-d'œuvre non qualifiée, venue en droite ligne de la campagne et qui doit s'accommoder du premier emploi qu'elle trouve [1]. »

De la dissociation, les deux groupes passent à l'antagonisme. La main-d'œuvre excédentaire est soumise à la domination du capital, maître d'imposer de bas salaires et de dures conditions de travail. En contrepartie, l'économie française « décolle » au bénéfice des générations qui suivront. D'autre part, l'existence d'un groupe dominant contribue à assurer l'équilibre financier et la stabilité monétaire dont le XIXe siècle peut se prévaloir.

La réaction de défense du groupe dominé est la création du mouvement ouvrier, que rejoignent et renforcent les idées socialistes venues de la volonté de justice des hommes des Lumières. Le milieu du siècle est marqué par la Révolution de 1848 et par le *Manifeste communiste* publié la même année. La première engendre « une république sans doctrine, un amalgame disparate qui portait en lui les germes de son échec [2] ». Le second garde, cent vingt-cinq ans après, sa puissance d'entraînement.

1. René Rémond, *Le XIXe siècle : 1815-1914*, Éditions du Seuil, p. 119-120.
2. Paul Leuillet, *Histoire universelle*, collection *Encyclopédie de la Pléiade*, Gallimard, tome III, p. 2.274.

L'essentiel des idées de Marx peut se résumer en trois propositions :

a – La baisse tendancielle du taux de profit, due au rendement décroissant de l'action des hommes sur le milieu.

b – L'accentuation des antagonismes par la réduction du gain à partager, la classe dominante tendant à maintenir ses avantages aux dépens de la classe dominée.

c – La lutte de la classe dominée pour obtenir, par voie d'association interne, un contre-pouvoir qui engagera un jour la lutte décisive contre le capitalisme venu à maturité.

Seule la troisième s'est réalisée, les ouvriers ayant conquis le droit de grève et le droit syndical : lois de 1864 et de 1884, création de la CGT en 1895.

Ainsi, l'apparition de facteurs favorables à la croissance vers la fin du XIXe siècle [1], la logique d'une production en quête de débouchés, la créativité des entreprises et la force montante des syndicats ont transformé les conditions du partage social telles qu'elles existaient du temps de Marx. La créativité engendre un *surplus* qui, au début du XXe siècle, atténue la violence des conflits [2] et engendre un courant réformiste, assez bien représenté par Bernstein pour qui « l'ensemble des réformes constitue une révolution », de telle sorte que « le but, c'est le mouvement lui-même [3] ».

On ne doit pas oublier cependant – et c'est un point qui différencie la France d'autres grands pays européens comme l'Allemagne et l'Angleterre – que le syndicalisme français se voit assigner par la Charte d'Amiens (1906) une double mission, l'accroissement du mieux-être des travailleurs et l'expropriation capitaliste.

Au XXe siècle, deux moments de l'histoire paraissent lui donner un nouveau cours : *la guerre de 1914* qui met fin à un siècle de stabilité

1. Carré, Dubois et Malinvaud, *La Croissance française. Un essai d'analyse économique causale de l'après-guerre,* Éditions du Seuil, p. 616 et suivantes.

2. Jacques Chastenet, *Histoire de la Troisième République,* tome IV, *Jours inquiets et Jours sanglants,* voir en particulier p. 159-160.

3. Raymond Aron, *Bulletin SEDEIS,* 1er janvier 1965. – Supplément : « L'impact du marxisme au XXe siècle », p. 7.

et fait naître l'Union soviétique [1]; la crise économique des années 30 et la Seconde Guerre mondiale qu'elle contribue à engendrer. La Grande Dépression porte à l'Occident un coup qui a failli être mortel. C'est l'époque où Schumpeter prédit le plus sombre avenir au capitalisme, combattu pour son inefficacité (le café brûlé dans les locomotives), entravé par des contre-pouvoirs, menacé par l'évaporation de la substance de la propriété, perdant sa foi en lui-même, et traduit finalement devant des juges ayant en poche la sentence de mort.

Après la Seconde Guerre mondiale, le système économique occidental a fait front. Il s'est désacralisé et ne se présente plus comme un dogme, mais comme une pratique favorable à la création et à la diffusion de l'abondance. Sans renoncer à l'initiative privée, il a étendu le rôle de l'action publique et fait leur place aux aspirations humaines par les politiques de plein emploi, de sécurité sociale, de progression du pouvoir d'achat des salaires [2].

Dans ce contexte, la créativité des entreprises engendre un *surplus* de productivité globale dû à l'effort de recherche, au choix d'investissements appliquant les meilleures procédés à la fabrication des meilleurs produits, à l'aptitude des chefs à découvrir et à récompenser les talents, à des concentrations judicieuses permettant de disposer de laboratoires plus puissants, de séries plus diversifiées et de réserves financières plus étendues.

J'ai cherché à donner une expression précise à ce *surplus* en généralisant une formule de Bertrand de Jouvenel sur le principe de moindre action : atteindre le but visé avec la moindre dépense de moyens. D'où deux conséquences logiquement équivalentes : pour un même produit, temps de travail décroissant; pour un même temps de travail, produit croissant.

La généralisation consiste à remplacer dans la formule précédente

1. La naissance de l'Union soviétique est un fait historique d'une extrême importance qui s'inscrit toutefois hors de la ligne de cet exposé. Elle n'a pas été conforme à la vision marxiste, la Russie étant en 1917 un empire arriéré et non un État capitaliste « mûr ». La question se pose dès lors de savoir si Lénine a eu raison de s'écarter du schéma de Marx en agissant sur « le maillon le plus faible de la chaîne » et en faisant jouer le rôle de « fer de lance » au parti bolchevik ou si les difficultés ultérieures de l'Union soviétique ne sont pas dues à l'introduction du socialisme dans une masse mal préparée à l'accueillir.

2. C'est pour ces raisons que je préfère à « capitalisme » l'expression « système économique occidental ».

« temps de travail » par « volume global annuel des facteurs de production » (travail, capital, matières premières, etc.) D'une année à l'autre, le volume des produits obtenus s'accroît plus vite que le volume des facteurs utilisés. L'excédent est un surplus gagné sur l'improductivité qui se résorbe aussitôt par des gains ou des pertes, les consommateurs étant gagnants s'il y a baisse du prix des produits, les producteurs étant gagnants s'il y a hausse de leur taux de rémunération (en monnaie constante, bien entendu).

L'intérêt de cette notion est que le surplus est un critère d'efficacité économique moins partiel et moins partial que le profit, et qu'en outre son partage entre les forts et les faibles témoigne du degré de justice sociale régnant entre les individus d'une nation.

Les grandes espérances du début des années 60 reposaient, d'une manière plus ou moins consciente, sur l'existence de ce surplus. Le pape qualifiait le développement de nouveau nom de la paix. Il m'est arrivé à l'époque de parler du partage comme d'un jeu où tout le monde *pourrait* gagner. C'était un conditionnel de prudence que nous avons aujourd'hui à tester.

La croissance économique d'après guerre a été une réplique et un essai. Réplique à un acte d'accusation. Essai d'améliorer la condition humaine.

La réplique a dépassé son but et inversé l'acte d'accusation : au délit d'inefficacité a succédé le péché d'efficacité. « On ne tombe pas amoureux d'un taux de croissance », ont écrit sur les murs de Paris les contestataires de Mai 1968. Cette formule vise à la fois les nations occidentales et les pays socialistes (Oskar Lange, Nikita Khrouchtchev). Négligeons la polémique et attachons-nous à porter sur l'essai une appréciation raisonnable.

En vingt-cinq ans, une grande transformation s'est produite. En France, par exemple, le revenu réel moyen par tête a été multiplié par un facteur compris entre 2,5 et 3 [1]. La consommation des ménages par un peu plus. Le nombre de logements neufs achevés chaque année

1. Je ne suis pas plus précis à cause de petits différends statistiques sur les décimales. Qualitativement, l'ordre de grandeur du changement est le même.

s'est élevé de 60 000 à 500 000. Les effectifs scolarisés sont passés de 7,5 millions à 12 millions. En une quinzaine d'années, la France a construit autant de bâtiments scolaires et universitaires qu'au cours du siècle précédent. On a assisté à une explosion de la circulation automobile et du transport aérien. L'industrie s'est renforcée et modernisée, atteignant ainsi un haut niveau de compétitivité. L'agriculture a connu une mutation des techniques, des comportements et des modes de vie. La sécurité sociale s'est étendue à de nouvelles catégories et a permis une large diffusion des progrès médicaux. Enfin, la croissance a joué un rôle de régulateur social en permettant à un million de rapatriés d'Afrique du Nord de s'intégrer sans drame dans l'économie métropolitaine.

Tel est *l'actif* du bilan de la croissance française pendant les vingt-cinq dernières années.

Le *passif* touche quatre points principaux :

1. – Le Jeu avec la Nature a pris un sens nouveau, à cause de la montée des *exigences écologiques.* On pouvait, aux débuts de l'industrialisation, tenir les atteintes à la Nature pour négligeables. Il commence à n'en être plus ainsi. Un signal d'alarme s'est fait entendre, un « clignotant » s'est allumé. Nous nous apercevons qu'après nous être défendus contre le milieu, après l'avoir utilisé à nos fins, il nous faut aujourd'hui le ménager, de manière que l'éco-système reste au moins aussi « vivable » pour nos descendants que pour nous.

Le problème de l'énergie permet d'illustrer ces généralités. L'humanité a d'abord utilisé des ressources reproductibles, le bois à partir du cycle de la forêt, sans cesse abattue et replantée, la roue et la turbine à partir du cycle de l'eau, évaporée de l'océan, précipitée sur les montagnes et retournant à la mer. La révolution industrielle, en revanche, s'est accompagnée de la destruction des ressources de charbon – puis de pétrole – accumulées depuis des millénaires. *L'homme a entamé les réserves du milieu.* Cette atteinte n'a d'abord été que marginale, mais avec l'expansion économique, elle s'est considérablement accélérée. Si nous voulons que l'éco-système reste « vivable » dans ce domaine, il nous faut, très schématiquement, ménager le pétrole jusqu'au moment où l'uranium aura pris le relais. Nous y parviendrons en introduisant dans nos calculs d'optimum, dont les principes ne sont pas en cause, la limitation des ressources non reproductibles. La prise en compte de cette contrainte naturelle suffit à proscrire les gestions gaspilleuses

(Malinvaud) et à dégager une échelle de prix assurant la réorientation des activités économiques en fonction des nouvelles raretés.

N'oublions pas cependant que nous ne pouvons pas imposer à l'écosystème de rester indéfiniment « vivable » pour l'homme dans le domaine énergétique, sans nous préoccuper des périls, peut-être plus graves, qui nous menacent dans d'autres domaines. La condition à remplir devrait être d'assurer une *équi-protection de l'homme dans toutes les directions où de l'invivable peut surgir.*

2. – L'effort humain pour tirer du milieu le meilleur parti, tout en ménageant la nature comme il vient d'être dit, est gouverné par la *logique de l'efficacité.* Cette logique implique tension de travail et d'existence, mobilité géographique et professionnelle, évolution vers un certain type de consommation.

Dès lors, l'efficacité pèse surtout sur les catégories de travailleurs assujettis à des cadences rapides et à des gestes répétitifs. La fatigue physique a diminué, l'usure nerveuse s'est accrue. La tension du travail se double, dans les grandes agglomérations, de la tension de l'existence. Pour les femmes et les hommes qui ont à traverser deux fois par jour la Région parisienne dans toute son étendue, le slogan « métro, boulot, dodo » est à peine caricatural.

En second lieu, la condition d'une expansion rapide est une redistribution incessante du capital et du travail assurant autant que possible à chaque instant leur affectation aux emplois les plus productifs. Elle entre en conflit avec l'enracinement dans un lieu, dans un milieu, dans un emploi. « Lorsqu'on exige d'un homme, au nom d'une nouvelle technique, qu'il change un geste de travail, fruit d'un long apprentissage et d'une longue habitude au point d'être intégré à sa personnalité, il se produit une déchirure difficilement supportable [1]. »

La mobilité est plus exigeante encore. Elle s'étend aux idées, aux techniques, aux villes elles-mêmes, qui sont en état de destruction et de reconstruction permanentes. Elle s'étend à la structure des consommations. La logique de l'efficacité veut que les achats se portent de préférence sur des biens et services à coût rapidement décroissant, susceptibles d'être produits à bon compte en grande série. D'où le succès

1. Albert Détraz et Edmond Maire, « Pourquoi nous croyons à l'autogestion », *Preuves,* 4e tr. 1970, p. 112.

des « gadgets ». Je me souviens encore de l'époque où, approuvant la recommandation du Quatrième Plan tendant à « mettre l'abondance progressive qui s'annonce au service d'une idée moins partielle de l'homme », M. Pierre Drouin intitulait un de ses articles « La France ne veut pas de la civilisation du gadget » (*Le Monde,* 18 octobre 1961).

Aux tensions quotidiennes nées du changement s'ajoutent celles qui résultent de l'encombrement matériel et mental : les embouteillages dans les rues, la surcharge des esprits. Que tous les habitants d'une grande agglomération veuillent rouler en automobile, et il n'y a plus de circulation. Que tous les estivants veuillent un accès à la mer, et il n'y a plus de rivage. Les messages pleuvent sur nous de toutes parts. Ils émanent des vitrines, des livres, des journaux, de la radio, de la télévision. Avant même d'être accomplie, l'abondance se pervertit en encombrement. L'excès de la connaissance interdit en quelque sorte de connaître. M. Didier Anzieu a décrit dans le n° 15 de *Prospective* la pathologie de l'homme encombré, « vivant la situation comme preuve d'incapacité professionnelle ou de défaillance morale. ... La fréquence du surmenage, des accès dépressifs, des break-down nerveux, en dérive ».

Au total, la fatigue des transports urbains, le travail à la chaîne, le flux incessant des informations, les atteintes subies par des structures sécurisantes comme la famille, l'âpre recherche de plus de revenus pour plus de consommation soumettent beaucoup d'existences à une tension éprouvante et entraînent un recul de l'aménité dans les relations humaines. Dans cette fuite en avant, la possession des choses nuit à l'accomplissement de l'être. Si l'homme cherche à compenser moins d'accomplissement par plus de possession, il en résulte moins d'accomplissement encore. La chaîne est sans fin.

3. – Considérons maintenant le *jeu entre les hommes*. La croissance d'après guerre a eu pour conséquence une transformation du cadre de vie qui saute aux yeux. Il y a cependant deux ombres au tableau : l'importance de l'inflation, la persistance de l'inégalité.

Cette note n'a pas pour objet l'étude de toutes les causes de *l'inflation* mais seulement de celles qui se rattachent au partage social. Le surplus a d'abord procuré la marge de souplesse qui a permis aux mécanismes économiques de fonctionner sans trop de heurts. Mais par la suite, il a été escompté par les co-partageants, et la difficulté a reparu. Dans une société caractérisée par « l'inégalité ascendante », les moyens de communication modernes développent l'aspiration des masses à accéder au mode de vie des catégories plus aisées. En outre, des moyens de pression nouveaux sont aux mains de petits groupes qui peuvent, par leur action, causer un préjudice important à l'économie en en bloquant un rouage essentiel. Une des causes de l'inflation est ainsi que la somme des revendications des co-partageants dépasse le surplus à partager. L'inflation est alors un moyen de rendre temporairement ces exigences compatibles. Elle est, une fois le surplus consommé, la goutte d'huile qui lubrifie le partage. Malheureusement, le processus n'est pas stable. Après la première goutte, il en faut une seconde. Après la seconde, une troisième. D'où une cause *interne* d'accélération de l'inflation qui, dans de nombreux pays, est passée en une décennie de 2 % à plus de 10 % par an et atteint ainsi un seuil dangereux.

D'autre part, du fait de la civilisation de masse dans laquelle nous entrons, la *revendication de l'égalité* est aujourd'hui puissamment à l'œuvre. Elle invoque la devise nationale de la France. Mais celle-ci est ambiguë. « Les révolutionnaires de 1789, écrit M. Gilles Lapouge [1], ne veulent pas consentir que l'égalité et la liberté vivent aux dépens l'une de l'autre... L'une s'épanouit quand l'autre s'étiole... L'égalité maintient alors que la liberté transforme. » Autre ambiguïté : quand on parle de l'égalité, s'agit-il de celle des droits, de celle des chances, de celle des conditions qui aboutirait, si elle était possible, à une société sans aiguillon et finalement sans espérance? Dans le domaine des chances, les différences de patrimoine génétique échappent à notre action égalisatrice, mais non les handicaps socio-culturels que l'école peut chercher à compenser. D'après certaines études, dans une mesure toutefois moins large qu'on ne l'imagine en général [2].

Quant au domaine des conditions, le problème prioritaire semble être d'améliorer l'existence de ceux que M. Roger Priouret appelle les nouveaux pauvres.

4. – Les plus malheureux sont aujourd'hui les peuples pauvres du Tiers Monde. Les nations industrialisées ont exploité les ressources des

1. Gilles Lapouge, *Utopie et Civilisations,* p. 37.

2. Voir notamment Christopher Jenckz et Mary J. Bane, « L'égalité des chances », *Analyse et Prévision,* novembre 1973.

nations retardataires, mais en même temps elles les ont fait accéder à la connaissance sous ses formes les plus modernes. Elles ont en particulier introduit chez elles les techniques médicales avancées. De sorte qu'elles sont aujourd'hui devant une exigence à la fois politique et morale : concourir à l'alimentation, à l'instruction, à l'emploi et au développement des milliards d'êtres humains que la médecine occidentale aura sauvés de la mortalité en bas âge. La démographie prend ici tout son relief. Au XIXe siècle, l'accroissement de population du monde connu était de l'ordre d'un demi pour cent par an. Il a monté à un pour cent au milieu du XXe siècle. Aux trois quarts du siècle, il est de 2 % (avec une tendance à l'atténuation). C'est un succès pour l'espèce. Ce n'est pas encore un succès pour l'homme.

Que conclure de cette analyse des vingt-cinq années de croissance rapide que viennent de connaître les pays occidentaux? Si on les considère comme un essai, une *inflexion sérieuse* apparaît nécessaire pour tenir compte des résultats de l'expérience. C'est ce que j'ai récemment écrit dans un article du *Figaro* (12 mars 1974) : « Il ne s'agit pas de nous convertir à la croissance zéro, que notre société ne supporterait pas sans déchirements, mais de nous orienter, à l'horizon 1980, vers une expansion légèrement réduite dans son taux, mais améliorée dans sa direction et son contenu, ne reniant pas l'efficacité, mais atténuant des tensions parfois inhumaines, plus attentive à l'environnement, plus soucieuse de justice entre les hommes et entre les peuples. » J'y ajouterais aujourd'hui plus éprise de beauté, « ce fruit, écrit Simone Weil, qu'on regarde sans tendre la main ».

Un tel objectif ne paraît pas inaccessible, pour peu que les esprits progressent en discernement et les comportements en modération. Ce qui renvoie à la connaissance, et plus fondamentalement à l'éthique.

Dans le dérèglement général, j'accorde une importance prioritaire au respect de quelques règles, nouvelles ou renouvelées. Mon livre prend parti dans ce sens, par son chapitre central intitulé « Recherche d'une éthique ». Je me permets d'en citer la phrase essentielle : « En attendant (que le monde redevienne intelligible), il nous faut vivre selon une loi d'autant plus nécessaire que les lacunes du savoir s'accompagnent d'un profond trouble moral. » Un échec dans ce domaine signifierait une dangereuse régression : la mythologie réactionnaire, anti-technologique et naturaliste dont parle Jean-Marie Domenach, voire le retour vers la ligne animale dont Paul Valéry s'effrayait déjà il y a quarante ans.

DISCUSSION

HELIO JAGUARIBE : Votre papier soulève la question suivante : qu'est-ce qu'on peut faire dans les conditions que vous analysez? Vous aboutissez à la conclusion que le jeu de l'homme contre la nature marche assez bien, mais il y a déjà des limites en vue. La nature n'est plus cette chose infinie que l'on pensait avant la Révolution industrielle. On imaginait que l'on pouvait transférer aux hommes tout ce que l'on voulait de la nature, de telle façon que même les inégalités, qui persisteraient, seraient compensées par la somme arithmétique des biens. Et vous parlez aussi des deux scandales que sont les rapports des hommes entre eux : la persistance de la misère dans les pays riches et l'immense persistance de la misère des pays pauvres. En face de ça, vous dites que ce qu'il faut, ce n'est pas tant changer radicalement, transformer totalement notre mode de vie, mais utiliser les instruments de notre culture, de notre civilisation, d'une façon plus modérée. Alors il faudrait monter un gigantesque appareil de modération, qui deviendrait un appareil bureaucratique de sanctions et d'établissement de coûts, à l'usage du monde entier. Mais comment établir une modération qui soit normative sans en arriver à cet assujettissement à l'appareil bureaucratique dont la société soviétique nous donne une perception extrêmement pénible?

JEAN-MARIE DOMENACH : J'ai une question et une objection à vous poser. Il y a convergence entre l'évolution du système socialiste soviétique et l'évolution du système dominé par le modèle des États-Unis d'Amérique. Donc, face à cette énorme mécanique, quel est le mode d'action que vous proposez, et, en particulier, la planification vous paraît-elle être un mode d'action valable et efficace pour les améliorations et les corrections que vous suggérez?

Quant à ma critique, la voici : vous avez parlé, à la fin de votre exposé, de deux scandales. Je comprends ce mot. Pourtant, il me gêne, car pour moi il ne s'agit pas du tout de scandale. Il s'agit de manifestations d'une loi profonde du système.

Vous dites qu'il faudrait redistribuer aux pauvres; je ne crois pas du tout que les redistributions aux pauvres – qu'il s'agisse de pauvres collectifs ou de pauvres individuels – puissent avoir un effet quelconque dans le sens que vous souhaitez, bien au contraire, car ces redistributions ne font, en réalité, que relancer le dynamisme de la consommation qui vise toujours des produits plus sophistiqués. La meilleure manière serait évidemment de toucher les riches, c'est-à-dire non pas d'élever le plancher, mais d'abaisser le plafond afin de réduire la fourchette des revenus et l'éventail des consommations. Mais là, nous nous trouvons en face d'énormes difficultés. En laissant de côté la question des revenus, qui est énorme, nous devons quand même dire un mot des effets de la mobilité croissante.

Facteur d'égalisation ou d'inégalisation? Je suis persuadé qu'elle est facteur d'inégalisation, surtout dans les pays de vieille culture. On dit maintenant en France que l'éducation permanente sera le moyen de corriger ces maux. En réalité, elle survient au moment où il faut en effet donner à cette mobilité sociale et géographique des possibilités supérieures, mais plus on accentue la mobilité, plus on spécialise la compétence, et plus ceux qui détiennent les moyens de contrôler les appareils, ceux qui détiennent la connaissance opérationnelle s'éloignent de ceux qui exécutent. Ce qui me paraît plus important, aujourd'hui, que l'inégalité entre les revenus, c'est l'inégalité entre les positions occupées dans la production et l'inégalité entre les situations à l'égard de l'appareil de contrôle de la production. C'est une inégalité que le progrès technique et l'urbanisation rendent de plus en plus opaque et difficile à déchiffrer.

W. MUTSAERS : En premier lieu, on doit se demander : voulons-nous un autre système économique? Si on répond affirmativement, la question qui surgit alors est : y a-t-il un autre système? Beaucoup répondront qu'il n'y en a pas d'autre qui soit acceptable pour des raisons humanistes et économiques. Sauf ceux qui répondent qu'il y a le système de la société communiste, mais ils ont alors des options différentes.

Mais quand on dit : nous voulons vivre avec ce système économique, alors la question se pose de savoir si ce système peut être humain, et, en tant que chrétien on peut même se demander : peut-il y avoir un mode de vie chrétien?

Nous savons, grâce à l'histoire, que ce système économique ne peut opérer sans un cadre bien défini, même si on élimine les abus. Mais alors il s'agit de définir correctement notre cadre. Si on accepte cela, la question se pose : qui définit ce cadre? Et quel en sera le contenu? Alors apparaît le problème de l'éthique, et du consensus.

Il y a encore un problème plus fondamental à mes yeux : jusqu'à quel point est-il possible, pour des hommes travaillant dans ce système de prix et de profits, d'être vraiment humains? En plus, comment peut-on changer le système économique de telle sorte que les gens engagés dans le système puissent être assurés qu'ils pourront se développer eux-mêmes et devenir ce qu'ils veulent être?

FELIPE HERRERA : Une énorme machine a été mise en place à travers les mass media dans les pays dépendants, à tel point que le Tiers Monde est incapable, en ce moment, de se doter d'un modèle propre de croissance et d'un modèle propre d'organisation politique et économique.

Maintenant, il y a le problème de la crise, lié à celui des matières premières – sans parler du problème démographique. Je dirai que le monde développé subit actuellement la pression économique des pays sous-développés. Et ce n'est pas le type de pression conventionnelle, destiné à obtenir davantage d'aide. La crise que traverse le monde développé n'a pas une origine autonome. Au contraire, elle provient du monde sous-développé. Et je citerai comme exemple le problème de l'énergie.

GABRIEL VALDES : Y a-t-il une crise? Je crois que oui. Il y a une crise humaine et culturelle. Mais il y a aussi une crise de vitesse. Autrefois, une école de peinture par exemple pouvait durer un siècle. Aujourd'hui, un peintre, au bout de cinq ans, est devenu un objet de musée.

Tout le monde est d'accord pour parler de crise. Mais qu'en est-il? M. Massé nous propose clairement la modération. Mais pour moi, la modération, c'est une autre façon de contrôler la crise et d'en maintenir les effets. Car, jusqu'à maintenant, il s'agissait de la croissance d'un petit groupe de pays et non de l'humanité tout entière; et le reste du monde, les pays pauvres devaient faire de leur mieux pour avoir une petite miette de ces ressources financières. Puis on a parlé de modération dans l'utilisation des ressources matérielles. Maintenant, on parle de modération dans l'utilisation de l'énergie et dans l'augmentation de la population. Mais ce sont les pays pauvres qui en font les frais. Alors je crois qu'il y a une perversion – M. Massé parlait de péché – dans notre concept de développement. Et cela vient du fait que, dès le début, développement et croissance ont été liés.

CORNELIUS CASTORIADIS : Vous avez dit qu'on a commencé à critiquer le système non pour son manque d'efficacité, mais pour son trop d'efficacité. Mais là nous restons encore dans le cercle conceptuel, philosophique et logique du système, parce que nous ne posons que la question : pas assez ou trop d'efficacité. Mais efficacité par rapport à quoi? Tout calcul et tout raisonnement sur l'efficacité fait actuellement, est fait par rapport aux fins qui sont créées par le système et mesurées d'après les mesures qui sont elles-mêmes créées par le système. Je parle du système au sens le plus général : institution du monde rationaliste, capitaliste, qui existe en Europe occidentale depuis cinq ou six siècles. C'est ce cercle qu'il s'agit de casser.

D'autre part, il y a le problème de l'éco-système. Or ce problème n'est pas simplement le problème des ressources non reproductibles. Et ce n'est pas simplement la question des valeurs esthétiques. Quand nous détruisons l'éco-système, qu'est-ce que nous faisons? Nous détruisons l'organisation de l'éco-système. Or cette organisation, quelle est-elle, et comment la quantifier? Comment attacher un « prix » à cette destruction d'une organisation sur laquelle d'ailleurs nous ne savons à peu près rien?

RÉPONSE DE PIERRE MASSÉ

Je crois que le jeu à jouer vis-à-vis de l'éco-système est celui de la catalyse, qui induit une transformation, le catalyseur se retrouvant finalement inchangé. Pour qu'une transformation soit efficace, il faut du temps. Je ne crois pas à la révolution qui en un jour établit l'état du monde pour mille ans. Je crois beaucoup plus au changement qui se fait chaque jour par petites micro-révolutions.

En effet, je souhaite une éthique de modération, mais je ne me tourne pas, en le disant, vers les pays pauvres. Il serait tout à fait pharisaïque de leur dire : modérez-vous. Quand je parle d'une éthique de modération, je me tourne vers les pays nantis et, à l'intérieur de ceux-ci, par priorité vers les catégories les plus nanties. Vous dites que la « self-modération » n'a pas de contrôle sur la modération des autres. Peut-être, mais elle agit à titre d'exemple.

L'exigence principale est d'ordre éthique. Les forces économiques ne sont pas seules à l'œuvre, et je ne suis pas éloigné de croire que nous changerons le système économique par des forces extérieures au système. M. Domenach me suspecte un peu de prêcher et me dit gentiment que je passe à côté des problèmes. Ce que je viens de dire me paraît montrer que ce n'est pas tout à fait le cas. Il me pose d'autre part une question selon laquelle il y aurait convergence entre le système soviétique et le système américain. C'est vrai. Mais personne n'a parlé du système chinois. Ce que je voudrais dire surtout, c'est que je ne crois pas aux systèmes tranchés et catégorisés. Ils vivent une vie autonome, en obéissant à une « économie généralisée » dont je crois pressentir quelques lois.

M. Domenach me demande quels modes d'action j'envisage, et notamment *quid* de la planification. Je vais lui répondre très franchement. J'ai pensé, vers les années 57-58, qu'en effet la croissance économique offrait la possibilité d'un jeu où tout le monde pourrait gagner. J'ai écrit « pourrait » (au conditionnel), et en effet le *pourrait* s'est produit, mais pas entièrement. J'avais, en entrant au Plan, l'espérance de pouvoir contribuer à une diffusion générale des gains. J'ai éprouvé une désillusion. Non pas qu'il n'y ait pas eu accession aux fruits de l'expansion, mais elle a été partielle et inégale [1]. A cause du comportement des uns et des autres. Les uns m'ont dit : « L'autorité n'est pas négociable », et les autres : « Le refus n'est pas négociable. » Alors, à la fin de 65, j'ai quitté le Plan. Je l'ai quitté volontairement parce que, ayant participé à la préparation de deux Plans, je ne voulais pas m'engager dans celle d'un troisième. Je pensais qu'il fallait pour cela un homme jeune et un œil neuf. Mais, plus profondément, je ne suis pas resté parce que j'ai eu le sentiment que je serais coincé entre deux refus de négociation. Je ne dis pas que j'avais prévu

1. D'après une étude postérieure au colloque, le travail a recueilli une plus large part du surplus que le capital (en France). – Avec de grandes inégalités entre catégories.

Mai 68, mais j'avais prévu une situation où je ne saurais pas de quel côté me situer. Et je ne voulais pas m'exposer à tomber d'un côté ou de l'autre sans une conviction profonde. J'ai quitté le Plan parce que j'ai pensé que la planification, qui est une technique soumise aux événements et aux hommes, perdrait peu à peu de son pouvoir persuasif.

M. Domenach me dit aussi que quand je parle de scandales j'agis un peu en boy-scout, en ce sens que ces scandales sont liés à une loi profonde et qu'il n'est donc pas possible de les éviter. Il y a peut-être du vrai, car, à l'arrière-plan des scandales, il y a des comportements. Quant aux bénéficiaires du scandale, il y a là un point qui doit retenir notre attention. Je voudrais observer que les bénéficiaires du scandale changent. Le bénéficiaire, en France, ce n'est pas telle vieille famille qui vend son château, c'est par exemple tel artiste de variétés dont les litiges avec le fisc révèlent les revenus. Alors, peut-on changer les comportements? C'est un énorme problème. Les décisions politiques peuvent changer quelque chose quand elles répondent à une attente. L'art de gouverner, c'est précisément de sentir cette attente, et de mettre en œuvre des réformes qui seront acceptées malgré ceux qu'elles troubleraient.

Notre société, dites-vous, est très complexe, très opaque. C'est vrai. Elle est tellement complexe et opaque qu'on ne peut pas la maîtriser à partir d'un pouvoir central. Je crois qu'il faut absolument décentraliser les décisions au niveau le plus concret où elles puissent se prendre. Et pour arriver à cela, il faut décentraliser les informations.

M. F. Herrera nous a parlé du problème de l'énergie. Effectivement, dans ce problème il y a une certaine mystification, car les bénéficiaires des hauts prix du pétrole ne sont pas les pays pauvres du Tiers Monde. Ce sont des pays qui parfois (pas toujours) ne savent que faire de leur argent. Il y a là un problème d'inégalité qui me paraît extrêmement grave. Des pays où le hasard a placé certains gisements, qu'ils n'ont pas découverts eux-mêmes mais que le système occidental a découverts, s'en considèrent comme les propriétaires inconditionnels et s'enrichissent, alors que d'autres, à côté, qui n'ont pas ces ressources, s'appauvrissent. Je crois que dans le monde développé il y a deux parties : les pays de l'Est et les pays de l'Ouest, et qu'il y a de même deux parties dans le Tiers Monde : ceux qui sont riches en ressources pétrolières ou plus généralement en matières rares, et ceux qui ne le sont pas.

Enfin, M. Castoriadis nous dit : l'efficacité par rapport à quoi? Évidemment, on mesure l'efficacité dans un certain système. Mais si l'on considère l'efficacité en Occident et l'efficacité en Union soviétique, je crois que les critères ne sont pas extrêmement différents. Je soupçonne donc, sans être catégorique, une sorte d'économie généralisée qui sécrète des critères adaptés à chaque système. Je ne crois pas que nous jouions *contre* l'éco-système. Nous jouons *avec* l'éco-système, et l'idéal serait de nous en servir pour une action catalytique, non pas ponctuellement, non pas à l'identique, mais au total, lui rendant ce que nous avons reçu sous une autre forme. Mais nous sommes loin d'en être là.

III

La crise du progrès mondial :
Injustice généralisée, discontinuités historiques et apparition d'un nouvel ordre international

JAMES P. GRANT

Au cours de la réunion œcuménique sur le développement qui s'est tenue à Montreux en 1970, Dom Helder Camara a fait une impressionnante déclaration, qui reste d'une brûlante actualité. Il disait : « La situation présente de l'humanité peut se décrire brièvement et objectivement de la façon suivante : une triste réalité, de merveilleuses perspectives, la possibilité (sinon la probabilité) d'un dénouement tragique. »

Progrès global.

Quelles sont ces merveilleuses perspectives dont parlait Dom Helder? Il faisait allusion aux progrès rendus possibles depuis le siècle dernier grâce à la science et à la technologie. Notre siècle est le premier dans l'histoire de l'humanité où l'on peut envisager de satisfaire les besoins minimaux et d'assurer une vie décente à tous les hommes. La pauvreté et la maladie peuvent ne plus être le lot de la majorité.

La génération précédente a été le témoin d'un mouvement sans équivalent vers l'indépendance : plus de 50 nouvelles nations ont surgi, plus d'un milliard de personnes sont sorties du colonialisme, et le dernier des grands empires coloniaux, le Portugal, s'est dissous. Une croissance sans précédent a fait passer le produit global brut à 1 trillion de dollars en 1950 et, exprimé en dollars de 1970, il dépasse aujourd'hui 3 trillions de dollars. Le revenu *per capita* a plus que doublé dans le monde entier pour atteindre une moyenne approximative de 1 000 dollars par personne. Les pays en voie de développement connaissent une croissance plus rapide que celle des pays industriels antérieurement. Au cours de la dernière décennie, les pays de l'Asie du Sud ont mis en place une Révolution verte pour les céréales qui, dans le domaine de la production des produits alimentaires, représente une remarquable réalisation technologique, encore plus remarquable que celle de l'Amérique du Nord et de l'Europe au cours des vingt dernières années.

Croissance sans répartition adéquate.

La triste réalité est que cette croissance s'est poursuivie sans équité. La croissance a suivi un schéma qui a apporté trop peu de justice, entre les pays aussi bien qu'à l'intérieur des pays. Un taux de croissance de 3 % dans le cas d'une personne qui dispose au départ d'un revenu personnel de 60 dollars aboutit, au bout de vingt ans, à un revenu de 110 dollars. Ce taux appliqué à un Américain fera passer son revenu annuel de 2 600 dollars à 5 200. Ces calculs illustrent le manque d'équité. Les systèmes mondiaux tendent à favoriser ceux qui sont déjà bien pourvus. Le Kennedy Round des années 60 sur les transactions commerciales a diminué de 50 % les tarifs en vigueur entre pays industrialisés, sans prévoir de réduction pour les produits des pays en voie de développement. Au cours de ces mêmes dix années, nous avons été témoins de la mise en place d'une multitude de barrières non tarifaires, beaucoup plus nombreuses que pour les pays industrialisés.

La création par la Communauté mondiale d'une nouvelle monnaie, sous forme de papier-or appelé « Droits spéciaux de tirage », se montant à 3 milliards de dollars par an, a apporté gratuitement les trois quarts de ses bénéfices directs et immédiats aux pays riches, tandis qu'un quart seulement était réparti dans le reste du monde. Les États-Unis ont reçu annuellement plus d'un milliard de dollars, ce qui représente un montant supérieur à celui attribué à l'ensemble des pays en voie de développement.

Le développement prend également l'aspect d'une triste réalité à l'intérieur des pays eux-mêmes. Le système de développement des États-Unis exclut de sa participation 10 à 20 % de la population. Ce problème est encore plus crucial dans les pays en voie de développement. La minorité prospère voit sa prospérité croître à un taux sans précédent, tandis que la majorité pauvre reste à un niveau médiocre. Robert MacNamara a récemment mis l'accent sur cet état de choses. Il a parlé à plusieurs reprises des 40 % de la population qui restent pratiquement à l'écart de la progression, au Brésil, au Mexique, en Inde. Il a souligné que dans un pays comme l'Inde le revenu des 10 à 15 % de la population située en bas de l'échelle a probablement diminué.

La faiblesse de la stratégie traditionnelle du développement est mise en évidence dans des pays comme le Mexique. Par rapport aux critères courants, le Mexique est en plein essor. Depuis vingt ans, sa croissance atteint 7 %. Mais le chômage augmente dans les villes. A la campagne, le nombre des ouvriers agricoles sans terre a augmenté de plus d'un million depuis dix ans. Pour ce groupe de travailleurs sans terre, le nombre de jours de travail est passé de 190 jours à moins de 100 jours par an en moyenne. Le Mexique connaît un accroissement explosif de main-d'œuvre : 300 000 nouveaux travailleurs en 1960, 600 000 en 1970 et, tenant compte des naissances, il y aura 850 000 nouveaux arrivants sur le marché du travail en 1980. Dans une certaine mesure, ce sont là les conséquences d'un taux d'accroissement de la population qui échappe à tout contrôle.

Nous observons également au Mexique une politique de développement qui laisse de côté les petits producteurs, qui travaillent durement. Dans l'agriculture, par exemple, 80 % de l'accroissement de la production provient de 3 % des exploitations employant 6 % des ouvriers agricoles, tout le reste demeurant en dehors du système. Au Mexique, le processus de modernisation est principalement centré sur les zones urbaines et sur certaines zones rurales très modernisées. Les villes sont également privilégiées quant aux installations touchant à la santé et à l'éducation. L'exode massif des ruraux vers les villes n'est donc pas surprenant. Le Mexique connaît également une disparité croissante dans les revenus. L'ouvrier agricole sans terre a vu, depuis dix ans, son revenu diminuer de 30 %, tandis que l'ouvrier d'industrie a été augmenté de 75 à 80 %. Il existe un fossé entre la société moderne, centrée sur la ville, et les autres formes de société. Ces problèmes se posent dans presque tout le monde en voie de développement, et ils dépassent le monde capitaliste : des pays comme la Yougoslavie sont confrontés aux mêmes problèmes. Un sixième de la main-d'œuvre yougoslave travaille à l'étranger, et cependant la Yougoslavie connaît toujours un sous-emploi important.

Pourquoi cet état de choses? Il est en partie dû à une malveillance préméditée, à une politique délibérée, mais surtout au fait que ces pays empruntent à l'Occident, capitaliste ou marxiste, des systèmes et une technologie qui leur sont inapplicables. Disons sans ambages que les pays en voie de développement ont suivi une politique favorable à des investissements inadaptés à leurs besoins.

Stratégie du développement à visées sociales.

Un certain nombre de pays en voie de développement se sont récemment orientés vers une harmonisation plus satisfaisante de leurs facteurs de production. Les Chinois ont opéré ce changement vers 1960 en renonçant au modèle russe, c'est-à-dire à une infrastructure nécessitant des capitaux et qui entraînait un chômage important ainsi que l'exode des paysans vers les villes; ils ont adopté une stratégie basée sur l'emploi intensif de la main-d'œuvre, favorisant ainsi le développement rural. Certains pays d'Asie orientale ont mis en place, d'après le modèle japonais d'avant la Première Guerre mondiale, une stratégie utilisant largement la main-d'œuvre dans des petites entreprises industrielles et des petites exploitations agricoles de un à deux hectares dont le rendement est trois fois supérieur à celui des exploitations agricoles du Mexique, des Philippines ou du Brésil, tout en employant au moins deux fois plus de travailleurs par cinquante hectares.

Ce contraste apparaît clairement si on compare des pays comme Taïwan et le Mexique. Le premier est un pays de plein emploi, tandis que l'autre connaît un taux de chômage important. Tout en ayant un revenu individuel moyen plus élevé, le Mexicain a une espérance de vie de 62 ans seulement, contre 69 à Taïwan. La mortalité infantile est de 69 pour mille au Mexique et de 18 pour mille à Taïwan. L'analphabétisme est de 28 % au Mexique et de 15 % à Taïwan. La disparité des revenus s'est largement accentuée pour la tranche des 20 % supérieurs; ces 20 % du sommet exercent un contrôle seize fois plus important que celui exercé par les 20 % de la tranche inférieure (cette proportion était de 10 à 1 il y a quinze ans); à Taïwan et dans les pays qui s'inspirent du modèle japonais, cette disparité a diminué (passant d'une proportion de 15 à 1 il y a vingt ans, à 5 à 1 en 1970). Le taux de croissance à Taïwan est de 9 à 10 % par an; il est plus favorable que celui du Mexique, qui est de 6 à 7 % en moyenne depuis quinze ans, ce qui montre que des disparités plus réduites et une participation massive n'excluent pas une croissance rapide et même accélérée.

En d'autres termes, Taïwan, la Corée et d'autres pays nous apprennent qu'une politique équitable peut accélérer la croissance, et que l'équité n'impose pas nécessairement une renonciation à la croissance. Nous apprenons également, contrairement à des hypothèses bien établies, que de petites exploitations agricoles peuvent être plus rentables dans ces sociétés surpeuplées et où les terres sont rares que des exploitations importantes.

Bien entendu, cette recherche de la justice exige des réformes et soulève des difficultés. Si un pays industrialisé comme les États-Unis envisage d'importer de grandes quantités de produits fabriqués par une main-d'œuvre abondante, les textiles par exemple, que les pays en voie de développement savent très bien fabriquer, il doit prévoir que sa propre industrie textile pourra en souffrir et que ses ouvriers, généralement mal payés, seront au chômage. Des problèmes en résultent. La justice exige que l'on se préoccupe raisonnablement de ces ouvriers mal payés pour leur éviter de supporter à eux seuls les conséquences de l'importation de marchandises bon marché qui profiteront à d'autres couches de la société. Nous ne l'avons pas fait, si bien que de nombreux syndicats sont opposés au libre échange. L'introduction dans les pays en voie de développement d'une politique de participation massive et d'une utilisation intense de la main-d'œuvre, telles qu'elles sont appliquées soit en Chine, soit dans l'Asie orientale, impose une série de réformes également difficiles, notamment une réforme agraire et la formation d'un personnel para-médical (à l'instar des propriétaires, les médecins n'aiment pas être dépouillés de leur pouvoir).

Surcharge des systèmes.

Tandis que l'économie mondiale passait d'un trillion de dollars, à la fin des années 40, à trois trillions à la fin des années 60, nous avons découvert la surcharge écologique (la pollution des villes, l'eutrophisation des lacs, les pêches intensives). Nous découvrons que les besoins en produits alimentaires sont à la limite des possibilités du globe, car l'accroissement de ces besoins est passé de 15 millions de tonnes dans les années 50 à 30 millions dans les années 70. Dans les domaines où la pénurie n'existe pour ainsi dire pas, comme le pétrole et le café par exemple, un important renversement de la situation a transformé l'acheteur en vendeur. Le pétrole nous en fournit un bon exemple. Il n'y a pas de véritable pénurie de pétrole. La transformation des acheteurs en vendeurs a permis une entente entre les vendeurs, qui a profondément modifié les termes du marché. Indéniablement, nous entrons dans une nouvelle période d'inflation, qui dépassera de 30 % à 50 %, dans les dix années à venir, l'inflation que nous avons connue il y a dix à quinze ans.

Nous observons également une nouvelle dépendance des superpuissances. Il y a vingt ans, la Chine, l'URSS, les États-Unis ne dépendaient pas impérativement de l'importation de matières premières. Cette dépendance est très grande actuellement. Lorsque les conditions climatiques sont défavorables en Russie, celle-ci a besoin de produits alimentaires; les États-Unis ont maintenant besoin de toute une gamme de matières premières, notamment de pétrole, et l'augmentation de cette dépendance pendant l'année en cours imposera une importation équivalente à la production totale de l'Arabie Saoudite, ou à la production réunie du Venezuela, du Nigeria, de l'Algérie et de l'Indochine. Les Chinois eux-mêmes sont devenus largement dépendants de l'importation de certains produits alimentaires et de la technologie qui s'y rattache. En 1974, la Chine a importé une quantité de grains presque égale à celle que l'Inde a importée pendant la famine de 1966. La Chine est aujourd'hui le plus grand importateur d'engrais, et elle a signé des contrats pour l'installation à grande échelle d'usines d'engrais (y compris avec des firmes américaines — pour un montant supérieur à un milliard de dollars).

Enfin, et c'est peut-être la conséquence la plus notable de cette nouvelle interdépendance : en utilisant son pouvoir d'achat, le milliard d'habitants les plus riches du globe accapare les marchandises rares au détriment du milliard d'habitants les plus pauvres. Depuis deux ans, en effet, un milliard d'habitants parmi les plus riches a consommé encore plus de nourriture, tandis qu'un milliard d'habitants parmi les plus pauvres a vu diminuer sa ration alimentaire. De même, en ce qui concerne les engrais, leur utilisation s'est accrue chez les plus riches, tandis que les plus pauvres en ont utilisé beaucoup moins.

Toutes ces tendances apparaissaient déjà avant les contrecoups de la Guerre d'Octobre et de celle du pétrole du 22 décembre au Moyen-Orient lorsque le prix du pétrole a doublé une fois de plus, ce qui a multiplié l'augmentation par quatre. Il en est résulté une formidable pression sur les systèmes économiques mondiaux. En quelque sorte, l'année dernière nous a donné un avant-goût des problèmes chroniques auxquels nous serons confrontés dans les dix à quinze ans à venir. Ces développements importants et nouveaux, impliquant une augmentation dramatique des prix, ont eu pour conséquence d'amener au bord de la catastrophe un nombre important de pays en voie de développement, surtout les plus pauvres. Ce bouleversement dans l'énergie a provoqué chez eux des dépenses additionnelles approchant 20 milliards de dollars, s'ajoutant aux 5 milliards, dus à l'augmentation du prix des produits alimentaires et des engrais (apparue avant la Guerre d'Octobre), versés aux pays occidentaux industrialisés. Au total, cela fait environ 15 milliards de dépenses supplémentaires pour les pays en voie de développement, presque le double de l'aide qu'on leur apporte, soit environ 8 milliards de dollars.

La répercussion de ces augmentations s'est manifestée de façon très inégale dans les pays en voie de développement. Les pays producteurs de pétrole et leurs 260 millions d'habitants connaissent d'excellentes conditions grâce à leurs nouveaux revenus, tandis que 30 à 40 pays, principalement en Asie du Sud et dans le Sahel africain ainsi que dans certains pays des Caraïbes, sont dans la détresse car ils doivent payer plus cher les produits alimentaires et l'énergie, sans compensation satisfaisante pour les produits qu'ils apportent.

L'Inde est un exemple frappant : elle a exporté pour 2,5 milliards de dollars de marchandises l'année dernière, et elle devra payer cette année un milliard de dollars *supplémentaires* pour son pétrole et un milliard de dollars *supplémentaires* pour ses produits alimentaires et ses engrais, soit une augmentation de 2 milliards de dollars en un an. On peut dire sans risque d'erreur que maints gouvernements s'effondreront dans ces pays, sous l'effet de ces tensions au cours des prochains dix-huit à vingt-quatre mois.

Les bouleversements provoqués par le problème de l'énergie à la fin de 1973 ont aggravé la situation alimentaire, qui était déjà préoccupante au milieu de l'année. Depuis plusieurs années, les stocks de produits alimentaires ont diminué, malgré la récolte de 1974 qui fut la plus riche dans l'histoire de l'humanité. Le monde n'a jamais été aussi vulnérable aux intempéries. Les perspectives de la production de produits alimentaires dans les pays en voie de développement sont un sujet particulier d'inquiétude. Tout d'abord, ces pays manquent de devises et devront réduire leurs importations de pétrole et d'engrais, ce qui aura un effet néfaste sur leur production agricole de 1975. Les pays disposant de dollars n'échapperont pas aux problèmes posés par l'achat d'engrais en quantités suffisantes. Les Japonais ont réduit leur production et donnent la priorité aux besoins de leur propre pays et à la Chine; l'hiver dernier, ils ont annulé des commandes d'engrais s'élevant presque à un million de tonnes. Les fermiers américains, eux, augmentent les surfaces cultivables, et l'augmentation du prix des céréales encourage une utilisation d'engrais plus importante à l'hectare; en raison des besoins accrus des États-Unis, le gouvernement et l'industrie des engrais se sont mis d'accord, en octobre 1973, pour procéder à un embargo sur l'exportation des engrais.

La pénurie d'engrais, qui risque de se prolonger pendant quatre à cinq ans, pose de graves problèmes. Chaque tonne supplémentaire d'engrais produit en Amérique du Nord environ 5 tonnes de grains, tandis que chaque tonne supplémentaire d'engrais produit dans les pays en voie de développement environ 10 tonnes de plus de céréales. Ainsi, lorsque les pays riches se réservent les engrais, il en résulte une moindre production globale de produits alimentaires, en raison du rendement plus faible en céréales de chaque tonne supplémentaire d'engrais. En second lieu, les Américains utilisent beaucoup d'engrais pour des produits non alimentaires. En 1974, les États-Unis utiliseront dans d'autres domaines que l'exploitation agricole – pour les pelouses, les cimetières, les terrains de golf – une quantité d'engrais supérieure aux besoins globaux de l'Inde. Et les États-Unis ont mis l'embargo sur les ventes à l'étranger!

En Inde, notamment en raison de la pénurie de pétrole et d'engrais, la récolte de blé de l'hiver 1974 n'a atteint que 32 millions de tonnes une fois les moissons faites – chiffre très inférieur au rendement prévu. Norman Borlaug raconte l'émouvante histoire de fermiers du Punjab obligés d'attendre deux ou trois jours avec des bidons de cinq litres pour obtenir l'essence nécessaire à leur pompe à irriguer. Enfin, l'année dernière, le gouvernement des États-Unis a rigoureusement réduit son programme PL 480 (aide en produits alimentaires), qui est passé d'environ 9 millions et demi de tonnes en 1972 à environ 3 millions et demi de tonnes cette année.

Le troisième domaine, le ralentissement économique global, a empiré en raison du choc provoqué par les prix. Ce ralentissement s'était manifesté avant la Guerre d'Octobre, et le capital de 60 milliards de dollars tiré de l'augmentation des prix du pétrole nous pose de nouveaux problèmes, indépendamment des bouleversements qui se sont produits dans les industries du pétrole et des engrais. Le ralentissement économique à l'échelle mondiale retentit déjà profondément sur les pays en voie de développement, qui ne dépendent que du tourisme, de leurs travailleurs migrants et de certaines matières premières pour se procurer des devises étrangères.

Quatrièmement, les événements de l'année dernière ont nettement montré que la puissance économique, et par conséquent politique, passe de plus en plus aux mains des pays riches en ressources naturelles. Il est évident que les riches pays exportateurs de pétrole sont à l'origine d'une nouvelle et importante source de puissance mondiale. Leurs 60 milliards de dollars de capitaux excédentaires renforcent leur puissance. C'est une nouvelle force qu'ils ne savent pas encore tout à fait utiliser. Parmi les bénéficiaires se trouvent des pays industrialisés et des pays en voie de développement, riches en ressources : États-Unis, Canada, Australie, URSS et Brésil. Les États-Unis sont encore relativement autonomes en ce qui concerne de nombreuses matières premières, mais le gaspillage peut y être diminué par la limitation de vitesse et le réglage des thermostats. Les États-Unis exportent également de grandes quantités de matières premières. Pendant l'année fiscale 1974, ils ont exporté pour 7 milliards de dollars de produits alimentaires de plus que l'année précédente – dont environ 6 milliards dus à l'augmentation des prix et 2 résultant des prix plus élevés facturés aux pays en voie de développement. En même temps, trois zones mondiales se sont affaiblies : la partie de l'Europe occidentale pauvre en ressources, le Japon et le Quart Monde. Ces changements mettent en question le leadership dans un avenir immédiat.

Nouvelles discontinuités.

En résumé, durant les vingt-cinq prochaines années des changements *majeurs* se produiront dans les domaines cités ci-dessous, à partir des lignes d'orientation que la plupart des observateurs estimaient, il y a deux ou trois ans, devoir se prolonger pendant au moins dix à vingt-cinq ans.

1. Les taux de croissance de la production de biens de consommation ralentiront sensiblement avant l'an 2000. Il s'agit principalement de savoir si cela s'effectuera dans un certain ordre et une certaine planification, ou dans un chaos comme celui que nous avons observé l'année dernière dans le domaine de l'énergie ou que nous verrons en ce qui concerne les produits alimentaires dans deux ou trois ans.

2. La politique économique qui, depuis plus d'une génération était surtout centrée sur la croissance, s'orientera de plus en plus vers la répartition des bénéfices et (plus particulièrement dans les pays en voie de développement) vers l'élargissement de la participation dans le processus de développement des groupes ayant les revenus les plus faibles. Les pays en voie de développement se verront dans l'obligation de mettre en place une nouvelle stratégie de développement, plus adaptée à l'abondante main-d'œuvre dont ils disposent, ce qui nécessitera de profondes réformes internes. Les pays industrialisés, qui auront des taux de croissance très ralentis à l'avenir, devront trouver des moyens d'accorder une part plus grande à la moitié la plus déshéritée de leur population, car le « goutte à goutte » actuel est inadéquat.

3. L'accroissement démographique se ralentira beaucoup plus que ne le prévoient les démographes et les Nations-Unies, soit à cause des orientations suivies actuellement par des pays tels que la Chine et Taïwan, soit à cause d'une augmentation spectaculaire des décès comme celle qui se produit aujourd'hui dans le Sahel et qui pourrait fort bien arriver en Inde d'ici quelques années. L'accroissement démographique est la principale raison de la surcharge en besoins dans certains domaines comme les produits alimentaires, mais pas de celle concernant l'énergie.

4. Les facteurs écologiques deviendront un problème majeur et seront prépondérants dans certains domaines comme l'exploitation

des ressources des océans, l'emploi de pesticides, et dans certaines régions comme l'Afrique du Sahel.

5. La limitation de la demande se conformera de plus en plus aux possibilités de la production. Elle revêtira plusieurs formes : consommation moindre par personne (voitures automobiles plus petites), produits plus efficaces (passage du beurre aux huiles, du bœuf au poulet, utilisation d'étireurs de viande), ainsi qu'une modification du style de vie et de la notion d'un bien-être qui accordera moins d'importance aux biens matériels.

6. Dans le domaine de la fourniture des produits de base à l'échelle mondiale, on se préoccupera davantage de l'accès aux marchés et on accordera plus d'attention à la disponibilité de cette fourniture. Des règles d'accès aux produits disponibles doivent être mises au point (conditions dans lesquelles un pays peut mettre l'embargo sur ses exportations). Il faudra mettre en place des systèmes mondiaux de réserves pour les produits soumis aux conditions atmosphériques. Des efforts en vue d'une collaboration devront être faits pour accroître et maximiser la disponibilité des produits (accroissement de la production de produits alimentaires dans les pays en voie de développement, réglementation de l'exploitation globale de la pêche).

7. La notion de sécurité s'élargira et ira au-delà de la sécurité militaire pour embrasser des mécanismes non militaires, afin d'exercer une influence sur les problèmes de vie ou de mort à l'échelle nationale, comme par exemple l'accès à l'énergie, l'accès aux produits alimentaires.

Nécessité d'une nouvelle politique.

Une combinaison d'événements cycliques – sécheresse, guerre et *boom* sans précédent – nous a donné un avant-goût de ce qui nous attend dans cinq ou huit ans et qui provoquera des pénuries plus tôt que prévu. A de nombreux égards, le monde est dans une position de crise comparable à celles du début des années 30 et de la fin des années 40, et se trouve au début d'une ère nouvelle. On peut se demander si chaque problème sera traité de façon adéquate à mesure qu'il se présentera, comme on l'a fait pour les problèmes surgis dans les années 30, ou si on développera une stratégie, comme ce fut le cas à la fin des années 40. Même si on développe une stratégie (ce qui est loin d'être évident pour le moment), il faudra encore savoir si cette stratégie reposera sur une réaction régionale, celle d'un club d'hommes riches, ou si elle exprimera une approche globale des problèmes. La majorité des tendances au sein du gouvernement des États-Unis est en faveur de la première solution, comme l'illustre la Conférence sur l'énergie de Washington, en février 1974. Les défenseurs de cette tendance comptent sur le groupe des Dix pour traiter des problèmes monétaires mondiaux. Ils ne veulent pas non plus s'occuper de l'exploitation des bancs maritimes, et préfèrent se fier aux pays industrialisés qui sont à la tête de la technologie et des capitaux pour exploiter ceux-ci à leur guise.

Une autre approche globale serait évidemment que ces problèmes soient de plus en plus traités par les Nations-Unies et d'autres organismes internationaux. La Conférence mondiale sur l'alimentation, la Conférence mondiale sur la population de Bucarest, la Conférence mondiale sur l'environnement de Stockholm et l'Assemblée spéciale sur les matières premières de l'Assemblée générale des Nations-Unies illustrent l'utilisation d'organismes généraux dans le traitement de ces problèmes. La plupart des pays, et notamment les États-Unis ont nettement besoin de nouvelles politiques pour affronter ces problèmes mondiaux, mais ils ne sont pas encore parvenus à les définir clairement.

Quelques-uns de ces nouveaux problèmes devront, dans un proche avenir, être abordés dans leur ensemble : ceux posés par le Quart Monde sont de toute évidence les plus urgents. Les pays qui le composent ont besoin de devises pour acheter des produits alimentaires, du pétrole et des engrais; il est indispensable que les pays industrialisés renoncent aux entraves mises à l'exportation des engrais. Chaque dollar d'engrais que l'on refuse actuellement aux pays en voie de développement signifie qu'il leur faudra acheter l'année prochaine la contre-valeur de 5 dollars en produits alimentaires – avec des dollars qu'ils n'auront peut-être pas.

Il faut que les États-Unis élaborent une nouvelle politique à long terme, en fonction de l'époque à venir qui connaîtra de façon chronique des approvisionnements réduits. Depuis vingt-cinq ans, l'excédent de la production a soulevé des problèmes aigus concernant l'accès aux marchés. On sait maintenant que le problème qui va se poser dans les prochaines vingt-cinq années sera celui de l'accès aux approvisionnements.

Parce qu'ils sont maîtres des produits alimentaires – matière première la plus importante – les États-Unis disposent d'une puissance exceptionnelle. Mais, depuis dix-huit mois, ils se sont comportés dans ce domaine de manière tout à fait irresponsable. Les États-Unis ont mis l'embargo sur les exportations de soja avant que les pays producteurs de pétrole aient mis l'embargo sur le pétrole. Ils ont mis l'embargo sur les engrais parce que les pays producteurs de pétrole ont mis l'embargo sur le pétrole. Apparemment, les responsables de la politique américaine ne voient pas de contradiction entre les protestations qu'ils adressent aux exportateurs de pétrole et leurs propres actes concernant les engrais. En établissant des règles pour l'accès aux produits alimentaires, qui serviraient de modèles pour l'accès à d'autres produits, les États-Unis pourraient s'assurer un rôle de premier plan. Ils pourraient diriger l'ensemble des efforts visant à accroître la production de produits alimentaires dans les pays en voie de développement. Ils pourraient mettre en place un système mondial de réserves alimentaires qui équilibrerait les besoins et les approvisionnements. Voilà bien un domaine où les États-Unis pourraient prendre l'initiative et aider à établir des normes pour régir globalement les ressources. L'Amérique du Nord a fourni l'année dernière 88 millions de tonnes de céréales sur les 95 millions de tonnes qui ont été échangées dans diverses régions du monde, et cette proportion est plus élevée que la proportion dans laquelle le Moyen-Orient fournit le pétrole.

Il faut également aborder globalement les problèmes essentiels qui se posaient avant les crises de l'an dernier : l'exploitation des mers, la politique monétaire et les questions commerciales...

Pour résoudre des problèmes insolubles aux yeux des nations qui les abordent isolément, cette décennie exige une collaboration sur le plan international. Elle exige que soit reconnue l'extrême vulnérabilité des pays pauvres face aux courants économiques mondiaux. Et elle exigera de tous les pays une nouvelle politique étrangère dépassant les intérêts nationaux à courte vue.

DISCUSSION

ERNEST BARTELL : Quand vous parlez des possibilités d'une coopération internationale dans le contexte de la croissance zéro, il me semble que les mécanismes du marché vont à l'encontre de cette coopération dans les pays développés. Ainsi les prix ont tendance à monter aux USA, et ce serait prendre la bonne direction, aller dans le sens du marché, que d'amener ces gens-là, et ceux des pays développés en général, à consommer moins de nourriture; de ce fait, il y en aurait plus à la disposition des pays sous-développés. Mais ce qui risque de se produire, me semble-t-il, c'est tous ces mouvements que vous décrivez pour empêcher les prix alimentaires de devenir trop élevés, et ceci pour des raisons politiques.

Par ailleurs, on aimerait avoir la clef d'une telle coopération et les possibilités politiques de ce genre de choses.

HELIO JAGUARIBE : Pouvez-vous nous dire quel genre de mécanismes oriente nos possibilités actuelles vers le développement et incitera les pays développés à revenir à une idée de partage de certaines de leurs richesses? Le monde sous-développé est divisé en deux secteurs : l'un a des ressources massives, bien gérées et bien utilisées. Les pays de ce secteur peuvent dépasser le sous-développement; c'est le cas de l'Amérique latine. L'autre n'a pas les possibilités internes de dépasser sa propre arriération, sinon avec une aide substantielle du monde riche pendant un temps relativement long. C'est le prétendu Quart Monde. Quelles sont les perspectives pour lui? Moi, je suis absolument pessimiste. Et j'aimerais que vous nous disiez comment on peut utiliser les ressources pour aider le Quart Monde.

JACQUES ATTALI : Je voudrais exprimer mon propre scepticisme concernant la coopération, surtout la coopération entre maître et esclave. Nous n'avons pas encore été amenés à discuter du lien entre développement et sous-développement. Mais le développement de nos soi-disant pays développés serait impossible sans le sous-développement, sans l'utilisation de l'énergie des pays sous-développés, sans celle de leurs ouvriers (que ce soit des esclaves ou des aides-ouvriers) dans leurs pays, ou des ouvriers importés comme nous en avons en Europe. Alors, on peut peut-être dire que si on stoppe le développement, on stoppe aussi le sous-développement. J'ai toujours peur quand j'entends parler de coopération internationale, car si on regarde l'histoire humaine, il n'y a jamais eu coopération internationale, sauf si l'un des coopérateurs est plus fort que les autres, de sorte que c'est lui qui organise l'ensemble de la coopération internationale.

GABRIEL VALDES : Selon vos chiffres, il y a une tendance à la concentration, alors qu'il n'en va pas de même pour la distribution. Et dans le cas des nations européennes et des États-Unis, la concentration, qui est typique du système capitaliste, a été relativement limitée, à cause des syndicats et de la participation sociale dans de nombreux domaines : système juridique, pouvoir, système démocratique lui-même. Dans les nations pauvres, les forces sociales n'existent pas. Et dans les pays riches il n'y a actuellement aucune possibilité de corriger cette tendance à la concentration dans des secteurs géographiques comme l'Europe ou les États-Unis.

Selon vos affirmations, il semble que la conscience d'un monde unique s'accroît, et aussi la conscience que toute mesure prise, quel que soit le pays concerné, riche ou pauvre, a un impact immédiat sur la situation mondiale. Mais en même temps que cette universalité grandit, elle œuvre dans certaines zones contre le monde en voie de développement, parce qu'elle suscite l'incapacité du monde en voie de développement de s'organiser lui-même, de la façon dont les syndicats se sont organisés au siècle dernier pour défendre leurs droits dans les pays industrialisés. Et c'est là qu'on voit l'échec du mouvement, parce que tant que certaines zones ne se sont pas organisées, on ne peut pousser les pauvres contre les riches, car les pauvres n'ont pas tous des intérêts similaires.

Myrdal a dit que la solidarité n'était pas une vertu verticale mais une vertu horizontale. Il n'y a pas de solidarité entre riches et pauvres; il y en a une entre riches et il y en a une entre pauvres. Et les événements des derniers temps ont montré que celle qui existait entre riches était très forte.

ALEX INKELES : Si j'ai bien compris ce qu'il a voulu dire, je suis en profond désaccord avec Jacques Attali sur le problème maîtres/esclaves, et je ne pense pas que ce soit une description adéquate de la structure des affaires mondiales. Bien sûr, il y a de très nombreux exemples d'interventions impérialistes dans l'histoire récente et d'aussi nombreux dans l'histoire moins récente, mais il s'agit d'une période, d'une phase de l'histoire mondiale, qui tire à sa fin, et le mouvement de l'histoire va dans la direction opposée. C'est pourquoi je pense qu'il y a actuellement d'énormes possibilités de développement interne des pays du Tiers Monde, et si celui-ci ne se produit pas, c'est surtout parce qu'on n'a pas assez réduit les activités extérieures, et que la dépendance, bien qu'elle ne soit pas toujours imposée de l'extérieur, s'accroît...

Une grande partie du processus de développement dépend d'abord de la possibilité de surmonter un certain état d'esprit, en mobilisant les ressources internes plutôt que de se préoccuper de ce qui est certes important mais dont on a, à mon avis, exagéré l'importance, c'est-à-dire les éléments de dépendances externes. Je pose une question à M. Grant : croit-il que beaucoup de pays sous-développés seraient mieux lotis si on cessait toute forme organisée d'aide extérieure?

STEPHEN GRAUBARD : Pour commencer, j'aimerais simplement résumer ce qui vient d'être dit. J'ai entendu les choses suivantes : d'abord, peut-on faire un rapport comme le vôtre en portant si peu d'attention aux phénomènes politiques (car directement ou indirectement toutes les remarques qui vous ont été faites portaient sur ce point)? Votre rapport ne traite en rien du phénomène du pouvoir.

La deuxième chose que j'ai entendue, c'est : comment un pays comme l'Italie, par exemple, peut-il contribuer davantage et de façon significative au développement d'autres pays, alors que lui-même se heurte à des problèmes si graves sur le plan intérieur et qu'on peut presque parler de faillite en ce qui le concerne?

La troisième remarque, c'est qu'il n'y a pas de discussion dans votre rapport sur la vie interne des sociétés en voie de développement. Je veux parler de toutes les résistances qui existent à l'intérieur de ces pays. A mon avis, ce qui est vraiment faible dans votre rapport, c'est la partie concernant l'interdépendance. Vous nous en avez longuement parlé, vous nous avez dit qu'il devrait y avoir une approche globale

– et incidemment vous la critiquez, ce qui est bien; mais comment ferez-vous – puisque l'Europe est vraiment représentée à cette table, surtout par la France d'ailleurs –, comment ferez-vous pour que la France soit moins intéressée par l'Afrique occidentale et davantage par tous les autres endroits du monde qui ont désespérément besoin de son aide?

Vous dites qu'il faut s'attaquer à ces grands problèmes mondiaux en faisant un plus grand usage des Nations-Unies et des autres organisations internationales, comme la Banque mondiale ou le FMI. Mais nous savons tous que la Banque mondiale n'est capable de faire que ce que les Nations membres veulent faire. M. MacNamara et ses collaborateurs sont, à titre personnel, des gens très sympathiques. Mais la raison pour laquelle ils ne peuvent faire plus et ne font pas plus est évidemment que leurs ressources sont limitées.

De même pour les Nations-Unies. Honnêtement, je vous le demande : la Conférence mondiale de Stockholm sur l'environnement, en 1973, la Conférence de Bucarest sur les populations, en 1974, la session spéciale de l'Assemblée générale sur les matières premières illustrent parfaitement l'utilisation des mécanismes globaux pour trouver une solution à ces problèmes, mais, avec tout le respect qui lui est dû, qu'est-ce que la session spéciale de l'Assemblée générale sur les matières premières a réellement fait pour résoudre les problèmes dont vous avez parlé? Ma réponse est : pratiquement rien.

JACQUES ATTALI : Je voudrais parler de notre exploitation des gens d'autres pays, et, plutôt que d'autarcie, du fait de compter sur ses propres forces. Alors je vous demande : comment pouvez-vous imaginer l' « auto-suffisance » dans un pays pillé par les autres? Comment pouvez-vous imaginer que l'Algérie puisse, par exemple, se suffire à elle-même si nous utilisons la force de travail algérienne dans nos pays sans même la payer? Notre forme de développement ne peut exister sans l'exploitation de leur force de travail et de leurs matières premières. Alors, autarcie ou auto-suffisance sont certainement très attirantes pour le Tiers Monde, mais comment peut-on la leur proposer si vous ne convenez pas d'abord que nous sommes en train de faire de notre mieux pour les empêcher de mettre en place un système qui leur permettrait d'atteindre ce but?

RÉPONSE DE JAMES P. GRANT

Pour moi, il est très clair que nous aurons un taux de croissance plus bas dans les quinze années à venir. Et la question est de savoir si on en tiendra compte ou si on aura une série de catastrophes. Là où il y a du pétrole, il y a des engrais, et on peut avoir de la nourriture. Donc, le problème concernant la population par exemple est de savoir si les taux de croissance proposés amèneront des désastres comme la famine ou si, par exemple, les Asiatiques du Sud vont s'organiser plus efficacement pour résoudre le problème.

A propos de mon dernier point, par exemple, le fait que les États-Unis doivent avoir un nouveau concept de sécurité, beaucoup plus global et universel et non plus seulement militaire, je crois que cela aussi se produira. La seule question est de savoir combien il y aura encore de séquelles, comme la guerre du Proche-Orient, jusqu'à ce qu'on y parvienne.

A la question de savoir comment, dans les faits, on peut organiser une coopération réelle pour aider le Quart Monde, je crois qu'il faudra l'obliger à s'intéresser à lui-même. Cela revient à demander : comment allez-vous convaincre les gens qu'il est de leur propre intérêt de le faire? Prenons le thème n° 1 de mon exposé, le nucléaire. Les Indiens se sont dirigés vers le nucléaire en 1970-1971, parce qu'ils ont estimé que le monde extérieur prenait des positions négatives à leur égard. La décision clef a été prise aussitôt après la visite de Kissinger à New Dehli où il a dit aux Indiens qu'ils ne devaient plus compter sur les États-Unis. On a donc une possibilité de prolifération nucléaire majeure dans un système mondial non coopératif.

Autre thème : l'inflation. Je dirai que sans coopération effective avec une bonne partie du Quart Monde, il ne sera pas possible d'y mettre fin. Et cela parce que le plus grand potentiel inutilisé du monde pour accroître la production alimentaire se trouve dans les pays en voie de développement.

En ce qui concerne la critique selon laquelle je ne tiens pas compte des réalités politiques, je dirai : il me semble que le travail de gens comme nous, c'est de montrer aux politiciens et au public où se situent vraiment les problèmes et qu'il existe de bonnes solutions pour aider à les résoudre.

Sur les problèmes internes des pays en voie de développement, je suis d'accord avec vous pour dire qu'il leur est très difficile d'effectuer les changements internes indispensables. Mais ils doivent précisément prendre conscience des vrais problèmes, afin de permettre aux dirigeants, par exemple, de comprendre à quelles pressions politiques ils sont soumis, et pourquoi.

Le deuxième point, c'est qu'il n'y a pas d'entente, en général, sur ce que doit être la bonne réponse. Dans la plupart des pays latino-américains, si vous parlez avec des économistes par exemple, ils sont tous d'accord pour faire deux propositions erronées : l'une affirme que les grandes fermes sont efficaces et que les petites ne le sont pas. Or, à mon avis – et cela a été confirmé –, c'est l'inverse qui est vrai. L'autre affirme que les gens pauvres sont incapables d'épargner. Or ce que nous savons du Japon, de la Corée, de Taïwan et de Singapour, c'est que si on crée les structures adéquates, le sens de l'épargne existe chez les très pauvres. Le taux d'épargne est même incroyablement élevé dans ces pays-là. Au cours des années 50, en effet, toute une série de mesures d'équité ont été prises, non pas parce que les dirigeants pensaient qu'elles étaient efficaces, mais parce qu'ils avaient peur de l'influence communiste sur leur société; et ce n'est qu'après-coup qu'ils se sont aperçus qu'elles étaient également efficaces.

Nous considérons que le problème mondial de l'alimentation est l'auto-suffisance des pays développés qui empêchent que la production alimentaire des pays en voie de développement augmente. Aussi, le seul moyen de produire de la nourriture pour un grand nombre, c'est une augmentation très modeste des prix des matières premières.

Nous sommes en train d'assister à la mise en place d'une nouvelle coopération verticale entre les États-Unis, les pays d'Europe et les pays producteurs de pétrole.

Que peut faire l'Assemblée générale des Nations-Unies sur les matières premières? Le fait qu'elle se soit tenue sur ce thème et qu'un pays comme les États-Unis n'ait pu la boycotter – alors qu'un homme comme Kissinger n'était pas d'accord au début – a obligé les États-Unis à y réfléchir. Il y a eu une bagarre au sein du gouvernement américain, qui fut obligé, très significativement, de débattre des problèmes du Tiers Monde et des pays pauvres, et cela très sérieusement. Et Kissinger en est arrivé à un point où une décision s'imposait, à cause de cette bagarre interne. Ce qui est sorti de la session des Nations-Unies, c'est un appel à l'élaboration d'un programme spécial pour le Quart Monde. Un programme d'urgence, d'un an; puis un programme de plusieurs années.

Maintenant, je voudrais parler rapidement de deux types de pays en voie de développement. Il y a ceux qui ont les ressources nécessaires pour suivre le modèle occidental de développement, comme le Brésil. Le Brésil pourrait avoir un mode de vie nord-américain ou européen s'il le voulait, alors qu'il n'en est absolument pas de même pour les Indiens ou les Chinois. Pourtant, confrontés à une nécessité absolue, les Chinois, et, de façon différente, les Coréens, les Taïwanais, les gens de Singapour et de Hong-Kong ont eu à trouver une solution à la question suivante : comment obtenir un minimum pour tout le monde? Ils avaient si peu de ressources qu'ils ne pouvaient pas se permettre de descendre plus bas. Et pour faire face à ce problème, ils ont développé une série de techniques nouvelles qui ont permis de donner aux pauvres le bénéfice de ce qu'on ne peut pas obtenir dans un pays de type occidental, c'est-à-dire un revenu *per capita* de 1 800, 1 700, 1 600 dollars. La mortalité infantile y est en outre inférieure à celle des États-Unis aujourd'hui.

Ils ont donc vraiment réalisé une reconversion. Il est clair qu'on peut faire beaucoup, même dans une situation de non-croissance, pour changer le système interne. Et ce que je trouve excitant, c'est que les Asiatiques orientaux ont fait ce que les Chinois ont fait; ces deux groupes de populations, avec deux systèmes vraiment différents, sont parvenus à trouver la voie d'une croissance et d'une redistribution interne majeures. Mais si nous avions parlé des Chinois il y a seulement vingt-cinq ans, les gens auraient dit que c'était sans espoir, qu'ils ne s'en sortiraient jamais. Or toutes ces techniques que les Japonais ou les Chinois ont créées pourraient être appliquées ailleurs. Ce dont nous avons besoin, c'est de quelque chose comme une crise, dans la société mexicaine ou ailleurs, de telle sorte qu'existe la volonté d'essayer d'effectuer des réformes radicales. Car parfois il est plus facile de prendre des mesures de réformes que de sortir d'une crise.

IV

Conflits et légitimité

ALESSANDRO PIZZORNO

Ce qui a de l'importance pour nous, parce que nous sommes évidemment en train de parler selon certaines règles, c'est que, de l'entreprise occidentale d'établir des règles de communication, deux types de discours sont sortis : le discours dialectique et le discours spécialisé. La communication spécialisée n'est pas seulement le produit de certaines règles de la communication; elle vient de la division du travail partant de la classification des activités, une classification des positions des hommes dans la société, qui implique que, si l'on veut parler avec ces hommes, déterminés dans des rôles et des catégories, il faut parler de façon spécialisée. C'est de là que vient la science. Si on se demande quelle est la différence entre pensée scientifique et pensée sur la totalité (pensée dialectique, pensée socratique), il faut dire que la première s'adresse à un public de spécialistes. La création de communautés fractionnelles, d'ontologies régionales, est la condition nécessaire de la science, de son efficacité, une efficacité toujours partielle mais toujours renouvelée. Mais de là vient aussi le refus de discourir, de parler de la totalité.

De l'autre côté, que l'on prenne Platon jeune ou Hegel, on voit deux issues possibles. D'un côté l'action révolutionnaire, qui refuse la division du travail, les composantes de la division du travail comme référent, mais au contraire prend le tout comme référent, c'est-à-dire, au sens marxiste du mot, la *praxis*. De l'autre côté la dialectique, qui est un dialogue sur le tout qui se fait à deux. La pensée de la totalité dans la méthode dialectique n'est pas du tout la pensée de la totalité dans la méthode systémique. La première se prend constamment en considération soi-même. La pensée de la totalité naît directement du fait sociologique du dialogue; du dialogue qui remet toujours tout en question, dans le discours. Ou bien ce dialogue débouche sur l'action révolutionnaire, ou bien ce dialogue fait retour sur lui-même. C'est un discours sur la totalité qui devient discours sur le discours de la totalité, et ainsi de suite. Je crois qu'il y a là une fracture vieille de deux mille ans et plus, qui se renouvelle sans cesse, qu'on tente de concilier, mais c'est justement la fracture qui nous empêche de savoir à qui on parle lorsqu'on parle de la totalité.

Lorsqu'on essaye de former des pensées globales, en reliant systématiquement des fragments de systèmes, alors on a la théorie des systèmes. Cela donne par exemple le Club de Rome. Et, contrairement à ce qu'on dit, l'intelligence y est présente. Ce qui manque, c'est justement l'action. Il y a seulement les raisonnements scientifiques. Et la seule forme de raisonnement scientifique possible, c'est la logique formelle.

Les intellectuels participent de ces deux systèmes, veulent être en dehors du conflit. Les uns et les autres tentent d'établir une communication pacifiée, c'est-à-dire une communication où l'on met les conflits entre parenthèses. Je crois – c'est une position disons idéologique et, très indirectement, ontologique – qu'il est impossible d'être en dehors du conflit; ce qu'on peut faire d'un point de vue intellectuel, c'est conserver le pouvoir de comprendre le conflit et de comprendre les autres dans le conflit, c'est-à-dire ne pas mener la bataille des idées qui nous a été proposée au cours des années cinquante. Ce qu'il faut, c'est la capacité de conserver l'universalisme à l'intérieur même du particularisme, en ayant conscience qu'après tout l'universalisme n'est pas autre chose que le particularisme des privilégiés. Ce sont là deux choses que l'on doit rappeler. Je crois que pour nous, intellectuels, l'universalisme, les intérêts de l'humanité, c'est la chose la plus facile à prendre en considération; mais justement, cette facilité est aussi un signe de manque d'efficacité. Quelle est la méthode grâce à laquelle on peut réaliser cette entreprise, cet effort de compréhension des conflits? L'hypothèse de base, c'est que les conflits apparaissent là où entrent en crise les mécanismes de légitimation et de consensus, à l'intérieur d'un système.

Actuellement, je crois que ce qui nous attend, c'est quelque chose d'assez semblable au projet de Machiavel, c'est-à-dire une théorie de l'équilibre des conflits à partir d'une vision des rapports sociaux telle qu'elle a été ébauchée par Machiavel. Nous avons alors deux thèmes qui ont quelque chose à voir avec les mécanismes de légitimation de la société contemporaine et qui sont : 1) la crise des capacités de développement; 2) la crise de l'idéologie du développement. En ce qui concerne le premier thème, je crois que nous ne pouvons en parler longuement ici; nous n'avons pas les instruments pour dire si nous sommes vraiment en crise ou si nous ne le sommes pas, si les ressources sont limitées ou si elles ne le sont pas, s'il y aura une catastrophe l'année prochaine ou en l'an 2050; nous ne pouvons que nous ranger dans un *continuum* de pessimisme ou d'optimisme. Un poète disait qu'il y a une seule catégorie de personnes qui soit plus bête que les optimistes, ce sont les pessimistes. Mais il vaut mieux ne pas tenir compte de cette alternative. Personnellement, je crois que les signes évidents de la crise de l'idéologie, des idées, des valeurs du progrès, sont l'incapacité de contrôler l'inflation, le fait qu'il arrive un moment dans la limitation des ressources où intervient quelque chose d'explicite dans la projection de l'avenir et la continuité des inégalités à l'intérieur des nations et entre les nations, en somme l'incapacité de proposer des fins crédibles.

Le modèle occidental de développement sans fins explicites, sans fins autres que les siennes propres, ce modèle-là est brisé. Je crois que la crise du progrès accompagne continuellement les propositions du progrès. Le romantisme fut la crise de l'optimisme des philosophes des Lumières, au XVIIIe siècle. Depuis cette crise, il y en a eu beaucoup d'autres; celle de l'irrationalisme du début du siècle a été importante. Elle était une crise du rationalisme à l'intérieur du marxisme et du mouvement ouvrier, très semblable à celle que nous connaissons maintenant, et elle était accompagnée par un mouvement féminin et par toute une série de mouvements néo-romantiques assez semblables à ceux qui se produisent actuellement. Ce qui est impressionnant, c'est que tout cela a précédé la Guerre mondiale.

Aujourd'hui aussi il y a une conscience de crise, qui nous fait croire à un tournant de l'histoire. Mais puisque, en général, on ne pourrait pas vivre si on ne se croyait en quelque sorte être à un tournant de l'histoire, il faut considérer que chacun analyse quelque tournant à lui. A ce propos il faut rappeler que les physiocrates ont été les derniers à croire que le monde était limité. Après ce moment-là, pendant ces deux derniers siècles donc, on a cru que le monde était illimité, qu'on pouvait tout faire de la nature, que la nature était à notre service. Ensuite, on a connu des déboires, il y a eu le pessimisme, et on a retrouvé des limites naturelles. Par exemple, l'inconscient freudien est une limite naturelle; à un moment donné, on s'est rendu compte qu'on ne pouvait pas tout faire, que quelque chose nous échappait, et ce quelque chose était l'inconscient freudien. On a découvert l'égoïsme économique après le grand postulat de la révolution socialiste, les limites naturelles de l'homme en tant qu'être égoïste. Mais maintenant il y a quelque chose de nouveau : il s'agit d'une limite qui nous échappe, qui est dans la nature et non plus dans l'homme.

Je vais essayer de rechercher les composantes de l'écroulement du modèle des consensus dans le progrès et le développement.

Il y a d'abord la composante organisationnelle, c'est-à-dire le fait qu'on ne croit plus au rayonnement de l'efficience à partir d'un centre. Tout cela a des correspondances dans le monde classique du libéralisme du marché, mais je ne parle pas ici de la crise de la notion de marché parce que c'est une crise déjà plus ancienne. La capacité de coordonner l'efficience de tous les participants au système a été démentie par la création d'une périphérie. On a vu que le processus d'efficacité centralisante engendrait par lui-même une continuelle périphérie, exclue de l'efficience. L'efficience avait besoin d'une périphérie d'inefficience. Nous avons là une source de conflits qui ne sont pas tous bien connus, les conflits de la périphérie pour ainsi dire, les conflits qui ont des bases territoriales précises, comme les conflits breton ou irlandais. Le deuxième élément, c'est la faillite du concept de planification, que je définirais comme la faillite du concept de maximisation de la prévisibilité. A un certain moment, on a cru qu'on pouvait tout prévoir, et on a implicitement substitué le problème de la prévisibilité à celui des objectifs. C'était paradoxal, mais le fait qu'on pouvait prévoir toutes les conséquences d'une série d'actions nous fortifiait dans notre refus de poser des buts explicites parce que le but lui-même était la capacité de prévision. Je crois que le mouvement étudiant a énormément à voir avec ça. En tant qu'indicateur, que signe de cette faillite, il est vraiment le refus des fins à longue échéance.

L'autre faillite, c'est celle de l'égalité. Je crois que l'analyse durkheimienne de la société occidentale, qui disait que la compétition n'est légitimée que par l'égalité, est encore actuelle.

Faillite encore, celle du pluralisme. Le pluralisme, c'était l'hypothèse d'un marché de la représentation qui s'ajoutait au déséquilibre du marché des biens et l'abolissait. Or le marché des biens part, on le sait, de positions d'inégalité et d'injustice, laissant subsister des catégories plus ou moins privilégiées. Alors on a créé un marché supérieur, celui de la représentation, où les groupes entrent en compétition dans l'hypothèse de la parfaite connaissance, de la parfaite accession au marché, le marché de la pression, de la représentation. Mais cela n'a pas réussi.

Or toutes ces contradictions, ces faillites apparaissent à un certain moment comme des contradictions d'ordre sociologique. Elles avaient déjà été analysées en tant qu'impossibilités logiques, mais on y croyait car elles servaient précisément à les légitimer. Or il arrive un moment où le roi est nu. Et c'est alors que l'action collective prend le pas sur l'action individuelle qui, parce que individuelle, s'est trouvée enlisée dans ce jeu de légitimation et de consensus, et ne songeait qu'à poursuivre ses propres intérêts.

Quelle est la nature des conflits qui apparaissent lorsque leurs sources sont celles que nous avons proposées? Très rapidement, je dirai que ces conflits ont en commun l'objectif d'un pouvoir limité, et non la conquête du pouvoir central. Ce n'est pas le Palais d'Hiver que l'on veut, mais plutôt construire de petites maisons là où on est déjà, c'est-à-dire qu'on veut renforcer le contrôle de ses propres conditions de vie. Le « contrôle ouvrier », dans ce cas, a un sens qui est peut-être différent de celui que beaucoup lui donnent. Ce que les ouvriers demandent, c'est de contrôler les conditions dans lesquelles ils travaillent. Ils veulent les contrôler personnellement, individuellement, car l'ouvrier professionnel sait contrôler son propre travail, c'est-à-dire qu'il sait maximiser la partie du travail qui n'est pas soumise aux commandes de l'organisation. Mais de temps en temps l'organisation empiète, la rationalisation avance, et alors il faut reconquérir le contrôle qu'on a perdu sur le plan individuel, et cette reconquête se fait par une action collective. Cela peut nous donner le sens des objectifs dont je voulais parler, c'est-à-dire maximiser les contrôles autour de soi et renoncer à contrôler le système en tant que tel. On assiste alors à la création de petites ontologies dans lesquelles on se sent plus ou moins, dans les limites du possible, maître de soi.

Un deuxième aspect, lié au premier puisqu'il est un élément de la même tendance, c'est la reconstitution d'identités limitées, d'identités compréhensibles, c'est-à-dire, là aussi, la constitution de lieux où l'on peut, dirai-je, dépenser la monnaie gagnée, qu'il s'agisse de monnaie réelle ou des gains que nous tirons de nos échanges sociaux. Cette monnaie ne peut pas être dépensée partout; elle ne peut être dépensée que parmi ceux qui la reconnaissent. Et justement, le problème de la reconnaissance de nos gains se pose encore et toujours, et c'est ce qui nous amène à constituer des régions, des îles, des cercles autour de nous, habités par des gens qui reconnaissent nos gains. Et je crois que c'est ce qui explique le sens de tous ces mouvements conflictuels qui sont la reconstitution d'anciennes identités, d'anciennes petites cultures, ou bien qui sont simplement la constitution en sectes. Le mouvement étudiant en est un exemple. C'est la reconstitution de cette île à l'intérieur de laquelle, comme disait Bernanos, on cuve sa honte; mais on n'y cuve pas seulement sa honte, on y cuve aussi ses gains.

Et finalement, on peut donner à toutes les menaces faites par ces groupes en conflit une signification commune, qui est la menace de sortir du jeu. En effet, on n'a plus peur de sortir du jeu, de ne pas rester dans le système. On n'a plus peur de poser des fins non négociables.

DISCUSSION

LUCIANO TOMASSINI : On nous a dit que le développement devrait être conçu comme une maturation des idées antérieures, comme la croissance des potentialités, l'accomplissement ou la mise en place d'un modèle pour le type de société que nous voulons réaliser. Je dirai que les traits principaux des sociétés contemporaines amènent des résultats tout à fait inattendus et négatifs. Les sociétés occidentales ont recherché l'urbanisation comme style de vie, à la place du type de vie rural qui a prévalu jusqu'au XVIIIe siècle; mais nous avons des mégalopolis, des taudis et tous les problèmes des villes. Les sociétés occidentales ont recherché l'industrialisation et ont obtenu l'aliénation de l'homme par l'homme dans une société technocratique régie par les ordinateurs. Elles ont recherché l'hygiène et sont parvenues à une pollution massive. Elles ont recherché la disparition des maladies, et au lieu de cela on en arrive à une manipulation croissante dans le domaine de la biologie, avec toutes les conséquences inconnues qui en découlent. Mais surtout, les sociétés occidentales étaient à la recherche de la liberté, qui fut leur valeur essentielle, et nous nous trouvons devant une situation de réglementations exagérées, de pressions en tous genres, et donc d'absence de liberté.

Aussi longtemps que les dirigeants et les intellectuels des sociétés occidentales n'accepteront pas de se consacrer réellement à la tâche de définir, sans élitisme, sérieusement et ouvertement, l'ensemble des valeurs de la société, ainsi que le modèle de développement qu'ils souhaitent, je crois qu'il sera extrêmement difficile de savoir si nous sommes en crise, et même d'en discuter, et de savoir où nous voulons aller. Nous ne savons pas comment contrôler l'ensemble du système, et je fonderai mes doutes personnels sur deux raisons : premièrement, nous vivons dans une société industrielle mais la nature même du progrès de cette société est difficile à organiser et à débarrasser de tous ses accessoires secondaires; deuxièmement, même si nous parvenions à nous contrôler ou à contrôler l'environnement, nous n'aurions rien à offrir au reste de l'humanité, à ceux qui sont démunis, pas même les méfaits de la société technocratique.

PIERRE MASSÉ : Le problème principal n'est pas la limitation des ressources matérielles, mais la mauvaise organisation des sociétés humaines, et s'il devait y avoir une catastrophe en 1975 ou 1976, elle ne serait pas due à la limitation des gisements de pétrole, mais aux conflits entre les États. Il y a un phénomène dont on ne parle pas souvent mais qui me paraît porteur d'avenir, c'est ce que j'appellerais la dématérialisation de l'économie. En un mot, nous sommes en train de passer de l'âge de la matière, voire de l'énergie, à l'âge de l'information. Ce passage nous aidera à surmonter la limitation des ressources physiques.

Je voudrais surtout dire un mot de la faillite du marché et de la faillite de la planification. La première existe et n'existe pas tout à la fois. Notre monde devient si complexe et si opaque qu'il n'est pas possible de conduire nos affaires de manière convenable par des décisions centralisées. C'est impossible et, de plus, cela réduirait toute la périphérie en esclavage. Il faut donc, à la fois pour l'efficacité et pour la liberté, décentraliser les décisions. Il faut donc que l'information circule. Or, en matière économique, l'information, c'est avant tout les prix. Ce sont des signaux qui transportent des informations extrêmement précieuses sur les raretés. On ne peut parler de faillite que si les prix sont manipulés par les agents qui ont une position dominante. Il n'y en a pas d'un seul côté.

Quant à la faillite de la planification, c'est en fait la faillite de la prévisibilité. On parle parfois d'erreurs de prévision. Cette expression est injustifiée, car toute prévision comporte nécessairement, non pas une erreur, mais un écart. La planification repose sur certaines prévisions très aléatoires, mais elle comprend des objectifs qui n'ont pas un lien rigide avec les prévisions.

Enfin, je voudrais parler de la modération. C'est une recommandation certes toute provisoire, car je me rends bien compte que, pour plus tard, il faut inventer quelque chose. Mais en attendant, pendant que les valeurs sont détruites, pendant que la violence augmente, il faut bien essayer de faire une recommandation qui permette de survivre. Cette recommandation, c'est, à mes yeux, la modération. Alors, à qui la prêcher? Naturellement d'abord aux forts, et je crois que ce n'est pas absolument impossible. Ainsi Kennedy, après la deuxième crise de Cuba, a usé de modération vis-à-vis de Khrouchtchev. Or si cet acte de modération n'avait pas eu lieu, la situation n'aurait pas évolué comme on sait.

ALEX INKELES : Je crois qu'un grand nombre de tensions et de conflits résultant de l'imposition de modèles, d'erreurs, d'emprunts, etc., entre les pays développés et les pays sous-développés impliquent certainement le problème suivant : où doit se trouver la base institutionnelle?

CORNELIUS CASTORIADIS : Une partie de nos divergences provient de l'ambiguïté du titre de ce colloque. Que veut dire « développement » et pourquoi, là où ce développement a eu lieu, les sociétés sont-elles quand même dans la panade? Cette « crise du développement », il y avait des gens (dont j'étais), au cours des années 50, qui en parlaient déjà. Mais personne n'écoutait car il y avait la « croissance » des pays riches et parce qu'on allait « développer » les autres. Évidemment, à partir du moment où sont clairement apparus à la fois l'échec du « développement » et la crise interne des sociétés occidentales, s'est posé le problème : quel développement? pour quoi faire? qu'est-ce que cela veut dire?

Je ne suis pas venu ici pour insister sur le fait que des gens ont faim. Cela, on le sait et je le sais. La question est : comment peuvent-ils cesser d'avoir faim, et pour aller vers quoi?

Nous rejetons certaines conséquences de l'industrialisation capitaliste, mais pas l'industrialisation elle-même. Mais comment faire ces séparations? Prenons un exemple extrême : qu'ont fait les Bolcheviques quand ils ont pris le pouvoir? Lénine l'a écrit en toutes lettres : il nous faut créer ici une industrie comme l'industrie allemande; il nous faut créer un capitalisme d'État qui sera simplement contrôlé par « la classe ouvrière », c'est-à-dire par le Parti communiste, c'est-à-dire par le Comité central, c'est-à-dire par le Bureau politique. Le résultat final a été le pouvoir totalitaire d'une nouvelle bureaucratie. Il faut donc comprendre ceci : une civilisation, une culture comme la culture occidentale, ou n'importe quelle autre culture, n'est pas un menu de restaurant dans lequel vous allez choisir les plats qui vous plaisent, et laisser de côté les autres. Si vous achetez le système industriel occidental, vous achèterez la bureaucratie, la manipulation et le reste.

EDGAR MORIN : On voit que certains problèmes qui ont mûri dans les pays dits développés ne sont pas encore mûrs dans les pays sous-développés. Malheureusement, ces problèmes vont se poser à partir du moment où vous réaliserez ces processus du développement. Il est donc très utile qu'il y ait une nouvelle réflexion sur ce thème du développement. Car, dans le cas dit socialiste comme dans le cas capitaliste, le développement de l'industrie en tant que telle, de la technique et de la science, pose des problèmes globaux qu'il est intéressant et avantageux de poser.

Il y a un deuxième type de coupure, qui est le problème de l'action. C'est-à-dire : que faisons-nous ici? quel est le sens de l'action? Comme ce sont des problèmes vitaux, vécus, le thème de la famine, si démagogique soit-il, ne vient pas ici en vain ni par hasard. Je récuse le spectre de l'homme qui meurt de faim quand on veut m'intimider avec lui, mais je l'admets profondément parce qu'il me rappelle l'urgence vitale et biologique de certains problèmes.

Aussi vais-je essayer de vous dire comment, pour ma part, je conçois l'action politique, et, pour l'expliciter, je vais me référer à une page magnifique de Jules Michelet dans *la Mer,* sur l'accouplement des baleines. Michelet, en grand visionnaire qu'il était, se demandait comment faisaient deux baleines pour s'accoupler et, évidemment, il s'imaginait qu'elles devaient adopter la position verticale, qu'il fallait qu'elles s'élèvent verticalement dans l'air, qu'à ce moment-là, dans leur mouvement et élan, elles se rejoignent, l'espace d'un éclair, d'une façon tout à fait adéquate, de façon à ce que le mâle puisse injecter sa petite tonne de semence dans la baleine femelle. Et, à ce moment-là, la baleine retombe dans l'eau, assez heureuse car ils ont réussi. A en croire Michelet, c'était quelque chose de très difficile. Les baleines doivent s'y reprendre à dix, vingt, mille fois pour arriver à cet accouplement.

Ce thème extrême de l'accouplement nous renvoie à quelque chose qui est de l'ordre de la fécondation et dont relève l'action politique. L'action politique véritable, celle qui veut fabriquer de l'avenir, ne se mesure pas à la quantité d'énergie dépensée, du type de marteau enfonçant un clou; elle a les caractères aléatoires de la fécondation, de la dissémination des germes, de la dépense et du gaspillage de millions de spermatozoïdes pour un *seul* qui sera productif. Autrement dit, quand on veut agir, il faut savoir qu'on s'essaie à une copulation aléatoire avec l'histoire. Les idées sont comme des germes, comme des spermes, comme des virus. Bien entendu, comme pour les baleines, il ne suffit pas d'éjaculer pour que le processus de fécondation commence. Il faut des conditions favorables. De plus, l'efficacité réelle des idées ne se mesure pas à la propagation immédiate; les idées les plus fécondes de l'histoire ont incubé en silence (trois siècles pour le christianisme, un siècle pour le socialisme), et nous n'en sommes qu'au début, sinon des unes, du moins des autres.

Alors, qu'est-ce que c'est qu'une crise? C'est aussi le moment où les idées qui étaient confinées, minoritaires, ankylosées, se répandent épidémiquement, comme des virus. Elles pénètrent rapidement le corps social et deviennent des forces de transformation. Pour moi, l'action qui importe est celle qui concerne ces idées-là. Il ne s'agit pas d'être « au gouvernement » pour que nos idées cessent de nous gouverner.

FELIPE HERRERA : En ma qualité d'optimiste professionnel, je dirai, en me servant de votre concept, que cette crise est un très bon présage d'avenir pour l'humanité. Elle met d'ailleurs peut-être mieux en lumière la crise de l'idéologie du développement que la crise du développement proprement dit.

La société occidentale n'est pas un modèle, et c'est pourquoi, d'accord avec vous, je dis qu'on ne peut pas en prendre une partie et laisser le reste; c'est un système culturel, un processus historique qui s'est réfléchi au point de vue géographique en Europe occidentale à un moment donné, puis dans le monde entier, accompagné de tous ses éléments antithétiques et de ses interactions avec d'autres cultures.

Je ne pense pas que la solution dans le Tiers Monde réside dans la négation des valeurs du monde occidental, et que nous allons construire quelque chose d'autre.

E. NEUWISSEN : J'ai l'impression qu'il n'y a pas de problème de développement, mais un problème de temps. Il s'agit du rythme de développement des pays dits sous-développés, et l'élément temps est fondamentalement un élément de notre propre culture; beaucoup de gens qui vivent dans les pays sous-développés ne pensent pas au temps. Il leur est d'ailleurs impossible de faire des plans au-delà de trois ou quatre jours, à cause de leurs difficultés matérielles.

V

Une étude de la crise :
Le développement, le socialisme et l'époque contemporaine

HELIO JAGUARIBE

Le probable et le possible.
Résumé des conclusions précédentes[1].

a) En ce qui concerne la crise du socialisme et du développement, tout en présentant nos conclusions de façon purement schématique, nous pouvons dire :

1) Que le socialisme, sous sa forme actuelle, qui est celle d'une bureaucratie autoritaire de style soviétique, n'a pas réussi à établir un régime de libération, mais a, au contraire, aggravé et renforcé quelques-unes des pires formes de l'aliénation sociale.

2) Que, dans les riches sociétés occidentales, le développement n'a pas réussi à surmonter la misère et l'aliénation de minorités laissées sans protection.

3) Que, dans le Tiers Monde, le développement n'a pas réussi à élever le niveau de vie et la participation de ses importantes majorités marginales, ni à combler le fossé qui ne cesse de s'accroître et qui sépare ces pays des sociétés développées.

b) En ce qui concerne la crise de notre époque, nous pouvons dire également de façon purement schématique :

1) Les dispositions institutionnelles des sociétés contemporaines, dans les trois mondes qui composent le Monde, font apparaître une dysfonction généralisée dans les rapports élite-masses.

2) Sous-jacente à cette dysfonction, on trouve une surexpansion critique de la raison instrumentale, ainsi qu'une mutilation croissante des potentiels de vie individuelle et réciproquement de vie sociale.

3) Les crises culturelles de notre époque expriment la crise des

1. Nous n'avons pu, faute de place, publier l'intégralité du rapport de H. Jaguaribe. Le lecteur trouvera donc ici un résumé de la première partie.

fondements du système de valeurs occidental, et l'incapacité de la culture universelle occidentale à faire participer à ses schémas de base les grandes masses de son propre prolétariat. Dans le Tiers Monde, on assiste à la permanence d'une culture populaire traditionnelle qui est en décrépitude, mais sans ajustements adéquats à la vie urbaine moderne. On assiste aussi à la contamination du monde entier, particulièrement dans les sociétés de consommation, par l'expansion rapide et croissante d'une culture de masse abrutissante.

Tendances et perspectives.

La crise du monde classique, qui s'est déroulée depuis le IIIe siècle après J.-C., l'a plus atteint dans son intégrité que notre monde n'a été touché jusqu'à maintenant par sa propre crise. La principale raison réside dans le scientifique et le technologique, sans omettre toutefois qu'à cette époque de crise les aspects pratiques de la vie ont été autant bouleversés que ses valeurs. Au cours de son déclin, le vieux monde a perdu non seulement son efficacité, mais également sa confiance dans les possibilités de ce monde, et il s'est ouvert à une diversité de moyens de salut magiques et mystico-religieux, où le christianisme a finalement prévalu [1].

Notre monde, dans sa crise, tout en étant conscient de la menace imminente d'une hécatombe nucléaire ainsi que d'autres catastrophes technologiques qui pourraient détruire le genre humain, conserve la plus grande confiance dans ses capacités pratiques. D'autre part, notre monde commence à réaliser, au sein de cercles de plus en plus larges, que la raison instrumentale ne suffit pas. La conséquence en est qu'en dépit de la renaissance d'une tradition fondamentaliste en Occident, ainsi que du réveil de formes non occidentales de religion, un des principaux effets de la crise de notre époque n'a pas été une renonciation à la science et à la technologie, mais, au contraire, leur utilisation intensive pour explorer les perspectives de l'avenir et les alternatives qu'il comporte. Plutôt que par le biais de visions magiques et mystiques, notre époque essaie de trouver son salut dans une meilleure compréhen-

1. Cf. Jacob Burckhardt, *The Age of Constantine the Great,* Gardent City, Anchor Books, 1956. Voir aussi M.L.W. Laistner, *Christianity and Pagan Culture in the Later Roman Empire,* Ithaca, Cornell University Press, 1967.

sion d'un avenir vraisemblable, tout en développant, avec la futurologie, une nouvelle science d'ensemble orientée vers l'obtention de simulations des effets des tendances présentes dans le futur, aussi bien que les anticipations de probabilités raisonnables portant sur l'avenir [1].

J'essaierai de présenter, en cinq points, quelles sont à mon avis les caractéristiques de l'avenir les plus importantes et les plus générales prévisibles pour la fin de ce siècle et le début du prochain.

1. *Un monde peuplé par des multitudes.* – D'après des estimations démographiques moyennes établies par les Nations-Unies, le globe comptera environ 6130 millions d'habitants en l'an 2000, et à la fin du XXIe siècle, où l'on prévoit que les méthodes de limitation de naissances se seront généralisées, on pense que la population mondiale se stabilisera autour de 13 à 14 milliards d'habitants [2].

2. *Un monde d'inégalités profondes.* – En partant de l'hypothèse la plus vraisemblable selon laquelle la répartition mondiale des capacités et des penchants psycho-moraux ne subira pas de transformations profondes, la tendance, au tournant du siècle, s'orientera vers une sérieuse aggravation des inégalités présentes. Selon les estimations et les chiffres de Jagdish Bhagwati, qui a utilisé les données des Nations-Unies et d'autres sources, tandis que le monde sous-développé en 1965 avait un revenu moyen annuel par tête de 145 dollars, et le monde

1. Parmi les contributions les plus significatives à la futurologie, citons : Dennis Gabor, *Inventing the Future,* New York, Knopf, 1963; Niger Calder, *The World in 1984,* Baltimore, Penguin, 1965, 2 vol.; Bertrand de Jouvenel, *L'Art de la conjecture,* Monaco, Éd. du Rocher, 1964; Robert Boguslaw, *The New Utopians,* Englewood Cliffs, Prentice Hall, 1965; Olaf Helmer *et al., Social Technology,* New York, Basic Books, 1966; Harrisson Brown *et al., The Next Ninety Years,* introductions à une conférence au Californian Institute of Technology, Pasadena, Californian Institute of Technology, 1967; Daniel Bell, *Toward the year 2000,* Boston, Beacon, 1967; Herman Kahn et Anthony Wiener, *The Year 2000,* New York, Macmillan, 1967; Stuart Chase, *The Most Probable World,* Baltimore, Penguin, 1968; John McHale, *The Future of the Future,* New York, Braziller, 1969; Jean Fourastié, *La Civilisation de 1995,* Paris, Presses Universitaires de France, 1970; Sabino S. Acquaviva, *Una Scommessa sul Futuro,* Milan, Inst. Libraio Internationale, 1971; Gianni Giannotti, *Concezione e Previzione del Futuro,* Bologne, Mulino, 1971; et Jagdish Bhagwati, *Economics and World Order from 1970's to the 1990's,* New York, Macmillan, 1972.

2. G. Jagdish Bhagwati, *op. cit.,* Introduction.

développé un revenu de 1 729 dollars, en l'an 2000 la moyenne dans le monde sous-développé sera de 388 dollars, tandis que dans le monde développé elle sera de 6 126 dollars [1].

3. *L'ordre inter-impérialiste et l'exploitation intra-impérialiste.* – Le monde de nations souveraines et indépendantes né du Congrès de Vienne, où les États les plus faibles pouvaient, dans une certaine mesure, conserver leur indépendance grâce à des alliances appropriées, s'est profondément transformé dans les années qui suivirent la Deuxième Guerre mondiale. Le monde est devenu un système inter-impérialiste. Certains centres impérialistes sont déjà nettement formés : les États-Unis et la Russie soviétique, après la Deuxième Guerre mondiale, et, plus récemment, la République populaire de Chine. D'autres groupes de pays, s'ils réussissent à intégrer et à augmenter leur développement technique et scientifique, pourront également devenir des systèmes impérialistes. En dehors des membres qui appartiendront finalement à ce club impérialiste, on peut anticiper en faisant valoir deux traits principaux de ce système naissant : premièrement, ce monde de l'ordre inter-impérialiste, tout en étant soumis à un risque permanent de confrontations catastrophiques, restera probablement soumis à de fortes tensions inter-impérialistes, que l'on contrôlera. Deuxièmement, à l'intérieur de chaque système impérialiste, une polarisation s'établira entre le centre et sa périphérie, qui se caractérisera par une inégalité totale et une exploitation substantielle de la périphérie par le centre [2].

4. *Dépendance technologique.* – Un besoin croissant de technologie et une dépendance de plus en plus grande à son égard se poursuivront dans un avenir prévisible, même si l'on accorde une importance beaucoup plus grande et davantage d'attention aux activités et aux exigences interactionnelles. Il est peu probable que l'homme renonce aux avantages que lui procure la manipulation technologique de la nature, ce qui imposera une utilisation croissante de la technologie, même dans le cas d'une forte renaissance humaniste [3].

1. G. Jagdish Bhagwati, *op. cit.*

2. Cf. Helio Jaguaribe, *Political Development : A general Theory and a Latin American Case Study,* New York, Harper and Row, 1973.

3. Cf. Jacques Ellul, *La Technique ou l'enjeu du siècle,* Paris, Armand Colin, 1954;

5. *Désarroi culturel.* – La crise culturelle continuera sans nul doute à s'aggraver. Dans ce cas, la vie sociale au niveau national, mais aussi au niveau local, atteindra finalement et rapidement des limites de viabilité. Alors, une alternative s'imposera au niveau socio-culturel : ou bien les sociétés contemporaines retrouveront leurs valeurs et leur style de vie humanistes, ou bien ces sociétés seront forcées d'adopter un système anti-humaniste d'organisation sociale. Dans le premier cas, on trouvera des ouvertures à des formes multiples de consensus. Dans le dernier cas, les mesures d'intégration devront se fonder sur un système autoritaire de récompenses et de punitions, en s'appuyant sur une répression illimitée [1].

Peut-on rétablir l'humanisme?

Nous pouvons brièvement parler maintenant de la dernière question, la plus importante soulevée par la problématique de cette étude : celle de l'humanisme et des possibilités de le rétablir. Délibérément, je tiendrai pour implicite la signification de l'humanisme et je l'utiliserai dans un sens très large comprenant, sans l'exclure, la culture des disciplines humanistes habituelles, et comprenant surtout une éthique et un style de vie orientés sur des valeurs humanistes [2].

La question des possibilités de rétablir l'humanisme dans les condi-

---

et Victor C. Fekiss, *Technological Man : The Myth an the Reality,* New York, Braziller, 1969.

1. Cf. Hannah Arendt : « The Crisis of Culture : its Social and its Political Significance », in *Between Past and Future,* Cleveland, Meridian Books, 1963; Herbert Marcuse, *L'Homme unidimensionnel* (Éditions de Minuit, 1968) et *Vers la libération* (Éditions de Minuit, 1969); Helio Jaguaribe, *Political Development, op. cit.,* p. 353-357.

2. Sur la permanence de l'humanisme classique, cf. Moses Hadas, *The Greek Ideal and its Survival* (New York, Harper and Row, 1966) et *The Living Tradition* (New York, Meridian, 1967). Pour un humanisme contemporain, cf. Ernst Cassirer, *Essai sur l'homme,* Éditions de Minuit, 1975; Erich Fromm, *Man for Himself,* Greenwich, Fawcett, 1947; Martin Heidegger, *Lettre sur l'humanisme,* Éditions Aubier, 1970; Bertrand Russell, *Authority and the Individual* (Londres, Allen and Unwin, 1949) et *Why I am not a Christian* (Londres, Allen and Unwin); Jean-Paul Sartre, *L'Existentialisme est un humanisme,* Paris, Gallimard, 1951; Hannah Arendt, *Condition de l'homme moderne,* Calmann-Lévy, 1961; Juan David Garcia Bacca, *Humanismo Teorico, Pratico y Positivo segun Marx,* Mexico, Fondo de Cultura Economica, 1965; Max Horkheimer, *Zur Kritik der Instrumentellen Vernunft,* 1967.

tions mondiales mentionnées plus haut dépend des possibilités théoriques et pratiques d'instaurer une éthique humaniste : 1) qui s'impose rationnellement et émotionnellement, 2) qui soit fonctionnelle du point de vue social, 3) qui soit compatible avec les contraintes du monde biophysique et effectivement applicable au monde contemporain dans des conditions telles que le processus de sa mise en application n'entraîne pas la distorsion de ses valeurs. Les conditions requises, incluses dans la proposition précédente, se rapportent à deux ordres d'exigences : celle de la validité et celle de l'efficacité.

J'essaierai très succinctement ici de clarifier certaines questions soulevées par les exigences de validité et d'efficacité d'une éthique humaniste, dans la situation découlant de la crise de notre époque.

Le problème de la validité.

Même si les valeurs ne sont pas arbitraires, elles sont engendrées par l'homme lui-même : c'est ce qu'a bien mis en évidence l'affaiblissement de la croyance dans les fondements divins de la morale.

Le caractère non arbitraire des valeurs, exigence générique de leur propre validité, présente toutefois deux traits distincts. L'un, de caractère fonctionnel, réside dans le fait que les codes moraux sont infiniment liés aux exigences individuelles et sociales de la vie humaine [1]. Ils expriment, en tant que régime régulateur de l'ensemble de la culture, le point culminant de l'évolution bio-culturelle de l'homme. En termes exclusivement évolutionnistes, les codes moraux qui ne s'harmonisent pas avec les exigences individuelles et sociales de la vie humaine dans un milieu donné entraînent finalement la disparition de leurs adeptes. Au contraire, les codes qui ont le mieux réussi à bien orienter des comportements réglés sur la vie, tel celui des Hébreux ou, dans un autre contexte, l'éthique civique et humaniste des Grecs, ont également contribué de manière décisive au succès historique des peuples qui s'en sont réclamés. La première particularité du caractère non arbitraire des valeurs morales est par conséquent leur adaptation à ce que l'on pourrait appeler « la contrainte darwinienne ».

1. Cf. Theodosius Dobzhansky, *Mankind Evolving,* New Haven, Yale University Press, 1962.

Le second trait est de caractère purement éthique; il concerne les propriétés des valeurs morales; considérées comme objectivement contraignantes, comme des schémas de comportement, indépendamment des désirs subjectifs de chaque individu. Ces propriétés – objectivité, obligation, généralité et permanence – qui donnent aux valeurs morales leur caractère transcendant par rapport aux personnes et aux circonstances, présentent un trait particulier, du point de vue socio-historique. Vues de l'extérieur, selon une analyse socio-historique, elles révèlent leur relativité à l'intérieur de certaines limites. Le contenu des valeurs morales – toujours à l'intérieur de certaines limites – varie d'une culture à l'autre, d'une époque à l'autre, d'une société à l'autre. Mais vues de l'intérieur, dans une culture, une époque et une société données, elles manifestent les propriétés mentionnées auparavant comme des schémas de comportement objectivement contraignants [1]. En termes éthiques, le second trait du caractère non arbitraire des valeurs morales est donc leur adaptation à l' « impératif kantien ».

Les deux traits indiqués précédemment ont été jusqu'à maintenant ceux des valeurs morales postulées par les grandes religions ou adaptées à elles. Ceci signifie en premier lieu que les grandes religions, en tant que systèmes expliquant les aspects fondamentaux de l'existence de l'homme et du monde et postulant le juste comportement de l'homme, ont historiquement été à l'origine et à la base de tous les codes moraux et de tous les styles de vie réussis [1]. Ceci signifie également que certaines formes de la crise religieuse, que nous pouvons appeler « crises d'uniformité intérieure », ont été remplacées, quant aux valeurs morales, par des rationalisations philosophiques. Ainsi par exemple, dans l'histoire de la culture hellénique, les rationalisations des anciens poètes comme Hésiode et plus tard des tragédiens comme Eschyle, ont adapté les nombreux dieux primitifs au Panthéon olympien, puis la religion olympienne à la religion civico-morale de la *polis* [2].

L'impératif kantien des valeurs morales soulève des difficultés

1. Cf. Erich Kahler, *Man the Measure,* New York, Braziller, 1961; voir aussi Christopher Dawson, *The Dynamics of World History,* New York, Mentor Book, 1962.

2. Cf. Werner Jayer, *Paideia,* vol. 1, New York, Oxford University Press, 1945, 3 vol. Voir aussi W.K.C. Guthrie, *The Greeks and their Gods,* Boston, Beacon, 1950; et Louis Gernet et André Boulanger, *Le Génie grec dans la religion,* Paris, Albin Michel, 1970.

lorsque les grandes religions subissent un autre type de crise, la « crise de crédibilité », où leur explication de base de l'homme et du monde n'est plus compatible avec la structure générale et le corps de la culture profane. En utilisant, une fois de plus, un exemple classique, c'est ce qui s'est produit aux périodes grecque et romaine, dans les secteurs les plus élaborés culturellement de ces sociétés. Elles ne pouvaient même plus accepter la version donnée par les Tragiques de leur religion, et elles étaient très souvent athées, comme Lucrèce par exemple. Dans ces conditions, la culture grecque a engendré et transmis aux Romains de nouvelles philosophies morales, telles que le stoïcisme et l'épicurisme. Elles se sont avérées d'une importance primordiale en guidant la vie de leurs meilleurs dirigeants et en leur donnant une solidité morale qui a permis la prolongation de la culture classique, y compris les dernières phases élevées et splendides de la période des Antonins, au IIe siècle après J.-C. [1].

Le stoïcisme et l'épicurisme, toutefois, se sont manifestés comme un remède pour quelques privilégiés, entourés par le comportement frivole des élites et les superstitions grossières des masses, au sein d'une société fondée sur la douloureuse iniquité de l'esclavage.

Mais les exemples historiques ne sont pas concluants. S'ils montrent que dans certaines conditions le genre humain a pu créer, grâce à un effort philosophique, un système élevé de valeurs respectées, ils indiquent également que ces efforts ont réussi dans des cercles très restreints et entourés de comportements contraires à l'éthique et de conditions injustes. Sera-t-il possible, étant donné les conditions de la culture occidentale universelle à cette étape tardive de la mort de Dieu, de créer, par la réflexion philosophique, un nouvel humanisme éthique adapté à la fois à la « contrainte darwinienne » et à l' « impératif kantien »?

J'aurais tendance à répondre que c'est possible en termes analytiques, nécessaire en termes existentiels, mais très incertain en termes empiriques. Jusqu'à présent, les philosophes et les livres n'ont jamais

1. Voir Moses Hadas, *Hellenistic Culture,* New York, Columbia University Press, 1959; et Stringfellow Barr, *The Mask of Jove,* particulièrement le chapitre 7, New York, Lippincott, 1966. Voir aussi Rodolfo Mondolfo, *El Pensamiento Antiguo,* vol. II, Buenos Aires, Losada, 1942, 2 vol.; et la préface de Pierre-Maxime Schuhl ainsi que les introductions de Émile Bréhier aux *Stoïciens,* Paris, Bibliothèque de la Pléiade, Gallimard, 1962.

réussi à atteindre le charisme irrésistible des grands chefs et des grands messages religieux. La nouveauté est que jamais auparavant, dans l'histoire, le salut de l'humanité, de l'homme, et son existence dans ce monde n'ont autant dépendu du succès d'une entreprise philosophique.

Le problème de l'efficacité.

La question principale est de savoir comment on parviendra à la mise en place sociale et internationale d'une nouvelle éthique humaniste.

Nous avons vu, pour l'exemple classique, comment le stoïcisme et l'épicurisme, dans une période de doute intellectuel sur les traditions religieuses, ont été néanmoins limités à l'élite. En supposant que dans notre monde contemporain une certaine philosophie morale atteindrait le statut de ces philosophies hellénistes, le problème pratique est de savoir comment ce nouvel humanisme pourrait s'imposer comme norme efficace de comportement.

J'insisterai brièvement sur deux points. Le premier, c'est que, à notre époque, il n'existe pas d'humanisme respectable et valable dont l'usage serait réservé à des petits cercles privilégiés de l'élite. La validité d'un humanisme moderne impose sa généralisation effective, sociale et internationale, ce qui suppose avant tout la généralisation sociale et internationale de la liberté et de l'égalité. Or ces deux conditions ne se retrouvent certainement pas dans les sociétés contemporaines et entre elles.

Deuxième point : la liberté et l'égalité peuvent-elles être effectivement atteintes dans les sociétés humaines? Cette question comporte deux aspects : l'un analytique, concernant la possibilité sociale desdites conditions, et l'autre, empirique, c'est-à-dire que, dans le cas où elles seraient possibles, reste à savoir si elles se produiraient effectivement un jour.

En termes analytiques, nous verrons que la liberté comme l'égalité dépendent de deux types de conditions cumulatives. Le premier type de conditions, que j'appellerai « condition requise d'état », concerne la non-existence d'une accumulation décisive de pouvoir ou de richesse par un groupe unique dans une société donnée, soit parce que le pouvoir et la richesse se trouvent partout, soit parce que plusieurs autres groupes possèdent suffisamment de puissance compensatrice. Le deuxième type de conditions, que j'appellerai « condition requise de tendance », concerne la tendance à l'accroissement, dans plusieurs groupes d'une même société, du taux d'indifférence vis-à-vis de la possession par tout autre groupe de biens (ce qui concerne l'égalité), ou de la capacité de prendre des décisions (ce qui concerne la liberté).

A son tour, l'augmentation de ce taux d'indifférence envers le contrôle des biens et des décisions exprime la dévaluation relative de ces biens et de ces décisions. En ce qui concerne les biens, cela peut se produire soit parce qu'il existe une très grande abondance de ces biens, soit parce que la société en question traverse une phase ascétique de désintéressement à l'égard des biens. En ce qui concerne les décisions, cela peut se produire parce que les personnes éventuellement chargées de prendre des décisions n'ont pas la possibilité de nuire aux autres ou parce qu'il existe une certaine vulnérabilité des autres groupes et individus vis-à-vis de ces personnes chargées de prendre des décisions.

Ces deux conditions requises, tout en étant analytiquement compatibles avec la structure des sociétés humaines telles qu'on peut les analyser sociologiquement et les décrire historiquement, supposent, de toute façon, des conditions très inhabituelles, surtout dans des sociétés complexes. On peut dire, en termes d'analyse sociologique, que l'effet nécessaire exercé par la complexité est une diversification et une spécialisation de la répartition de la main-d'œuvre et des rôles correspondants. Et le résultat de cette répartition, comme Marx l'a clairement énoncé [1], est l'introduction de différenciations croissantes dans la répartition du pouvoir et de la richesse. Il en résulte que les conditions requises d'état sont de moins en moins remplies — parce que quelques groupes contrôlent le pouvoir et la richesse tandis que la plupart en sont dépourvus — ainsi que les conditions requises de tendance, car l'inégalité du pouvoir et de la richesse, au lieu d'accroître le taux d'indifférence, accroît le taux d'expectatives pour le contrôle du pouvoir et des biens.

En termes historiques, le dossier n'est pas en faveur de la liberté et de l'égalité. La plupart des sociétés ont toujours été privées de liberté et profondément inégalitaires. On trouve cependant quelques bons exemples de l'apparition de la liberté et de l'égalité dans une société.

1. La théorie de Marx sur le sujet est déjà clairement exposée dans le *Manuscrit de 1844*.

Le meilleur d'entre eux est l'Athènes classique, du temps de Périclès. Les citoyens de la *polis* y jouissaient alors d'une complète liberté personnelle et politique, dans une égalité fondamentale. Mais la définition du « citoyen » était alors restrictive. Pour une population d'environ 420 000 personnes, 140 000 seulement étaient de véritables citoyens. Environ la moitié de la population était composée d'esclaves dont 70 000 à peu près étaient des métèques (ce qui signifie techniquement, mais non pas réellement, des étrangers), privés de droits civiques [1]. En dépit de ces restrictions, on peut considérer que les Athéniens sont un bon exemple de l'apparition réelle de la liberté et de l'égalité dans une société déjà complexe.

Toutefois, la plupart des exemples de liberté et d'égalité viennent des peuples primitifs, au stade pré-urbain de leur évolution et plus particulièrement à l'étape nomade. Et si, au lieu des relations à l'intérieur des sociétés, nous considérons les relations entre les sociétés, la règle absolue est alors la domination et l'inégalité.

La lutte pour l'humanisme.

Si nous réfléchissons à ce qui précède quant aux exigences d'un nouvel humanisme, la première conclusion à tirer sera qu'un rétablissement de l'humanisme est possible mais difficilement réalisable.

Une nouvelle éthique humaniste et un nouveau style de vie devraient tout d'abord atteindre, à l'aide d'une persuasion philosophique, un statut de validité reconnue, comparable à celui qu'atteignirent le stoïcisme et l'épicurisme. Mais, étant donné les conditions de notre époque, cette validité éthique ne pourra pas être préservée si elle est limitée à des cercles fermés de l'élite, à l'instar de ses prédécesseurs grecs et romains.

Les exigences d'efficacité sont encore plus difficiles à remplir pour ce nouvel humanisme. Elles impliquent, en dernier lieu, la généralisation sociale et internationale de la liberté et de l'égalité. Comme nous l'avons vu, la liberté et l'égalité sont socialement possibles, aux deux conditions décrites plus haut : la condition requise d'état et la condition requise de tendance.

Le déroulement de l'histoire n'a pas favorisé l'émergence de ces

1. Cf. Stringfellow Barr, *The Will of Zeus,* p. 142, New York, Delta Book, 1961.

conditions, et presque toujours les sociétés, dans leur grande majorité, n'ont eu ni liberté ni égalité. Toutefois, certains rares exemples satisfaisants, comme l'Athènes de Périclès, apportent un soutien empirique à la possibilité de réunir ces conditions. Elles n'ont cependant jamais été réalisées au niveau des rapports internationaux.

Ces exigences sont-elles réalisables dans les conditions de notre époque? Comme nous l'avons souligné, les conditions de notre époque sont nettement contraires à cette possibilité, plus particulièrement en ce qui concerne les exigences d'efficacité : la généralisation sociale et internationale de la liberté et de l'égalité.

Mais il existe certains indices nouveaux, particulièrement importants. L'un est la manifestation, dans le Premier Monde, d'une société de l'abondance [1] : la pénurie change de caractéristique. Nous avons été jusqu'ici confrontés à l'abondance illimitée de la nature et à une disponibilité très limitée des biens. La récente marche en avant de la révolution technologique a nettement renversé la situation. Il nous faut maintenant prendre soin de la nature et prévoir des mesures de préservation. En supposant qu'on le fasse – et compte tenu de diverses limites résultant d'une préservation de la nature comme le contrôle des naissances –, la rareté des biens deviendra une chose du passé. Pour la première fois dans l'histoire, il sera possible de généraliser la disponibilité des biens sur le plan social, ce qui augmentera peut-être l'indifférence envers leur contrôle.

L'autre indication revêt un caractère psycho-culturel. Dans une civilisation de consommation, les hommes se lassent des formes superflues de la compétition. L'exigence d'un nouveau style de vie se répand dans le monde entier, précisément à partir des sociétés les mieux pourvues et d'une manière plus intense et plus manifeste chez les jeunes [2]. En dernier lieu, cette exigence exprime le besoin d'un nouvel humanisme où l'homme dépassera sa propre instrumentalisation et redeviendra une fin en soi.

La question reste posée : savoir si ces indications favorisent la naissance d'un nouvel humanisme et si, associées à d'autres facteurs, elles sont susceptibles de renverser les tendances de notre époque, à la fois dépersonnalisantes et technocratiques.

1. Voir Kenneth E. Boulding, *The Meaning of the 20th Century,* New York, Harper Colophon, 1965; voir aussi Jean Fourastié, *La Civilisation de 1995, op. cit.*

2. Voir Theodore Roszak, *Vers une contre-culture,* Stock, 1970.

En conclusion, je dirai que le rétablissement de l'humanisme, tout en n'étant pas inscrit dans la probabilité des orientations d'avenir, est possible, au point de vue analytique ou empirique. Par conséquent, les efforts pour formuler et mettre en place une nouvelle éthique humaniste et un nouveau style de vie sont aussi difficiles à mener à bien (sans être impossibles) qu'ils sont chargés de signification et de valeur. C'est également un processus qui se renforce de lui-même et dont l'expansion est l'indice croissant de ses possibilités de réussite.

DISCUSSION

GABRIEL VALDES : Je pense que dans le papier de Jaguaribe, le socialisme a été sous-estimé, probablement à cause de l'expérience soviétique, et je pense que faire abstraction de cette expérience est une façon erronée d'aborder le problème, et en même temps une faute, à la fois politique et historique. Parfois, nous sommes tentés de mesurer l'expérience soviétique selon nos paradigmes, nos propres cadres, en fonction des buts que nous lui avons supposés. Or, malgré les échecs de cette expérience, la majorité de l'humanité aujourd'hui, les deux tiers peut-être dans les trente prochaines années, se trouveront sous un système d'un type qui ne sera peut-être pas celui de l'Union soviétique mais qui correspondra à un certain modèle marxiste de développement.

Autre chose : je pense que quand les Européens parlent de crise, ils parlent davantage en termes de culture ou de civilisation. Quand nous, Latino-Américains — particulièrement moi, car je ne peux me faire l'interprète des autres — ou quand certains Anglo-Américains parlent de développement, nous parlons d'un certain modèle historique qui a son propre cadre et son propre but, définis dans un temps donné. D'ailleurs, je ne puis imaginer qu'il n'y ait qu'une vision du problème. La difficulté, dans une discussion, c'est que parfois le langage et les mots sont plus compliqués que les idées.

Pour les Européens, et parfois pour les Américains, ce qui est en crise, c'est la culture. Pour moi, c'est un certain modèle historique de croissance économique. Je suis convaincu que nous assistons à la crise de ce qu'on a appelé le capitalisme, c'est-à-dire la conception de l'économie et de la vie sociale fondée sur le profit, à travers le marché libre et l'appropriation privée des moyens de production. Or ce système doit être réexaminé, reconstruit, réorganisé, car il est devenu trop lourd pour les gens.

Mais il est certain que ce que nous observons maintenant, c'est une croissante incompatibilité entre deux visions : le système construit en Europe et aux États-Unis, et les possibilités des autres parties du monde. Non pas qu'il y ait deux ou trois mondes; je pense, comme Jean-Marie Domenach, que l'Occident au sens large ne peut être défié, car, pour le moment, il n'y a aucune réponse venue des autres mondes.

Pour moi, cependant, il y a un problème d'interaction, dans cette crise qui touche actuellement le monde occidental, et cela pour deux raisons : une raison physique, mais aussi une raison politique, à savoir que les Arabes contrôlent maintenant le pétrole. Sans ce contrôle, la crise aurait peut-être été retardée de deux, trois, quatre ans, et l'inflation aurait un autre visage. Mais, dans le fait politique, il y a aussi le problème de la pollution, de la pénurie des matières premières, qui intervient dans le type de développement et de consommation de certaines sociétés.

ERNEST BARTELL : Peut-être à cause de ma nature (je suis Américain) et de mon *background* théologique, je suis censé être optimiste mais le rapport de Jaguaribe, que je trouve d'ailleurs passionnant, ne me permet pas de conserver le moindre espoir. De la manière dont vous exposez les choses, les probabilités d'un nouvel humanisme paraissent si faibles qu'il m'est très difficile d'être optimiste. Je ne suis pas convaincu qu'il y ait des preuves suffisantes pour espérer que l'on parviendra à un consensus quelconque sur un impératif moral qui lierait les hommes ensemble. Je suis d'accord avec Valdes quand il dit qu'il naît une conscience morale, car les masses demandent maintenant à participer à nos sociétés. Et pourtant, ces gens n'ont pas suffisamment de liberté morale pour essayer de trouver un consensus moral pour eux-mêmes. Je ne parle pas de la petite minorité qui a la force intérieure, ou le courage, de créer une contre-culture afin de sortir du système, et je ne vois pas d'ailleurs cette minorité croître aussi vite dans la jeunesse qu'Helio Jaguaribe le voit. Dans nos pays, la jeunesse est très vite absorbée par le système, surtout lorsque les conditions économiques se détériorent un peu, comme ce fut le cas ces deux dernières années par exemple. Je n'ai pas non plus trouvé de philosophes pour remettre en question les dirigeants charismatiques, ce dont nous aurions peut-être besoin.

Il est vrai que l'abondance de biens matériels pourrait accroître la liberté, grâce à une sorte d'indifférence à leur égard, mais pour le moment ce n'est pas encore le cas. Je parle de ceux qui mènent une vie plutôt tranquille, dans la résignation; ils sentent que quelque chose ne va pas, mais ils n'ont ni le temps, ni le loisir, ni le fonds culturel nécessaires pour s'arrêter, penser et reconstruire un style de vie. Les choix ne sont pas là, pour le père de famille de 45 ans qui est allé aussi loin qu'il le pouvait dans son travail, sa maison, sa voiture et ses dettes; c'est un luxe, pour lui, de dire que tout cela est sans valeur et qu'il va retourner dans la montagne pour apprendre le but de la vie.

Pourtant, il y a des gens, dans cette situation, qui aspirent globalement à des changements importants, qui voudraient trouver une certaine forme de bonheur, de satisfaction. Alors si leurs demandes ne sont pas exagérées – et j'espère qu'elles ne le sont pas, parce que, quel que soit le système économique en vigueur, socialiste ou capitaliste, aucun n'est capable d'apporter le contrôle de la technologie et des ressources dans un avenir prévisible – si leurs demandes sont donc un tant soit peu raisonnables, alors je pense que notre but doit être de trouver un genre de modèle, qui peut être un modèle d'équilibre, pour absorber les différences.

ALEX INKELES : L'une des choses que nous n'avons pas examinée assez systématiquement, c'est la signification du développement dans les pays du Tiers Monde.

Quand nous parlons de l'échec du développement dans ces pays, nous ne prenons pas assez en considération le problème du temps, parce que le sens de cet échec est largement lié à notre idée d'un emploi du temps fixe, que nous aurions adopté comme s'il s'agissait de l'horaire d'un train, déterminant le moment particulier où les gens atteindront un point donné. Il faut tenir compte d'un certain sens du temps humain, et cela exige que l'on réexamine ce que signifie ce niveau que l'on veut atteindre en un temps donné. Car la conception selon laquelle il faut faire avancer les gens des pays sous-développés est fortement liée aux normes qui caractérisent le monde occidental.

En ce qui concerne le nouvel humanisme dont on a parlé, j'ai observé au cours de mes recherches que des contacts accrus avec la civilisation industrielle moderne et ses institutions entraînent un certain nombre de changements socio-psychologiques chez l'individu, qu'on pourrait présenter, pour reprendre votre idée, comme des exemples d'un nouvel humanisme. Simplement, ils apparaissent là où personne ne les cherche, sous le rocher en quelque sorte. Cela consiste, par exemple, en une plus grande aptitude à permettre à des individus plus faibles et moins puissants que d'autres, à avoir un certain nombre de droits, à être reconnus comme des êtres humains, selon leurs propres termes. Cela est vrai par exemple pour les membres des minorités, ou pour les femmes qui, dans de nombreuses sociétés traditionnelles, n'ont aucun droit; des contacts accrus avec les institutions modernes font progresser l'idée que les femmes peuvent avoir une opinion, sans faire sourire ou déclencher le rire. C'est un exemple parmi tant d'autres.

A. O. HERRERA : Vous dites que le socialisme a prouvé qu'il était un échec. Les deux éléments que vous avancez pour cela – dans le cas particulier de l'Union soviétique – sont : 1) la création d'un régime totalitaire; 2) l'imitation de certaines des valeurs de la société capitaliste. Mais vous dites aussi qu'il y a des différences, et je pense qu'elles sont très importantes; vous ne dites pas non plus quelles seraient les conséquences de ces différences pour l'avenir. Il me semble que le fait qu'il s'agisse actuellement d'une société autoritaire ne suffit pas à qualifier cette société dans l'avenir. C'est un peu comme si l'on avait extrapolé, à partir du capitalisme du milieu du XIXe siècle, pour dire ce qu'il serait aujourd'hui : le diagnostic eût été faux.

Un autre point que j'aimerais commenter, c'est le problème de la « massification », le problème de l'arrivée des Barbares, que vous caractérisez comme an-éthiques et anti-historiques. Mais qui sont ces Barbares? Les élites ou les masses? Si nous prenons par exemple le monde sous-développé – et vous le faites dans une partie de votre analyse – je dirais que ceux qui sont a-historiques ou anti-historiques, sans éthique, ce sont les élites et non les masses, de ces pays, car, au cours de ces soixante-dix dernières années, on peut dire que les efforts des élites pour empêcher la réalisation des aspirations des masses expliquent une bonne partie de notre histoire. Et ceci me mène à une autre critique : à mon avis, vous accordez trop de poids au rôle des élites par rapport à celui des masses.

Enfin, il faudrait aussi aborder le rôle de la technologie. Vous dites qu'à cause des difficultés du monde actuel (la nécessité par exemple d'accroître la production à cause de l'accroissement de la population), la technologie a pris une place de plus en plus grande, et qu'elle amène trop de régulations. Vous voulez dire sans doute qu'elle réduit de la sorte la liberté, la possibilité de choix pour l'être humain. Je pense que là encore vous parlez de l'élite, parce que les gens du commun n'ont jamais eu autant de possibilités et de libertés que maintenant. Au Moyen Age, par exemple, ils ne participaient pas à la société; ils n'avaient rien à dire. Maintenant, ils constituent une nouvelle force, et la technologie, dans ce sens, n'a pas été un élément de restriction pour l'être humain, mais au contraire un élément de libération, et elle peut encore l'être à l'avenir.

RÉPONSE D'HELIO JAGUARIBE

Le premier point, c'est le problème du socialisme. Laissez-moi vous dire qu'en tant que politologue, je suis enclin à éviter une pensée idéologique. Je pense que des modèles politiques ont été adoptés et qu'on ne peut les discriminer en bons ou mauvais, mais plutôt les juger selon leur convenance à des conditions, des structures et des périodes données. Pour moi, le socialisme théorique implique certainement la possibilité à la fois analytique et empirique de construire une société autour de l'idée d'égalité et de liberté. L'erreur du socialisme soviétique, c'est que cette tentative de libération a eu pour résultat une énorme réglementation liée à des mécanismes que les hommes ne peuvent contrôler. Et c'est la différence avec la démocratie qui consiste à contrôler et à être contrôlé; c'est une façon de participer à la gestion, qui n'existe pas dans la forme de société créée en Russie soviétique.

Je ne pense pas que l'on puisse dire ce que sera la société soviétique dans cent ans, ni même dans moins longtemps. Personne ne le sait.

J'essaie seulement de dire que, pour autant que l'on essaie de juger des expériences, des modèles, etc., ce que fait l'Union soviétique se solde par un échec grave, et je suis sûr, si tant est qu'on puisse faire ce genre d'extrapolation, que Marx aurait été profondément écœuré par cette société, opposée en tous points à ce qu'il a essayé de contribuer à créer.

Le deuxième point regarde le problème de l'optimisme ou du pessimisme en ce qui concerne les possibilités des hommes, de l'humanisme, etc. A mon avis, toute approche sociologique des courants de l'histoire et des affaires contemporaines doit aboutir, si elle est fidèle à la réalité, à un jugement négatif quant aux potentialités de nos valeurs. D'autre part, je crois qu'il y a une distinction à faire entre le probable et le possible, et que ce qui est possible et désirable peut l'être suffisamment pour justifier que nous nous battions pour cela.

Mon intervention ne concerne pas l'Église et son ouverture aux masses; elle signale seulement que, quand l'Église s'est ouverte aux masses, il y a eu une incompatibilité croissante entre les exigences de base de la connaissance rationnelle et la conviction chrétienne ou la conviction religieuse en général.

VI

Existe-t-il un modèle socialiste de développement?

TABLE RONDE AVEC LUCIEN BIANCO, CORNELIUS CASTORIADIS JEAN-MARIE DOMENACH, RENÉ DUMONT JULIETTE MINCES, EDGAR MORIN

JEAN-MARIE DOMENACH : Cette table ronde s'inscrit dans la suite d'une réflexion qui avait été menée lors du colloque de Palaggio, en septembre 1974, sur la crise des modèles de développement. Cette réflexion concernait principalement les modèles de développement occidentaux capitalistes. Il nous a paru essentiel de mettre aussi en question le ou les modèles socialistes de développement. Il est en effet courant d'entendre opposer le modèle capitaliste et le modèle socialiste de développement, celui-ci se présentant indemne des difficultés et de la crise qu'affronte aujourd'hui le modèle capitaliste. Qu'en pensez-vous? Croyez-vous que le ou les modèles socialistes offrent une voie de développement différente, cohérente et plus féconde?

Modèle pur et systèmes bâtards.

EDGAR MORIN : Premier point : sur le sens du mot socialisme, il faut constater qu'il y a eu migration et inversion d'un concept. Le socialisme, dans l'optique des socialistes du XIXe siècle et jusqu'à 1917 inclus, est le fruit du développement industriel. A partir des thèses d'avril 1917, commence un processus qui aboutit au communisme stalinien. Dans la conception issue du stalinisme, le socialisme, au lieu d'être le fruit du développement industriel, devient le moteur du développement industriel, et on pense de plus en plus, il semble à beaucoup de plus en plus évident que le « socialisme » est le seul ou le meilleur modèle de développement pour le Tiers Monde. Ainsi, il y a eu une mutation de la théorie, aussi forte, peut-être plus forte encore, que celle de la mutation disons paulinienne qui transforme un message pour les Juifs en un message pour les Gentils, et finalement anti-juif. C'est quelque chose de cette importance. C'est un abîme qui s'ouvre à la méditation.

Second point : ce qu'on appelle modèle socialiste de développement est un modèle qu'on ne peut pas trouver dans Marx : c'est un modèle qu'il faut appeler stalinistique. Comment le définir? Je veux dire qu'à mon avis, en dépit des antagonismes et des différences entre, par exemple, modèle chinois et modèle russe, modèle algérien, modèle cubain, il y a un dénominateur commun. Quel est-il? Je ferais une réponse sur deux plans : le modèle pur et les systèmes bâtards.

1) Le *modèle pur,* je l'appelle communisme d'appareil; il présente une sorte d'unité très grande à travers ses variations, partout où il y a un parti communiste qui a le pouvoir; dans un tel modèle le parti unique est détenteur de la vérité historique, du Livre, de la vraie doctrine. Il a la science de la société; il est le porte-parole du Peuple, donc le peuple n'a pas besoin de s'exprimer autrement que par la voix du Parti; il a intégralement colonisé l'État et quadrillé la société; il est propriétaire de l'Administration, propriétaire de l'Armée, de la Police, etc., et il peut déterminer par la planification tout l'avenir de la société. Ce modèle, évidemment, suppose l'exclusion de toute compétition politique pluraliste, à tout niveau, quel qu'il soit; il peut être libéral, il peut être plus autoritaire, il peut devenir dément, il peut être rationalisé; il peut se fonder sur l'autorité du chef génial ou sur celle d'une direction collective infaillible.

2) Les *systèmes bâtards.* Quels sont les systèmes bâtards? Ce sont des systèmes où le parti n'est pas passé par la trempe et le moule de la bolchevisation et de la stalinisation; le parti est donc encore hétérogène relativement, non « monolithique », il est virtuellement instable. Par exemple le Baas, les partis socialistes du Moyen-Orient, ce sont des partis dans lesquels toute une série de conflits et de tendances ne sont pas liquidés et où le problème de la possession de la doctrine supérieure fait question; on ne sait pas quels sont les grands prêtres qui détiennent l'interprétation correcte du marxisme, lequel peut être abâtardi avec du coranisme ou de l'islamisme ou d'autres thèmes nationaux. Ou bien, il y a un système encore plus bâtard, c'est-à-dire qu'au lieu du Parti il y a l'Armée. Alors, évidemment, l'armée n'a pas cette cohésion idéo-

logique; l'armée a tout au plus deux ou trois maîtres-mots qui enveloppent son pouvoir, et l'armée n'a pas de prolongements à chaque micro-niveau de la société : quartier, village, etc. La dictature de l'armée « socialiste » est un système évidemment beaucoup plus fragile. Les modèles bâtards rayonnent de beaucoup moins d'attraits. La force du mythe est dans le caractère absolu, monolithique, et « prométhéiste ». De plus, dans les modèles bâtards, le populisme ne s'est pas résorbé dans le soi-disant marxisme scientifique; il y a une sorte de syncrétisme entre le populisme, c'est-à-dire un besoin de servir le peuple, issu des classes bourgeoises intellectuelles (narodnikisme, dans les pays de l'Est européen et courants populistes en Amérique latine). Ainsi donc, partout où il y a un syncrétisme non achevé entre, disons, le marxisme scientifique et le populisme, il y a système bâtard.

Les systèmes bâtards profitent plus ou moins du rayonnement issu du « modèle socialiste de développement ». Mais ils n'en sont pas la source : la source du rayonnement, c'est le modèle communiste, porteur de l'œcuménisme et de la stabilité. Plus le système est stable, plus il semble merveilleux, porteur d'une sorte d'éternité, d'adhésion enthousiaste permanente des masses, d'une perfection qui, tout au plus, ne peut que se dépasser elle-même, plus évidemment il est fondé sur la répression et la terreur : il faut que tout soit contrôlé, que tous les déviants soient sans cesse mis à l'ombre. Alors là, le rayonnement est total. Bien entendu, même dans ce modèle, on ne peut exiler à jamais les perturbations, notamment lorsqu'il y a conflit entre l'intérêt national et le socialisme suzerain (en Pologne, en Hongrie, en Roumanie, en Tchécoslovaquie et en Yougoslavie) : tôt ou tard, les contradictions arasées au bulldozer secoueront ces sociétés, révéleront sa vérité (son mensonge), et la grande contradiction est celle qui existe entre le message communiste égalitaire et libérateur et la réalité institutionnelle de la dictature du Parti.

Quelles sont les supériorités qu'on attribue très largement (voir les livres sur la Chine de Peyrefitte et autres officiels de tout poil) au modèle socialiste de développement?

Premièrement, les systèmes socialistes, quels que soient leurs défauts, surmontent corruption, contradiction et impuissance, lesquels, dus à l'état d'arriération ou d'archaïsme de l'économie, ne peuvent être qu'exacerbés et non surmontés par le capitalisme. A ceci s'ajoute l'axiome selon lequel le capitalisme est désormais incapable d'assurer le développement économique. Il ne fait qu'aggraver le sous-développement.

Deuxièmement, le modèle socialiste est le seul qui permet de constituer, sur un mode accéléré, cette chose fondamentale qui est une nation. En Europe, l'Angleterre, la France ont mis mille ans à se constituer; mais dans ces pays, qui sont eux-mêmes artificiellement dominés par l'héritage du colonialisme, qui sont très divers ethniquement, les systèmes socialistes sont les seuls capables de forger une unité nationale par le mythe, par l'éducation. Or, c'est à travers la nation que s'accomplit l'accession à la dignité, et la sauvegarde quand même d'une authenticité ethnique et d'une culture. Par contre, tout modèle capitaliste détruit l'authenticité de la culture. Ainsi, le modèle socialiste assure et maintient l'indépendance, la dignité et l'authenticité.

Troisième point, c'est le seul modèle qui résout le problème de la faim. Ici apparaît l'antithèse Chine-Inde, famine endémique, impuissance, etc.

Quel doit donc être le problème de notre discussion? A mon avis celui-ci : les vertus du modèle socialiste sont-elles vraiment évidentes, assurées? Est-ce qu'il n'y a pas quelque chose d'occulté et de mythologique dans le modèle? Est-ce qu'il est vraiment socialiste?

Encore un mot : nous sommes des Européens, des Occidentaux. Nous risquons l'inconscience et l'oubli, du fait que nous sommes non seulement membres de nations qui furent impérialistes et colonialistes, mais encore profitèrent du néo-impérialisme économique, bénéficiaires d'une inégalité économique incontestable. Il nous est donc difficile d'échapper à une honte qui risque de paralyser nos pensées. J'ai l'impression que la peur de penser ce problème du Tiers Monde est due à ce syndrome de honte, qui est évidemment profondément justifié dans sa motivation, mais qui, à partir de la honte rétrospective de l'ancien impérialisme, de la honte présente de l'impérialisme économique actuel, de la honte de nos aisance et richesse privilégiées dans un monde où s'aggravent les problèmes de surpopulation et de sous-nutrition, nous empêche de formuler des critiques qui pourraient être à nos yeux le fruit inconscient de notre volonté de garder notre confort; nous considérons dès lors le problème des libertés comme un luxe. Cela signifie que nous ne pouvons pas analyser les problèmes sans une auto-analyse sérieuse et conséquente, je dirai une auto-psychanalyse doublée d'une auto-critique.

URSS et Chine

RENÉ DUMONT : Il y a un tronc commun des divers socialismes qui est évident. Si je me place sur le plan économique, il se caractérise par une planification industrielle, mais dès qu'on sort du parti unique et de cette planification industrielle, l'application du socialisme, telle qu'elle est conçue en Chine d'une part, en Union soviétique de l'autre, me paraît fondamentalement divergente. L'Union soviétique a toujours accordé la priorité à l'industrie lourde, dès le départ stalinien, et continue à le faire; en Chine, depuis 1962, la première priorité est à l'agriculture, la seconde à l'industrie légère, la troisième seulement à l'industrie lourde. En URSS, il y a eu un prélèvement sur l'agriculture, très poussé, qui a été une des bases de l'édification industrielle; en Chine, on n'a pas procédé à un taux de prélèvement comparable. En URSS, il y a une forte urbanisation, parallèle à l'industrialisation; en Chine, on cherche à industrialiser les campagnes. On pourrait trouver aussi des divergences politiques. Mais il nous faudrait tenter d'abord une définition du socialisme. Ce n'est pas seulement celui qui existe dans des pays qui ont un parti communiste. Il y a aussi des socialismes qui *pourraient* exister. Les socialismes existants n'ont pas le monopole des possibilités socialistes. On peut concevoir des socialismes fondamentalement différents, non rattachés au tronc commun d'Edgar Morin. Mais évidemment, ils ne sont pas encore confrontés à la réalité : s'ils l'étaient, leur prétention à une quasi-perfection deviendrait beaucoup plus discutable.

LUCIEN BIANCO : René Dumont souligne à juste titre qu'en Chine populaire le prélèvement sur l'agriculture n'a pas été comparable à ce qu'il avait été en URSS. Mais la différence ne tient-elle pas d'abord au fait qu'en Chine un prélèvement du même ordre était en tout état de cause impossible? Sous Staline, l'URSS a pu se payer le luxe d'une stagnation agricole qui n'a pas empêché l'industrialisation. En Chine, les conditions objectives étaient différentes, ne serait-ce que parce que sur chaque hectare de terre cultivée se pressaient, en 1950, près de dix fois plus de Chinois que de Russes en 1917. A la différence de ce qui s'est passé en Russie, l'autoconsommation paysanne est prioritaire en Chine, et les investissements industriels ne peuvent prétendre qu'aux restes.

Bien d'autres différences entre « modèle » soviétique et « modèle » chinois renvoient de la même manière à la dissemblance des milieux à transformer, et plus précisément aux conditions beaucoup plus contraignantes que les révolutionnaires chinois ont rencontrées dans leur pays, alors qu'ils étaient à l'origine tout prêts à adopter le « modèle » de leurs aînés. C'est, par exemple, le cas de l'industrialisation des campagnes, que René Dumont a également évoquée. A l'origine, les Chinois ont fait comme les Russes : ils ont donné la priorité aux grandes unités industrielles modernes, dont la création exigeait d'énormes investissements et avait pour résultat d'accroître considérablement la productivité de chaque travailleur – cela dans un pays très pauvre en capital et incapable d'employer à temps complet une main-d'œuvre surabondante. Ensuite (précisément à partir du moment où on s'est mis à parler d'un « modèle » chinois ou à tout le moins d'une voie chinoise), les communistes chinois ont essayé de décentraliser l'industrie et de développer dans les campagnes un autre secteur industriel exigeant beaucoup de main-d'œuvre et peu d'investissements. C'est une très bonne chose qu'on ait essayé de s'adapter à la situation chinoise, mais cela pose d'emblée la question de la légitimité du concept de modèle : si quelque chose comme un « modèle » chinois a été progressivement élaboré, c'est d'abord parce qu'un premier « modèle » socialiste, le « modèle » soviétique, a été appliqué dans un pays sous-développé, à savoir la Chine, et que ça n'a pas marché. Il a fallu en changer, il a fallu en inventer un autre. Non seulement ce nouveau « modèle » inventé par les Chinois procède d'une démarche empirique, mais il est lui-même fait de pièces et de morceaux.

Cette décentralisation industrielle en milieu rural, par exemple, elle ressemble fort à ce qui s'est fait au Japon bien avant l'arrivée au pouvoir du président Mao (il n'y a pas nécessairement eu emprunt conscient de la part des Chinois : ils ont pu être amenés eux-mêmes à donner une réponse similaire à un problème qui rappelait celui que les Japonais avaient connu à une étape comparable du développement). Qu'on baptise « maoïste » (et donc « socialiste ») la décentralisation industrielle, tant mieux, si cela la rend plus susceptible (dans la conjoncture présente, ça aide) d'être imitée ailleurs : en particulier là où les campagnes sont aussi fortement peuplées qu'en Chine et qu'au Japon. Mais on ne peut plus, en ce cas, parler d'un « modèle » chinois exportable tel quel. Ce ne sont que des recettes particulières qui peuvent être éventuellement adoptées et adaptées, au terme de tâtonnements : exactement comme les Chinois ont fait pour leur propre compte. A quoi il convient d'ajouter que l'expérience chinoise peut être féconde d'une autre manière aussi : par la leçon qu'on peut tirer de ses échecs et de ses erreurs (c'est un peu ce que les Chinois appellent « l'enseignement par l'exemple négatif »). Ici encore, c'est ce que les Chinois ont fait en leur temps, par exemple lorsqu'ils ont fait leur profit de précédents soviétiques comme la collectivisation agraire des années 1929-1932.

La nébuleuse et son noyau.

CORNELIUS CASTORIADIS : Je voudrais poursuivre directement sur l'intervention de Bianco : sans entrer dans une discussion terminologique ou lexicographique, encore moins philosophique, je conteste la terminologie utilisée. On semble avaliser l'idée qu'il existerait un « modèle socialiste » incarné par des « pays socialistes ». On peut faire ce que l'on veut avec les mots, mais enfin socialisme a toujours signifié : abolition de l'exploitation. Je prétends que dans tous ces pays dits par antiphrase « socialistes » existe toujours l'exploitation de l'homme par l'homme – ou bien l'inverse, comme le dit une histoire tchèque bien connue –, et par conséquent je leur refuse absolument le qualificatif de « socialiste ». Libre aux journalistes du *Monde* et autres journaux très sérieux de parler constamment de « socialisme » et de « révolution » à propos de tout et de n'importe quoi. Il suffit qu'un caporal dans n'importe quel pays prenne le pouvoir, et qu'il se dise « socialiste » (et que se dirait-il d'autre?) pour qu'on voie des articles sur « le nouveau visage du socialisme sénétchadien » par exemple. Les colonels en Grèce parlaient, eux aussi, de « *la* Révolution nationale » – et l'on en est arrivé au point qu'actuellement, dans les journaux grecs, le mot « révolution » signifie le régime de Papadopoulos. Il y a cinq ou six ans, tout le monde parlait de « socialisme arabe » et de « révolution socialiste arabe » : il s'agissait en fait du régime du citoyen Nasser. Maintenant les choses sont un peu plus claires; avec le citoyen Sadate on ne parle plus de « socialisme arabe », et encore je n'en suis pas tout à fait sûr.

RENÉ DUMONT : Il y a toujours un parti qui s'appelle l'Union socialiste arabe, avec Sadate.

CORNELIUS CASTORIADIS : Et aussi le « socialisme » et la « révolution » d'Amin Dada. Mais venons-en à des choses plus importantes. On a également utilisé le terme de « modèle »; je le récuse également, car il n'y a pas de modèle. Il y a une nébuleuse idéologique-imaginaire, avec un seul noyau dur : le pouvoir d'un appareil bureaucratique. C'est la seule caractéristique constante à travers tous les pays en question. Ces appareils bureaucratiques sont sans doute structurés différemment d'un pays à l'autre : le PC russe et le PC chinois ne sont pas exactement similaires, la situation est encore autre à Cuba et autre en Libye. Cet appareil se forme le plus souvent autour d'un parti politique, mais il peut être, à la limite, l'armée elle-même. Non pas l'armée de Tamerlan, mais l'armée telle que nous la connaissons au moins depuis Rome, et en tout cas telle que l'Europe l'a imposée à tous les pays.

Bureaucratie ne signifie pas, évidemment, les « bureaux » – encore moins les employés derrière le guichet des PTT. Il s'agit d'un appareil de gestion-direction fortement hiérarchisé, où la province de compétence de chaque instance est délimitée, où cette compétence diminue au fur et à mesure que l'on descend l'échelle hiérarchique; où donc il y a une division interne du travail de direction et de commandement. Cet appareil dirigeant s'oppose à une masse d'exécutants, qui théoriquement en forment la « base » mais qui lui sont en réalité extérieur.

Or, ce que nous pouvons trouver comme caractéristique commune à tous les pays dont il a été question, c'est d'une part ce noyau dur d'un appareil bureaucratique dirigeant la société, et, d'autre part, l'idéologie du développement. Car nous ne pouvons pas parler comme s'il y avait quelque chose d'incontestable dans son contenu et dans ses finalités, qui serait à la fois le Beau, le Bien et le Vrai, et qui serait le Développement avec un grand D. Ce que nous constatons en considérant les pays prétendûment « socialistes », c'est qu'ils poursuivent un développement au sens capitaliste occidental – même si cela se fait moyennant une « planification » centralisée ou « décentralisée », etc. J'entends par là que dans ces pays le type de civilisation au sens le plus large du terme, le type de culture si l'on préfère, le type d'individus que la société vise à produire, le type de produits fabriqués ou d'outils utilisés, le type d'arrangement spatio-temporel des activités humaines, le type des rapports des hommes les uns avec les autres, quelle que soit la nébuleuse idéologique-imaginaire qui les entoure, sont les types que l'Occident capitaliste a créés depuis cinq ou six siècles.

Qu'il y ait sur la planète un immense problème de fait et de misère matérielle, est une évidence, un fait massif et tragique; que l'on utilise cela pour parler et pour faire comme si la seule réponse consistait à implanter dans les pays non occidentaux le modèle capitaliste occidental dont la substance : le productivisme, la pseudo-« rationalisation », etc., est masquée par une phraséologie « socialiste », c'est tout à fait autre chose. Le « développement », c'est le développement de type occidental-capitaliste; il n'y en a pas eu d'autre jusqu'ici, et on n'en connaît pas d'autre.

On peut, à cet égard, ajouter une note sur certains aspects de la politique de la bureaucratie chinoise, qui a semblé par moments vouloir suivre des voies différentes : moins de grandes usines, moins d'urbanisation, moins de médecine centralisée – on en discutait il y a un an avec Illich. La discussion là-dessus exigerait d'être approfondie; pour ma part, je note d'un côté que, sur tous ces points, la bureaucratie chinoise en est revenue tôt ou tard aux voies traditionnelles et, d'un autre côté, qu'il s'agit dans tout cela simplement de méthodes plus souples et plus efficaces, du point de vue de la bureaucratie, pour mobiliser la population et l'utiliser au service d'une politique et d'un projet qui sont quand même, finalement, le « développement » de la Chine au sens où les États-Unis et la Russie sont « développés ». On sait d'ailleurs que même l'organisation des camps de concentration chinois est beaucoup plus « intelligente » et subtile, beaucoup moins brutale et grossière que celle des camps russes sous Staline. De même, l'exploitation de la paysannerie, la mobilisation des citoyens du quartier, etc., sont faites avec plus de souplesse et d' « efficacité ». Les « mobilisations » publiques dans la Russie stalinienne des années 30, par exemple, étaient de grotesques représentations théâtrales; en Chine, elles semblent bien posséder une certaine « efficacité » du point de vue des objectifs du régime. Mais c'est quand même bien ces objectifs qu'il s'agit chaque fois de réaliser – qui sont les mêmes qu'ailleurs, même si la bureaucratie chinoise accepte plus de lenteur et met plus d'astuce dans leur réalisation.

RENÉ DUMONT : Attention, la société que bâtit la Chine est foncièrement différente de la société occidentale, au moins sur un point fondamental, celui des inégalités sociales. Il reste en Chine des privilèges, des inégalités, mais leur ordre de grandeur est fondamentalement différent des nôtres, et la Chine se bâtit sur un modèle consciemment différent.

LUCIEN BIANCO : Oui, les inégalités matérielles sont infiniment plus réduites en Chine qu'en France ou en URSS par exemple. Mais ici encore on doit prendre en considération la pauvreté du pays.

EDGAR MORIN : Dans les pays pauvres il y a toujours eu le luxe d'une petite minorité; ce n'est pas un argument décisif, ça.

LUCIEN BIANCO : C'est vrai : si on compare l'Inde à la Chine, il faut bien reconnaître que la société chinoise est beaucoup plus égalitaire. Mais même dans la Chine pré-révolutionnaire, les « grandes » propriétés étaient en fait fort petites et leur revenu fort médiocre, au point que Sun Yat-sen disait : « En Chine il n'y a que deux classes sociales : les très pauvres et les moins pauvres. »

CORNELIUS CASTORIADIS : Les éléments dont je dispose ne me font pas penser que les inégalités sont « infiniment moindres » en Chine qu'ailleurs. Mais l'essentiel n'est pas là. Lorsqu'on parle de l'Inde, pays capitaliste – où il est vrai que le capitalisme a des difficultés pour se développer –, comme lorsqu'on parle de la France, il ne faut pas oublier que l'inégalité des revenus a, dans le cadre capitaliste, une fonction non individuelle, une fonction « sociale » : le financement de l'accumulation, des investissements. En Russie ou en Chine, cette fonction n'est pas accomplie moyennant les revenus privés, mais moyennant le prélèvement direct d'une partie du produit social par le Plan, etc. Ce qui est à comparer, n'est pas ce que M. Dassault gagne et ce que MM. Brejnev et Mao gagnent; car la plus grande partie des revenus de M. Dassault est investie, tandis que MM. Brejnev et Mao n'investissent rien. Ce qui est à comparer, c'est ce que M. Dassault consomme et ce que MM. Brejnev et Mao consomment. Or, la réponse est simple : ils consomment la même chose, car ils consomment tout ce qu'ils ont envie de consommer.

JULIETTE MINCES : En employant le terme de consommation quand il s'agit de chefs d'État ou de Parti, je crois que vous mélangez plusieurs choses. Je prendrai un exemple qui m'avait beaucoup frappée lorsque j'étais en Guinée en 62. Nous avons connu Sekou Touré qui, à titre personnel, consommait très peu relativement. Ça ne l'intéressait pas outre mesure. Ce qu'il consommait, c'était le pouvoir, et c'est ça qui était le plus important. Alors quand vous parlez de consommation, ça me gêne beaucoup. D'autre part, il y a une distinction que vous ne faites pas, c'est que tous les appareils d'État sont privilégiés, partout. Mais ils ne sont pas tous caractérisés par leur aspect parasitaire.

CORNELIUS CASTORIADIS : On parlait d'inégalités économiques. Je ne crois pas que René Dumont voulait dire que l'inégalité du point de vue pouvoir est infiniment moindre en Chine qu'en France; sur ce point, nous sommes tous d'accord, je crois. Mais on parlait des inégalités « matérielles », on essayait de voir comment juger ces inégalités, et c'est à cet égard, me plaçant au point de vue étroit de l'économiste, que je disais que, quel que soit le jugement politique qu'on porte, lorsqu'on parle du revenu d'un capitaliste dans une société capitaliste libérale, il ne faut pas oublier qu'il a deux fonctions, dont la moins importante est la consommation individuelle du capitaliste et la plus importante l'accumulation. Un capitaliste n'est pas essentiellement quelqu'un qui investit dans des usines. En Russie, en Chine, dans les « démocraties populaires », ces usines sont construites sur le compte du budget général; le prélèvement sur le revenu social est direct, il ne se médiatise pas par un revenu « individuel » comme en Occident, c'est toute la différence. Il me reste donc à comparer les trente-sept voitures de Brejnev et ses datchas avec les Rolls et les villas à Saint-Tropez des riches d'ici – et, bien entendu, le nombre des privilégiés là-bas et ici.

Inde et Chine.

JEAN-MARIE DOMENACH : On peut te donner raison théoriquement, mais, concrètement, nous avons en Asie trois grandes zones : l'une, qui est la zone de « développement socialiste », l'autre qui est la zone de développement capitaliste, la troisième qui est une zone de quasi-stagnation. Il y a la Chine et le Vietnam, il y a la zone capitaliste du Japon, Singapour avec le plus fort taux de croissance du monde,

Hong Kong, et puis il y a l'Inde. Tu ne nieras pas qu'il y a des différences énormes entre ces trois zones et que, dans les faits sinon dans les théories, entre l'Indonésie et la Chine, entre l'Inde et la Chine, entre le Japon et la Chine, même si le même modèle intellectuel est à l'œuvre, même si peut-être, à long terme, le même type de civilisation se profile, nous avons affaire économiquement, socialement, dans la réalité vécue, à des réalités extrêmement différentes. C'est pourquoi on peut parler pour l'Asie d'un modèle de développement socialiste, qui ne peut pas être assimilé à un modèle de développement capitaliste, même si les raisons théoriques que tu donnes me paraissent fortes.

LUCIEN BIANCO : Je trouve l'opposition que vous établissez entre le développement chinois et le non-développement indien trop catégorique. Je crois que le contraste est beaucoup moins net. Il existe même une étude (*Economic Growth in China and India, 1952-1970 : a comparative appraisal,* par Subramanian Swamy) qui estime qu'au total le bilan indien est un peu plus favorable (taux de croissance global du même ordre, mais avec un ralentissement de la croissance en Chine et une accélération en Inde). Personnellement, je ne reprendrai pas à mon compte ces conclusions. D'autres études, qui m'ont paru plus satisfaisantes, concluent en sens inverse. Mais qu'ils concluent dans un sens ou dans l'autre, les auteurs parlent en général d'un léger avantage (en faveur de l'Inde ou de la Chine), jamais d'un contraste brutal.

JEAN-MARIE DOMENACH : Excusez-moi, sur quels critères?

LUCIEN BIANCO : Bien sûr, les uns et les autres partent de chiffres que nous avons les meilleures raisons du monde de mettre en doute. Pour ma part, ces reconstructions parfois très sophistiquées me laissent extrêmement sceptique : elles partent de postulats pas très convaincants et font une large part à l'arbitraire dans le choix et le traitement des données. Ce n'est pas une raison pour s'en tenir aux impressions subjectives des voyageurs. Moi-même, l'an dernier, au retour d'un voyage en Chine, j'ai passé une semaine dans la région de Bombay. J'ai visité des villages dont la misère (sans parler de celle des bidonvilles) paraissait sans mesure, en regard de la pauvreté chinoise. Mais même alors je n'ai pu m'empêcher de me dire : ici, je choisis de visiter tel village, telle maison; si jamais une misère comparable existe en

Chine, je ne la verrai jamais. Ou bien donc on est résolument agnostique – et c'est peut-être, après tout, la position la plus sage, étant donné ce que sont les statistiques (ou l'absence de statistiques) chinoises plus qu'indiennes – mais en ce cas ce n'est pas la peine de discuter. Ou bien on y va quand même de son bilan comparé : personnellement, ce bilan me paraît donner un léger avantage à la Chine; il me semble surtout que les bases d'un développement futur y sont mieux réunies qu'en Inde. Mais même si cela était confirmé, la supériorité chinoise demeurerait beaucoup moins éclatante qu'on le suppose d'ordinaire.

RENÉ DUMONT : Tout de même, quand on parcourt la Chine en chemin de fer, on voit des choses que les Chinois ne voudraient pas toujours montrer; donc on a tout de même une certaine idée du développement chinois par rapport au développement indien, enfin par rapport à l'effroyable misère du Bibar et du Bengale indien par exemple, il n'y a aucune comparaison. Certes, il y a eu en Inde la révolution verte du blé dans le Pendjab et dans l'Haryana; mais, même avec ce développement du blé, l'Inde, depuis l'Indépendance, voit sa population croître aussi vite que la production agricole; les chiffres de Gilbert Étienne montrant que la progression agricole de la Chine était inférieure à celle de l'Inde me paraissent fort discutables. Il y a un écart très sensible entre l'Inde et la Chine : autour de 200 kilos d'aliments de base par tête/an en Inde, et aux environs de 300 kilos en Chine. Même si ces chiffres sont également discutables, l'importance de l'écart me paraît vraiment indiscutable. Il y a non-développement de l'économie agricole en Inde, par tête d'habitant.

LUCIEN BIANCO : Je suis tout à fait d'accord en ce qui concerne la comparaison des niveaux de vie actuels : mieux vaut (du point de vue des disponibilités alimentaires) être un paysan chinois qu'un paysan indien. Mais je parlais du bilan, c'est-à-dire de la croissance (ou de la stagnation) au cours des vingt à vingt-cinq dernières années, sans oublier le point de départ. Autour de 1950 déjà, les disponibilités en aliments de base étaient plus grandes en Chine, la productivité moyenne des cultivateurs et le rendement à l'hectare y étaient très supérieurs à ceux de l'Inde. Évidemment, cette différence « originelle » peut se retourner contre ce que j'ai dit : si l'agriculture chinoise partait de plus haut, il lui fallait progresser davantage dans l'absolu pour réaliser une performance seulement comparable à celle de l'Inde. Cela, je l'accorde volontiers.

CORNELIUS CASTORIADIS : Mais ne sommes-nous pas toujours en train de postuler ce qu'il s'agit de démontrer? Nous parlons de progression de la production : je veux bien admettre que cette progression ait été plus rapide en Chine qu'en Inde. Mais comment peut-on faire de cette progression le critère suprême ou un critère indiscutable, sans avaliser tout l'univers de vie et de pensée capitaliste? Et cela conduit à un autre aspect qui est négligé dans ces comparaisons et les fausse : on parle comme si la structure sociale et anthropologique du monde chinois et du monde hindou étaient identiques au départ. Or, sans entrer dans un culturalisme facile, il faut tenir compte de l'immense importance de la différence de ces mondes. De nombreux pays « non développés » étaient quand même, pour des raisons historiques profondes, infiniment plus « proches » du monde capitaliste, ou plus « préparés » à un développement capitaliste, que d'autres. Par exemple, même dans ses périodes les plus pauvres, la Grèce a toujours « appartenu » à l'Occident en un sens; et la Grèce est en train de se développer – tandis que la Turquie rencontre beaucoup plus de difficultés. Pour l'Espagne, même chose : l'Espagne c'est déjà presque la France; cela peut plaire ou non, mais en quinze ans, l'Espagne de Franco a réalisé un « développement » aussi rapide que n'importe quel autre pays. Et je ne pense pas que la situation soit essentiellement autre en Amérique latine, bien que les difficultés du « développement » capitaliste y soient beaucoup plus grandes. Je vois l'horreur du régime brésilien actuel, mais je n'y vois aucune impossibilité principielle pour un décollage capitaliste du Brésil; ce décollage est déjà là, il se fait. Mais il se trouve que tous les pays que je viens de mentionner appartiennent à une certaine aire anthropologique, culturelle, social-historique. Or, en Asie par exemple, il y a une telle aire à laquelle appartiennent Chinois et Japonais (et sans doute aussi Indochinois) – et une autre, tout à fait différente, celle des Hindous (et par ailleurs des Indonésiens). On ne peut pas oublier si facilement trois mille ans d'histoire chinoise. Les Chinois sont des gens qui, comme le dit une expression grecque, ont toujours su extraire la graisse des mouches.

RENÉ DUMONT : Et utiliser les excréments.

CORNELIUS CASTORIADIS : Oui, utiliser les excréments humains, ce à quoi se référait Victor Hugo dans ce livre admirable qui s'appelle *les Misérables,* lorsqu'il dénonçait déjà le fait que Paris seul, par ses égouts, jetait chaque année dans la mer cinq cents millions de francs-or de l'époque, tandis que, disait-il, la terre chinoise est toujours aussi féconde qu'au premier jour de la Création, parce que les Chinois épanchent leurs excréments dessus. De même, les Japonais : est-ce que le Japon représente un « modèle socialiste »? En un siècle, il est devenu la deuxième puissance industrielle du monde.

JEAN-MARIE DOMENACH : Mais les chauffeurs de taxi japonais couchent dans leurs voitures.

CORNELIUS CASTORIADIS : C'est exactement ce que je dis : ce qui importe, c'est d' « économiser », de « produire », de « gagner ». De même à Hong Kong : en arrivant à minuit à l'aéroport, vous y trouvez des émissaires des tailleurs, qui vous proposent un costume sur mesure, avec essayage à cinq heures du matin et livraison à huit heures, vous permettant de continuer votre vol à neuf heures, etc. Il s'agit d'artisans – et qui ne sont pas affamés. Mais lorsque j'étais en Inde, j'avais loué les services d'un chauffeur de taxi hindou pour visiter les admirables temples autour de Madras; au bout de longues conversations amicales, il en était venu à me dire qu'il avait pu mettre de côté une somme considérable d'argent. Je lui avais demandé, bêtement : vous allez sans doute acheter un deuxième taxi? Pas du tout, m'a-t-il répondu : depuis cinq ans, nous préparons le grand pèlerinage de toute la famille à un grand temple (je crois qu'il s'agissait de Ramesvaram), et cet argent y suffira tout juste. Cela peut sembler facile; mais cela illustre, en une phrase, la structure anthropologique hindoue et les « obstacles » qu'elle oppose au « développement » capitaliste. Et, à cet égard, la situation est la même en Afrique – bien que l'Inde soit une société « historique », et que les sociétés africaines, comme telles, soient des sociétés « pré-historiques ».

JEAN-MARIE DOMENACH : La structure anthropologique chinoise, c'était qu'il y avait des millions de gens qui mouraient de faim. Maintenant, ce n'est plus la même chose. Alors, qu'est-ce qui a changé?

CORNELIUS CASTORIADIS : Il y a eu une période de décomposition de la société chinoise traditionnelle, comme il y en avait eu périodiquement, infiniment aggravée depuis un siècle par l'invasion de l'impérialisme occidental. Le nouveau régime a « ré-organisé » le pays, mais il a pu le faire en fonction d'une attitude déjà existante et profondément enracinée chez le peuple chinois : produire, économiser, arranger, mettre de l'ordre, utiliser les moindres bouts utilisables. C'est l'attitude des Chinois, c'est celle des Japonais; ce n'est pas celle des Hindous.

RENÉ DUMONT : Qu'est-ce qui a changé en Chine? Avec une récolte par an, dans les montagnes de Tatchaï, il y avait six mois de chômage d'hiver. Actuellement, on a utilisé ces six mois pour faire des aménagements hydrauliques et des terrasses. Mais le développement à la chinoise n'est pas photocopiable dans le Tiers Monde sans un préalable politique; et ce préalable politique n'est pas réalisable dans le Tiers Monde. Vous ne pouvez pas envisager par exemple que dans le Tiers Monde il y ait une révolution politique comparable à celle de 1917 en URSS ou à celle de 1927-49 en Chine. Dans ce Tiers Monde, il faudra donc trouver un autre modèle que les « socialismes » existant. Imaginer autre chose.

La tradition et l'appareil.

EDGAR MORIN : Moi je crois qu'ici nous n'étudions pas un modèle, nous étudions le mythe du modèle socialiste. Là-dessus, la Chine est beaucoup plus intéressante que l'URSS. Pour l'URSS, il y a pas mal de questions qui sont closes, qui sont tranchées, alors que la Chine nous pose des questions qui demeurent ouvertes. Les différences d'orientation entre l'URSS et la Chine en ce qui concerne l'agriculture, l'industrialisation, l'urbanisation, l'idée de révolution ouvrent au bénéfice de la Chine une problématique.

Prenons donc la Chine, et prenons le problème tel que l'a posé Cornélius : est-ce qu'il y a quelque chose d'occidental là-dedans? Qu'est-ce qu'il y a d'occidental? Je dirais que ce qu'il y a d'occidental, bien que ce ne soit pas l'élément premier, c'est quand même l'idée de développement industriel, de modernisation; ce développement est plus lent, etc., mais il existe. Il y a un développement dans un cadre national, qui est aussi d'origine occidentale. Bien sûr, la Chine a derrière elle des milliers d'années d'entité, d'empire, mais l'idée de nation moderne, disons, s'implante en Chine au XXe siècle. Par ailleurs, j'ai l'impression que le culte de Mao, bien qu'on puisse lui trouver des réminiscences dans un culte à l'Empereur, vient aussi du culte de la personnalité stalinienne et d'un modèle occidental d'orthodoxie religieuse. J'ai l'impression enfin que le communisme a introduit le sentiment de culpabilité et de péché en Chine. Je ne suis pas sinologue, mais quand on lit Pasqualini, l'espèce de culpabilisation à l'égard de la collectivité qui s'en dégage me semble tout à fait occidentale : il y a cette intégration de la culpabilité dans le travail et l'effort, comme dans le cas du puritanisme, selon l'image wébérienne. Bon, il y a même en Chine des côtés néo-occidentaux, et je crois qu'on peut, dans une certaine mesure, dire qu'en réalité, dans le Tiers Monde, il naît un néo-Occident, qui revient comme un boomerang pour frapper le paléo-Occident moribond. Mais, à la différence de Cornélius, je ne me satisferai pas de cette dimension seulement. Je dis que, outre ces traits occidentaux incontestables (développement technique, nation, etc., développement de la rationalité occidentale avec ses côtés démentiels compris), il y a aussi d'autres choses.

Il y a tout d'abord des choses qui tiennent aux traditions, surtout lorsque ces traditions sont très anciennes et très enracinées comme en Chine.

Il y a aussi des traits de ce qui a été appelé despotisme oriental à partir de Hegel, revu par Marx, par Wittfogel. Le despotisme oriental caractérise des facultés qui se sont développées sur la base d'une bureaucratie centrale, et d'une sacralisation de l'État et de son prince. On trouve ces caractères dans l'Égypte pharaonique, l'Empire chinois, l'Empire Inca. L'Occident a bien connu des phases barbares, médiévales, impériales, mais il n'a pas connu jusqu'à présent le despotisme oriental. Or, en URSS comme en Chine, il y a une composante de despotisme oriental.

Par ailleurs, il y a une nouvelle réalité émergente qui n'est ni strictement occidentale, ni orientale, ni traditionnelle. Elle a émergé justement à partir du moment où un Parti communiste a arasé, dans une société donnée, tout autre composante politique, toute pluralité idéologique. C'est le règne de l'Appareil du Parti. Là émerge, à l'état pur, quelque chose qui est très, très moderne par rapport au despotisme oriental. L'institution d'un parti unique, structuré selon le centralisme religieux-militaire dit démocratique, forcément disciplinaire, guidé par un Livre – dépositaire de la Vérité sociale –, a quelque chose de très nouveau. Disons : l'ère des appareils est un phénomène moderne. Il n'y a pas de précédent à ces appareils, et j'ajoute que la grande faiblesse de toute la sociologie et de la pensée politique, bourgeoise, officielle, marxiste et anti-marxiste, est qu'on n'a pas de théorie pour ce phénomène majeur : c'est une erreur de réduire ce problème à celui de la bureaucratie; la bureaucratie est une composante nécessaire du communisme d'appareil et non le communisme d'appareil le stade suprême de la bureaucratie. Mais n'entrons pas dans une discussion de mots. Je veux dire qu'il y a une réalité émergente typiquement moderne, et qui peut-être va tout engloutir pendant quelques décennies, voire quelques siècles, y compris en Occident. En effet, nul antidote n'a été trouvé et, dans l'effondrement de la société bourgeoise, les conditions sont de plus en plus favorables à son implantation. De même que la Légion romaine a bénéficié d'un privilège militaire sur les champs de bataille auquel on a trouvé très tard la parade, de même l'Appareil est la force politique nouvelle qui dispose d'un formidable privilège dans l'art d'occuper et conserver son organisation; ses moyens de répression et d'intimidation sont irrésistibles. Le Parti unique est une formule moderne en pleine expansion.

Enfin, quatrième élément, il y a quelque chose de très original dans le modèle dit socialiste, c'est le message. Le message, c'est un message de libération, d'égalité, de fraternité. Ce message persiste au sein de l'Appareil oppresseur, hiérarchique, autoritaire. De même, le message évangélique a été plus ou moins conservé, embaumé, momifié, exprimé, refoulé, mystifié, au sein des Églises. Le message du socialisme c'est l'abolition de l'exploitation de l'homme par l'homme. Ces systèmes d'Appareil, même quand ils font le contraire du message qu'ils proclament, sont obligés de l'entretenir en le proclamant. Ainsi donc, sous le « modèle socialiste de développement » il y a en fait la réunion syncrétiste des quatre traits que j'ai énoncés.

Le premier trait, c'est le néo-Occident, à travers quoi s'engouffre le développement technocratique, industriel et national nés en Occident dans ce qu'il a de plus inhumain, dans ce qu'il a de plus terrifiant. Et cela revient en boomerang sur l'Europe occidentale qui se décompose, qui s'helvétise. Donc, premièrement il y a cette dimension d'Occident camouflée qu'il faut faire ressortir. – En deuxième lieu, il y a une dimension qui relève des traditions propres à chaque pays, et qui est un élément fondamental qu'il ne faut pas oublier, surtout quand on veut imputer au « socialisme » les vertus d'une civilisation antérieure. – En troisième lieu, il y a une dimension de despotisme oriental, qui, notamment dans les grands espaces et dans des conditions géo-sociales données, est une forme d'organisation impériale-bureaucratique, avec plus ou moins de théocratie là-dedans pour consolider le tout. – En quatrième lieu, il y a une nouvelle réalité émergente avec un nouvel ordre social, l'ordre de l'Appareil, et qui est encore très peu pensable avec nos instruments conceptuels. – Enfin, il y a quelque chose que j'appellerai le socialisme, en effet, mais qui se trouve enveloppé, camouflé, bloqué dans ces systèmes d'appareils, mais qui, dans certains cas, exerce sa pression, et ça il faut le reconnaître.

LUCIEN BIANCO : Il y a tant de choses dans l'intervention d'Edgar Morin qu'il arrive qu'à un moment donné on ne se sente pas d'accord avec lui, puis on s'aperçoit que lui-même a conscience de ce qu'on pourrait lui objecter et y répond dans un nouveau développement. Je voudrais toutefois mentionner un point, sur lequel il n'est pas revenu ensuite. Au début de son exposé, il a, à mon sens, exagéré l'influence de l'Occident, de modèles occidentaux d'orthodoxie religieuse pour rendre compte de traits qui nous frappent aujourd'hui en Chine populaire. Je crois qu'il a sous-estimé le poids de la tradition nationale : la continuité entre elle et l'orthodoxie dans le régime maoïste est très forte. Je ne crois pas que le néo-occidentalisme ait grand-chose à voir avec la culpabilisation à l'égard de la société qu'on observe en Chine, ni qu'il soit nécessaire d'invoquer Max Weber pour comprendre le puritanisme de la société chinoise (même s'il enchante le Père Cardonnel).

Il n'y a pas de modèle socialiste.

RENÉ DUMONT : Le débat ne me paraît pas centré autour du sujet principal annoncé au départ, qui est le modèle socialiste de développement et le Tiers Monde. Le capitalisme s'effondre ici, on le sent; le Tiers Monde stagne, ce « capitalisme périphérique » devient de plus en plus dépendant. Notre modèle de développement y échoue. Alors, que va devenir le Tiers Monde s'il ne trouve pas un autre modèle de développement? Et quels sont les éléments que le Tiers Monde peut prendre dans le modèle socialiste pour se développer? Voilà la question posée, à laquelle il faut répondre!

EDGAR MORIN : En effet, le point de départ c'est que le capitalisme est en régression généralisée sur la planète, et il a de très grandes difficultés dans sa capacité à promouvoir un développement dans des formes non oppressives; ce n'est pas parce que les formes prétendues ou se prétendant socialistes sont autant et parfois plus oppressives que cela donne à ce vieux modèle une nouvelle valeur. Alors la question, c'est : pouvons-nous garder l'étiquette socialiste quand le mot est tellement bafoué, encrassé, manipulé? Et je poursuivrai ainsi la question : est-ce qu'aujourd'hui les pays du Tiers Monde – ou du moins ceux qui ne sont pas dans la dépendance totale d'un suzerain – peuvent inventer un nouveau modèle? Ou bien est-ce que tout au plus ils peuvent éviter le pire, en prenant chez les uns et chez les autres, en prenant dans leur tradition et dans les techniques extérieures puis en les combinant, diverses méthodes et recettes? Peuvent-ils faire autre chose qu'utiliser une expérience millénaire issue de leur culture et tirer les leçons pratiques des expériences agricoles, industrielles, urbaines, coopératives, etc., qui ont pu se manifester dans le monde?

Je veux dire : y a-t-il un modèle en dehors d'expériences et de combinaisons tâtonnantes? Moi, je ne le crois pas. Je crois qu'en fonction des conditions locales historiques données, il y a le moyen de s'avancer dans la moindre souffrance, la moindre atrocité, le moindre mal, mais le nouveau modèle n'est pas né. La prise de conscience de la grande carence des modèles est le préliminaire de tout progrès politique et social dans l'idée de développement. La plupart des contemporains sont obnubilés par la croyance qu'il existe, ce soi-disant modèle social. S'il y avait plus de scepticisme sur ce soi-disant modèle socialiste, si on pouvait mieux vérifier et contrôler, je crois qu'il y aurait une relance beaucoup plus grande de notre imagination; je crois que le jour où on dirait : ce modèle socialiste, en fait, est en crise profonde, il est incapable de résoudre certaines questions fondamentales, alors il y aurait l'espoir de pouvoir chercher; aujourd'hui la recherche est bloquée par ce stéréotype : il n'y a qu'à faire comme ça; il n'y a qu'à faire comme en Chine, il n'y a qu'à faire comme en Russie, ou comme à Cuba. En attendant la relance de la recherche politique et sociale, les expériences sont condamnées à une sorte de louvoiement, à des tentatives de développer au mieux des formules de type coopérativistes et autogestionnaires; alors je pose la question à Dumont : la coexistence entre les formes capitalistes, coopératives, autogestionnaires est-elle concevable et comment? Est-ce qu'elle peut être menée dans l'agriculture en général, ou bien dans certains secteurs ou cadres privilégiés? Est-ce que vous voyez la chose possible dans l'industrie, notamment quand il s'agit de développer ou de créer des industries nouvelles?

RENÉ DUMONT : Les thèses du « socialisme » existant ne sont pas socialistes. Par conséquent, il n'y a pas de modèle réellement socialiste de développement.

JEAN-MARIE DOMENACH : Nous sommes tous d'accord là-dessus, mais je ne crois pas que cette proposition soit suffisante puisqu'il y a un certain nombre de pays qui se réclament d'un modèle socialiste de développement et que, en politique, l'illusion a autant de réalité que la réalité.

CORNELIUS CASTORIADIS : Plus que la réalité.

JEAN-MARIE DOMENACH : Plus, oui. Je pense qu'il y a un modèle socialiste de développement. Nous pouvons le critiquer en Chine et en Union soviétique; nous ne pouvons pas empêcher que des dizaines de pays — prenons l'Algérie qui est un des plus proches de nous — ne se réclament de ce modèle et ne soient convaincus qu'ils trouveront là l'instrument de la réussite. Il doit bien y avoir une raison pour laquelle ces pays estiment que le socialisme est une manière pour eux de se développer plus juste et plus efficace que le capitalisme.

LUCIEN BIANCO : A la question d'Edgar Morin (y a-t-il un modèle?), je répondrai comme René Dumont et avec la même brutalité : non, il n'y en a pas. Je ne serais même pas surpris si la présence d'importantes réserves de pétrole en Chine, comparée à leur absence en Inde, se révélait un facteur de développement plus décisif que le fait qu'un des deux pays ait connu une révolution (et que du coup on le crédite d'un

« modèle »), alors que l'autre n'en a pas connu (ce qui ne l'empêche pas, bien sûr, de se targuer lui aussi d'un « modèle », mais nous empêche d'y croire).

Mais s'il n'y a pas de modèle, il n'empêche que le système chinois a réussi à mener dans diverses directions une offensive plus déterminée et plus efficace que la plupart des autres pays sous-développés. Ne mentionnons pas à nouveau l'exemple évident de la lutte contre les inégalités. Prenons plutôt un domaine qui ne concerne pas l'exploitation de l'homme par l'homme, mais tout simplement le problème préalable auquel sont confrontés les pays sous-développés à population surabondante et à croissance démographique rapide : celui de la prévention des naissances. Comme on a toujours tendance à croire que les chefs illustres ont été précurseurs en toutes choses, Léon Tabah écrivait l'an dernier dans *le Monde,* en annonçant la convocation du malheureux congrès de Bucarest, que Mao avait, le premier parmi tous les dirigeants de pays sous-développés, pris conscience de la nécessité de planifier les naissances. C'est faux : plus encore par nationalisme que par orthodoxie marxiste, Mao s'est d'abord montré tout aussi nataliste que ses prédécesseurs Sun Yat-sen et Chiang Kai-shek. Il a fort heureusement changé d'opinion ensuite, mais en ce domaine la Chine révolutionnaire avait du retard sur l'Inde indépendante, qui s'est très tôt préoccupée du problème. En dépit de cette avance initiale, l'Inde n'est à ce jour parvenue en ce domaine qu'à des résultats dérisoires, alors qu'en Chine, même si les résultats sont beaucoup plus inégaux qu'on le dit souvent, la baisse des naissances s'est tout de même amorcée dans les villes et dans une petite partie des campagnes. On ne peut expliquer que la Chine ait réussi sur ce point à faire beaucoup mieux que de combler son retard initial sur l'Inde sans prendre en considération la nature du régime post-révolutionnaire et ce parti unique qu'Edgar Morin évoquait tout à l'heure. Une propagande systématique et une pression sociale extrêmement forte ont eu raison, dans certaines zones et dans certains milieux, de résistances elles aussi extrêmement fortes.

Même dans des domaines où l'expérience chinoise est jusqu'ici loin d'être concluante, on peut supposer qu'elle suggère une voie dans laquelle d'autres pays sous-développés seront peut-être bien contraints de s'engager un jour ou l'autre. Je pense par exemple à la politique du *xiafang,* l'envoi des jeunes diplômés dans les campagnes. Elle se déroule d'une façon qui n'a rien à voir avec les récits idylliques des thuriféraires du maoïsme, elle a sans doute posé plus de problèmes qu'elle n'en a résolus, elle a suscité de profonds mécontentements aussi bien chez les jeunes citadins voués à un destin rural que chez les villageois contraints de les accueillir. Mais enfin cette politique témoigne au moins que la Chine populaire s'est attaquée à un problème très difficile et qui ne lui est pas spécifique : combien de pays du Tiers Monde connaissent aujourd'hui un exode rural accéléré, une urbanisation qui n'attend pas toujours une industrialisation à peine ébauchée, et un écart croissant entre villes et campagnes tant en ce qui concerne le développement que les conditions de vie? Même s'ils rejettent comme boiteuse ou trop autoritaire la solution chinoise, les autres pays sous-développés ne pourront continuer longtemps à ignorer le problème.

Faire une nation.

Pour poursuivre ce bilan empirique qui n'a rien d'exaltant, je voudrais encore revenir sur deux points mentionnés tout à l'heure par Edgar Morin : la lutte contre la corruption et la constitution de la nation sur un mode accéléré. Sur le fond, je suis tout à fait d'accord avec Morin. Je pense comme lui que rien ne nous autorise à conférer a priori aux systèmes socialistes la vertu de surmonter les contradictions sur lesquelles butent d'autres systèmes. Sur des points particuliers comme ces deux-là en revanche, je crois qu'on peut créditer les Chinois de succès incontestables. Entre les cas assez rares de corruption de cadres chinois qui parviennent à notre connaissance et la corruption si répandue parmi les fonctionnaires indiens, c'est le jour et la nuit. Bien sûr, les Chinois sont parvenus à ce résultat à l'aide de méthodes que les maoïstes français s'empresseraient de dénoncer si Poniatowski se permettait d'y avoir recours, ne fût-ce qu'une fois, mais la comparaison avec la situation française n'a pas grand sens. Ce qui est patent, c'est le contraste entre d'une part ce qu'était l'étendue de la corruption dans la Chine de Chiang Kai-shek, ce qu'elle est aujourd'hui encore dans plusieurs pays sous-développés voisins de la Chine populaire, et d'autre part son caractère très limité parmi la bureaucratie maoïste.

En ce qui concerne la constitution de la nation, je me garderai d'en attribuer le mérite à la seule période post-révolutionnaire en Chine. Le nationalisme a été le plus puissant levier de la révolution; les communistes ont conquis le pouvoir en s'assurant le soutien de patriotes fort éloignés du marxisme, mais qui voulaient, comme eux, mettre fin à l'humiliation et à la faiblesse de la Chine. Mais enfin, la création et l'affermissement de la nation chinoise, c'est à ce jour ce qu'il y a de plus incontestable dans le bilan de cette révolution. Dans le domaine qui nous occupe aujourd'hui, celui du développement économique, le bilan est beaucoup plus inégal, dans le domaine social aussi. Qu'a réalisé la révolution chinoise en un quart de siècle? Avant tout la restauration d'une nation unie, indépendante et respectée. Que ce soit là l'accomplissement le plus clair du « socialisme » m'inspire des sentiments ambigus, j'attends autre chose d'une révolution, mais que pèsent mes souhaits personnels (ou ceux de n'importe quel intellectuel français) en face de ce qui représentait un préalable, et un préalable urgent, dans un pays comme la Chine? Sur ce plan-là du moins, le « socialisme » ou prétendu socialisme à la chinoise a été d'une efficacité incomparable.

CORNELIUS CASTORIADIS : Je voulais intervenir sur d'autres points, mais les dernières formulations de Bianco me font revenir sur ce qui me frappe dans cette discussion. On parle comme si créer une nation était « positif » sans plus. Pour ma part, je me suis battu contre le nationalisme dès que je suis entré dans la vie politique. Or il se passe à ce point de vue ce qu'Edgar Morin décrivait si justement tout à l'heure, en parlant de la « honte » des intellectuels occidentaux. Ils se sentent coupables de critiquer le « développement » à l'occidentale car quelqu'un en provenance du Tiers Monde – et nous en avons rencontré à Figline Valdarno – pourra dire : ah, mais tout cela ce sont des critiques de gens rassasiés. De même, pour ce qui est de l'idée de nation, tout se passe comme si on avait peur que les gens vous disent : pour vous peut-être la nation est une idée dépassée, mais pour nous la nation signifie ne plus être sous la botte des sergents français ou anglais, mais ils restent sous la botte d'un sergent bien de chez eux : d'Amin Dada, de Kadhafi, ou de Boumedienne.

Deuxièmement, se débarrasser de l'oppression étrangère (qui, certes, se manifeste aussi comme oppression « nationale », plus exactement oppression de l'indigène en tant qu'indigène) n'est pas du tout équivalent avec la création de « nations » artificielles, telle qu'elle se produit actuellement en Afrique – ce que je dirai devant n'importe quel Africain. Il suffit de regarder une carte pour voir l'aspect grotesque de la chose : les frontières de ces « nations » suivent la plupart du temps exactement les méridiens et les parallèles de la carte, elles sont les frontières fixées aux territoires conquis autrefois par l'Angleterre, la France, etc., uniquement en fonction de leurs traités de partage ou de la convenance de leurs administrations, et grâce à l'esprit cartésien, puisqu'il est plus simple de délimiter un territoire moyennant des lignes droites coïncidant avec les méridiens et les parallèles. Ce que cela donne maintenant pour les populations concernées, on l'a bien vu pendant ces dernières années : cela a donné le Nigéria et le Biafra, cela a donné les sanglantes luttes tribales dans l'ex-Congo belge, ou le Sénégal contemporain, avec quatre ou cinq ethnies différentes, dont certaines débordent sur des pays voisins, et qui sont prêtes à se tuer les unes les autres.

L'idée de « nation » est actuellement un des ingrédients essentiels de l'idéologie bureaucratique, moyennant quoi la lutte contre l'exploitation et l'oppression impérialiste est confisquée par une bureaucratie naissante. L'appareil bureaucratique se présente aux masses indigènes comme l'instance qui à la fois va « leur créer » ou « leur donner » une nation, et qui l'incarne et en garantit l'existence. C'est aussi par là que s'opère le glissement de la lutte des masses contre l'oppression en lutte « nationale », c'est-à-dire en lutte pour la création d'un État « national », avec tout ce que la création d'un État implique. Je suis intervenu longuement sur ce point, car je suis frappé de constater à quel point des gens comme ceux réunis ici peuvent être grevés par cette monstrueuse dialectique de l'histoire des dernières cent années, qui a rendu tous les mots et toutes les significations ambigus, qui en a fait, dans leur usage courant, des instruments mystificateurs.

EDGAR MORIN : Mais ce vide laissé par le colonialisme refluant ou chassé est rempli par la nation, et on ne voit pas dans les conditions actuelles ce qui aurait pu remplir ce vide.

CORNELIUS CASTORIADIS : Nous sommes d'accord. Mais que quelque chose devait le remplir ne veut pas dire que nous ayons à avaliser ce quelque chose. Le dernier philosophe de l'histoire est mort il y a cent quarante-cinq ans. Si je parlais en tant que philosophe de l'histoire, j'aurais dit comme lui : tout ce qui a été réel, a été rationnel, point à la ligne, il n'y a rien d'autre à dire. Mais je parle en politique; que ce qui a été l'a été en fonction de certaines causes fait pour moi partie de la discussion, mais ne la clôt pas. On disait tout à l'heure qu'en politique les « illusions » comptent autant que la « réalité », sinon plus – et c'est évident : autrement il n'y aurait pas eu, par exemple, les deux grandes guerres. Or parler aujourd'hui du soi-disant modèle du soi-disant développement soi-disant socialiste et le dénoncer, ce n'est pas faire œuvre de philosophe, c'est faire œuvre de politique, c'est dénoncer et tenter de dissoudre ces « illusions » tellement importantes dans leur action « réelle »; et c'est cela précisément que l'on voit lorsqu'on constate que tous ces mots et tous ces termes véhiculent des représentations, motivent des activités, justifient des réalités, radicalement contraires à celles que nous avons dans l'esprit ou que nous serions – moi en tout cas – prêts à défendre. Jean-Marie Domenach demandait tout à l'heure : quelles sont les raisons pour lesquelles ces pays adoptent le « modèle socialiste »? Une de ces raisons, et non la moindre, se trouve précisément dans ces « illusions » et leur force. La même chose vaut pour la « nation ».

La bureaucratie.

Je reviens à la question de la bureaucratie, et à ma vieille querelle avec Edgar à ce sujet. Aucun doute, à mes yeux, ne peut exister sur la spécificité, l'originalité de l'organisation bureaucratique contemporaine, en appartenance au monde moderne, même si l'on peut en trouver beaucoup de noyaux, de germes dans le passé – en Chine, dans la Rome impériale, l'Église chrétienne officialisée, etc. Mais la bureaucratie moderne trouve ailleurs sa véritable origine, ses sources social-historiques – et ces sources sont au nombre de trois. La première, c'est l'évolution spontanée, *la logique interne du capitalisme occidental :* concentration et centralisation, organisation de l'entreprise, liaison croissante de l'économie et de l'État, etc. La deuxième est *la dégénérescence des organisations ouvrières* elles-mêmes et de la révolution de 1917 : la classe ouvrière russe, pour des raisons que l'on n'a pas à discuter maintenant, ne parvient pas à assumer, à exercer effectivement le pouvoir, ni dans la production, ni dans la politique; le Parti bolchevique, qui s'y préparait, émerge, accapare le pouvoir, devient couche dominante et noyau autour duquel se cristallise la nouvelle classe dominante et exploiteuse. La troisième source – et qui montre l'incapacité du marxisme à rendre compte de l'histoire contemporaine, car les deux premières peuvent être, tant bien que mal, interprétées dans les cadres marxistes – c'est ce que j'ai appelé *l'émergence de la bureaucratie dans le vide* et à partir du vide : la société traditionnelle, pré-capitaliste, s'effondre au contact du capitalisme; l'impérialisme s'avère incapable de continuer de s'imposer, soit directement, soit par bourgeoisie nationale interposée; la crise de la société et la lutte des masses s'amplifient sous l'effet l'une de l'autre. Cette situation peut durer longtemps – elle a duré au moins cinquante ans en Chine, par exemple; mais si et lorsqu'elle est dépassée, nous constatons qu'elle l'est toujours de la même manière, essentiellement. L'appareil qui, dans la société considérée, présentait les « structures d'accueil » les plus appropriées (ou les moins étrangères) à la création d'une société capitaliste bureaucratique, qui possédait les éléments d' « organisation » et d' « information » au sens biologique, l'ADN, lui permettant d'entreprendre une catalyse sociale, cet appareil se met à proliférer et à étendre son influence et son pouvoir, et finalement devient l'instance qui « résout » la crise de cette société. Un tel appareil, de toute évidence privilégié pour un tel rôle, c'est un parti « marxiste », « communiste », etc., parce qu'il possède déjà une organisation interne « moderne »; un « message » comme dit Edgar ou une idéologie et un système d'explication du monde, enfin des modèles de stratégie et de tactique tout faits (cf. du reste le Portugal depuis avril 1974); il existe déjà, tout prêt pour ce rôle.

Mais nous constatons aussi que, dans d'autres pays, tout autant nombreux, la « soupe primordiale » créée par la décomposition de la société traditionnelle ne permet pas la naissance ou le développement d'un tel parti. Tel est le cas de presque toutes les sociétés africaines; tel est aussi le cas de l'Inde, où le (ou les) parti communiste (ou marxiste-léniniste, etc.) se trouve devant une situation en or massif, et n'arrive pas à en faire quoi que ce soit; et pourquoi donc? Tel est aussi, enfin, le cas de presque tous les pays musulmans. Je ne veux pas revenir à l'anthropologie, mais je suis certain qu'elle y est pour beaucoup. Dans tous ces cas, lorsque quelque chose se passe, on constate qu'un autre appareil joue, certes avec beaucoup moins d'efficacité en général, le rôle de l'appareil du Parti : c'est l'appareil militaire, à la limite en la personne de M. Amin Dada et de ses soldats. Cet appareil a, lui aussi, bien entendu, besoin d'une idéologie – ou une phraséologie – « socialiste », pour les raisons déjà discutées et par ailleurs évidentes.

Enfin, un dernier mot sur la question « positive » de la politique proprement dite, au sens du : que faire? C'est effectivement la question décisive, mais il y a une question préalable : d'où parlons-nous, en quelle qualité parlons-nous? Sommes-nous les partenaires d'une firme de « Conseillers en développement à horreur atténuée »? Allons-nous tracer les lignes de contour qui maximisent la production de blé en minimisant la population concentrationnaire? Je n'en suis pas, pour ma part. Je ne suis pas conseiller en développement à horreur minimale.

EDGAR MORIN : Est-ce que tu n'es pas contraint de l'être à certains moments?

CORNELIUS CASTORIADIS : Je ne vois pas ce qui pourrait m'y contraindre pour l'instant, et je n'entrerai pas dans ce genre de discours. Mais je reviens à ce que disait Edgar : peut-être faudrait-il un peu de ceci, un peu de cela, un peu d'autogestion, etc. Je n'ironise pas, il est clair que ce n'est pas « faux », et qu'il est préférable d'être ouvrier dans une usine yougoslave plutôt que dans une usine hindoue. Mais ces petites doses de ceci et de cela ne peuvent pas vaincre cette puissance terrible de la totalité de la société, de la société comme institution globale et en l'occurrence comme société bureaucratique. Et cela on le voit par exemple en Yougoslavie, où la contrainte exercée par l'appareil d'État et du Parti est très efficacement complétée, précisément moyennant l' « autogestion décentralisée », par la contrainte des mécanismes économiques, de la demande, du marché mondial, etc.

Ce qui est à mes yeux, depuis très longtemps, l'essentiel dans toute la question du « développement », c'est que les pays du Tiers Monde contenaient, et peut-être contiennent toujours la possibilité d'un apport positif original à la transformation nécessaire de la société mondiale. C'est cette possibilité qui est totalement escamotée dans les discussions habituelles sur le développement; et c'est elle qui est détruite par le « développement » capitaliste-bureaucratique de ces pays — et en ceci aussi la haine que l'on peut éprouver à l'égard des bureaucraties qui s'y créent est d'autant plus grande. En parlant schématiquement, on peut dire que dans la plupart de ces pays les formes traditionnelles de culture n'étaient pas encore, et ne sont pas encore aujourd'hui, complètement dissoutes, ni le type traditionnel d'être humain complètement détruit. Il va sans dire que ces formes traditionnelles allaient de pair, la plupart du temps, avec l'exploitation, la misère, toute une série de facteurs négatifs; mais elles préservaient quelque chose qui a été brisé dans et par le développement capitaliste en Occident : un certain type de socialité et de socialisation, et un certain type d'être humain. Je pense depuis longtemps que la solution aux problèmes actuels de l'humanité devra passer par la conjonction de cet élément avec ce que l'Occident peut apporter; j'entends par là la transformation de la technique et du savoir occidentaux de sorte qu'ils puissent être mis au service du maintien et du développement des formes authentiques de socialité qui subsistent dans les pays « sous-développés » — et, en retour, la possibilité pour les peuples occidentaux d'y apprendre quelque chose qu'ils ont oublié, de s'en inspirer pour faire revivre des formes de vie véritablement communautaire.

RENÉ DUMONT : En tant qu'agronome, je n'ai pas le droit de ne pas proposer des techniques et des modèles de développement au Tiers Monde, même si elles sont critiquables, même si elles sont de bric et de broc — c'est ce que vous venez d'ailleurs de faire. Le Tiers Monde, qui ne voudra pas payer le prix horrible d'un bureaucratisme excessif, devra trouver ses propres modèles de développement, devra donc compter sur ses propres forces pour élaborer ses propres mesures de développement, et nous pourrons aussi l'aider à les trouver, même si c'est dans une très faible mesure. En tout cas, cela nous paraît être notre devoir, et j'eusse aimé que la discussion portât davantage sur ces problèmes pratiques.

LUCIEN BIANCO : Je reviens au point de départ de l'intervention de Cornélius Castoriadis, qui faisait suite à ce que je venais de dire sur le nationalisme chinois. Spontanément, j'éprouve la même chose que lui à l'égard du nationalisme, c'est pour cela que j'avais parlé de mes sentiments ambigus à l'égard de cet acquis primordial de la révolution chinoise. Mais le problème ne se posait pas de cette manière (est-ce un bien ou un mal, est-ce un acquis positif que cette création d'une nation?), c'était un problème antérieur à toute considération de cette nature, une nécessité biologique en quelque sorte : l'organisme chinois a fait la révolution pour survivre.

Où je suis tout à fait d'accord avec Castoriadis, c'est quand il dit : c'est faire acte politique que de dénoncer le mythe du « modèle » socialiste de développement. Cet acte, j'entends bien l'accomplir avec vous, mais où je ne vous suis plus, c'est quand vous ironisez en disant : « conseiller en développement à horreur atténuée ou minimale, je ne veux pas entrer comme partenaire dans une firme pareille ». Comme on ne peut pas rester en dehors du jeu, le problème revient à savoir si le non-développement est plus ou moins horrible que le développement à horreur atténuée ou minimale.

VII

Ressources naturelles, technologie et indépendance

AMILCAR O. HERRERA

I

On n'a pas cessé de répéter, au cours des dernières années, que la pénurie de ressources naturelles pouvait éventuellement limiter le progrès humain. Malheureusement, parallèlement à une saine prise de conscience de la nécessité d'une approche plus rationnelle de l'utilisation et de la conservation de ces ressources, une grande confusion s'est répandue quant à la véritable situation mondiale en ce qui concerne les matières premières naturelles. Les plus pessimistes prévoient pour les prochaines décennies un épuisement catastrophique des ressources, tandis que d'autres prétendent que la quantité de ces matières est pratiquement illimitée et qu'il n'existe aucun danger de pénurie dans l'avenir immédiat.

Cette confusion s'est instaurée principalement parce qu'une partie considérable de cette littérature ne provient pas du milieu scientifique spécialisé et manque le plus souvent d'une connaissance approfondie de ce qui caractérise les ressources naturelles. Une revue rapide des idées générales à ce sujet est un préalable indispensable si l'on veut aborder les relations existant entre les ressources naturelles et le développement. Nous nous préoccuperons surtout des ressources non renouvelables, ou ressources minérales, soi-disant menacées d'épuisement ou de pénurie aiguë.

II

Si l'on considère uniquement la mince couche terrestre accessible à l'homme d'aujourd'hui (en gros les premiers 15 000 pieds), celle-ci contient des quantités pratiquement inépuisables de minéraux et de métaux en tous genres, nécessaires à notre civilisation. Mais seule une petite proportion de ces matières premières contenues dans les gisements métallifères peut être véritablement exploitée. Il est donc facile de comprendre les raisons de la limitation des ressources réellement disponibles à un moment donné, car un gisement métallifère, c'est « tout corps géologique d'où un ou plusieurs produits utiles peuvent être extraits économiquement dans les conditions technologiques actuelles ».

On peut tirer de cette simple définition quelques idées fondamentales. En premier lieu, elle réfute la notion, si souvent implicite dans la majorité de la littérature courante, que les ressources minérales constituent un stock fixe, inchangeable, dont on pourrait connaître exactement le volume si le prix de l'exploration géologique n'était pas aussi considérable. En fait, et tenant compte d'une perspective à long terme, il n'existe pas un « ensemble donné de ressources minérales » définissable comme une quantité arrêtée disponible, à moins de prendre en compte toute la croûte terrestre ou même toute la planète. L'histoire montre que l'extraction d'un produit minéral donné à partir de sources géologiques différentes est plus souvent la règle que l'exception. L'azote a été obtenu, jusqu'à ces dernières décennies, à partir de dépôts de nitrate; on l'extrait maintenant de l'air et les sources originales ont pratiquement été abandonnées. Jusqu'aux années 50, les sources principales et pour ainsi dire uniques du soufre ont été des gisements du type Frash associés à des dômes de sel. Cet élément est actuellement extrait du pétrole, du gaz naturel et de produits de remplacement pratiquement inépuisables comme la pyrite, le gypse et l'anhydrite, qui sont également considérés comme des réserves de soufre. Nous pourrions ainsi citer une longue liste d'exemples pour des éléments aussi importants que le fer, le cuivre et l'aluminium. Dans tous les cas, la recherche technologique et scientifique a « créé » des ressources nouvelles ayant pour conséquence une augmentation de l'ensemble des ressources disponibles. En conclusion, une définition de ce qu'est une ressource non renouvelable est fonction de la technologie et, finalement, fonction du temps, car la technologie ne cesse d'évoluer.

Nous pouvons maintenant analyser brièvement les hypothèses en vogue sur la rareté. Le rapport du M.I.T. [1] fut le premier à présenter

1. Meadows et coll., *The Limits to Growth,* Universe Books, 1971, New York.

un compte rendu quantitatif sur l'épuisement probable des ressources minérales de la terre. Une courte analyse de sa justesse est utile si on considère le profond retentissement de ce travail et le fait que ses hypothèses sous-tendent la plupart des publications sur ce problème.

Dans ce domaine, le modèle du M.I.T. établit les deux hypothèses fondamentales suivantes :

(a) La quantité globale des ressources minérales restant disponibles dans la croûte terrestre est suffisante pour répondre aux besoins de l'humanité pendant deux cent cinquante ans, au taux actuel de consommation. Ce chiffre provient des données sur les réserves mondiales publiées par les organismes spécialisés et principalement par le Bureau américain des Mines. On suppose également qu'il existe une capacité de substitution parfaite des différents minéraux.

(b) Étant donné que le stock des ressources naturelles non renouvelables diminue, les frais d'extraction de chaque élément additionnel augmentent, car les réserves les meilleures et les plus accessibles ont été découvertes et exploitées en premier et des efforts plus nombreux (capitaux) sont indispensables à l'exploitation des réserves « inférieures », moins accessibles. L'augmentation des frais est fonction de la fraction restante du stock originel des réserves minérales disponibles. Comme la fraction restante est voisine de zéro, la fraction de capitaux nécessaires à l'obtention des ressources naturelles est voisine de un, c'est-à-dire qu'elle recouvre l'ensemble des capitaux disponibles, au préjudice des activités restantes de la société. Par ce simple mécanisme, l'épuisement progressif des réserves minérales provoque rapidement l'effondrement du système.

Les hypothèses sur la rareté du modèle M.I.T. sont d'anciennes notions économiques et ont été développées par Malthus et Ricardo, sous leur aspect le plus connu. Malthus, qui consacra une attention spéciale au problème de l'alimentation, part de l'existence d'une quantité connue et finie des ressources de la terre. Au début, on suppose que la production augmente parallèlement à l'extension de l'occupation des terres. Dans cette phase, c'est-à-dire aussi longtemps qu'il reste des terres inoccupées, le prix de revient de la production est constant. Ce n'est que lorsque toutes les terres ont été utilisées que la production de chaque élément complémentaire s'obtient à un prix de revient plus élevé. Le moment arrive où les profits réduits deviennent inacceptables sur le plan social, et la limite de la production est alors atteinte.

L'hypothèse de Ricardo — apparemment mieux applicable à des ressources non renouvelables — n'implique pas une quantité finie de ressources; elle suppose en premier lieu une utilisation des ressources les plus avantageuses et après épuisement de celles-ci, l'incorporation de ressources moins appropriées. Il en résulte que le prix de revient de la production augmente dès le début de l'exploitation et qu'il peut atteindre des limites qui le rendent inacceptable sur le plan social.

Le modèle M.I.T. associe les deux hypothèses de rareté, l'hypothèse malthusienne de « ressources limitées » et l'hypothèse ricardienne de profits diminuant dès le commencement de la production.

Ces hypothèses sur la rareté s'appliquent-elles aux ressources minérales?

Si on tient compte de la définition d'une « ressource », l'hypothèse malthusienne d'une quantité fixe et connue est évidemment inapplicable. Elle aurait seulement un sens *théorique* si nous supposons des conditions technologiques et économiques constantes. La principale difficulté réside dans la détermination des réserves globales de la terre, et se heurte à la définition même de la ressource qui dépend de conditions économiques et technologiques variant avec le temps. Ensuite, la quantité totale des ressources éventuellement disponibles pour le genre humain est une *donnée intrinsèquement inconnue* car de telles conditions ne peuvent pas être prévues, sauf pour un avenir très rapproché.

L'hypothèse ricardienne est-elle également impossible à appliquer? Pour entreprendre l'exploitation des ressources les plus appropriées du point de vue économique, il est nécessaire d'avoir *a priori* une connaissance complète de l'emplacement et des propriétés des ressources minérales de la portion accessible du globe, même en supposant des conditions technologiques et économiques constantes.

Cette condition n'a jamais été remplie et les réserves les plus proches des centres de production, donc les plus faciles à découvrir en ce moment, ont été exploitées les premières, sans tenir compte de la « qualité » économique du gisement.

Si on introduit la notion de changement technologique, le principe ricardien ne peut même plus être énoncé de manière intelligible. En fait, tout progrès technologique modifie les critères servant à définir le type de ressources le plus approprié du point de vue économique.

Il y a quelques décennies encore, la meilleure façon d'obtenir des composés azotés pour les engrais était de les extraire des gisements de nitrates naturels; on les obtient à présent à partir de l'azote de l'air. Peut-on dire raisonnablement que l'on est passé, sur le plan économique, d'une ressource plus commode à une ressource moins commode? On pourrait dire la même chose des modifications apportées au type de ressources utilisé pour produire d'autres matières premières minérales grâce au progrès technologique réalisé depuis le début de la Révolution industrielle.

Les hypothèses théoriques traditionnelles sur la rareté qu'emploient les économistes ne peuvent pas s'appliquer aux ressources minérales. En d'autres termes, on ne peut pas supposer *a priori* que le passé a connu une rareté croissante, ni qu'il y en aura une dans un avenir prévisible. L'analyse des orientations historiques est donc la seule façon d'aborder ce problème.

La première preuve historique nous est fournie par le prix des ressources minérales : il est resté à peu près constant pendant près de cent ans, entre 1870 et 1960 [1].

Une donnée plus significative que le prix nous est apportée par le coût de la production. Barnett et Morse [2] l'ont étudiée dans un ouvrage qui analyse le bien-fondé de l'hypothèse de la rareté pour les ressources naturelles. Les données qu'ils utilisent se réfèrent aux États-Unis mais les conclusions qu'ils en tirent ont une valeur générale car l'industrie minière utilise pratiquement la même technologie partout dans le monde. De plus, les États-Unis sont l'un des pays où l'exploitation des ressources naturelles a été la plus intensive. Ces auteurs concluent que le coût de la production – en termes d'apport de capitaux et de main-d'œuvre – n'a cessé de diminuer entre 1870 et 1960. Cette diminution du coût a atteint son maximum précisément lorsque la demande en minerais a été la plus forte dans l'histoire (1920-1960). En conclusion, l'analyse de l'information historique montre non seulement qu'il n'y a pas eu de signes de rareté croissante dans la disponibilité des matières premières minérales, mais qu'elles ont été extraites moyennant un coût social en constante diminution.

1. N. Potter et F.T. Christy, *Trends in Natural Resources Commodities, Resources for the Future,* the John Hopkins Press, Baltimore, USA, 1968.

2. H.J. Barnett et C. Morse, *Scarcity and Growth; Resources for the Future,* the John Hopkins Press, Baltimore, 1963.

III

Les prévisions relatives à un éventuel Jour du Jugement dernier – fondées sur l'épuisement des ressources naturelles non renouvelables – manquent de preuves scientifiques convaincantes, mais cela ne signifie pas que tout souci pour l'avenir soit écarté. Comme nous l'avons vu, le point essentiel reste que la quantité globale finale de ressources naturelles éventuellement disponibles demeure *intrinsèquement inconnue,* car elle dépend fondamentalement du développement de la technologie. Supposer que nous ne serons pas confrontés, dans un avenir prévisible, à une crise des ressources naturelles n'est qu'une hypothèse raisonnable fondée sur une expérience antérieure, et le fait que le taux de croissance de la technologie est plus élevé que le taux de croissance de la consommation est occulté dans l'hypothèse du Jugement dernier.

Nous devons maintenant considérer la situation particulière des pays sous-développés. Selon les prévisions les plus dignes de confiance, la population du globe s'élèvera, vers le commencement du siècle prochain, à 7 milliards d'habitants, dont plus de 5,5 milliards dans les pays en voie de développement. Selon les estimations les plus optimistes, elle pourrait se stabiliser autour de 10 milliards pendant la première moitié du XXIe siècle.

Si cette énorme population a le même type et le même volume de consommation qu'un pays industrialisé moyen d'aujourd'hui – sans se référer au niveau probable de la consommation pour les trente années à venir – les pressions exercées sur les ressources naturelles de la terre seront formidables. Ce n'est pas tant le problème de la limite physique ultime de ces ressources dont il s'agit, mais de celui de la constitution des énormes capitaux nécessaires pour développer les ressources classiques au cours des trente ou quarante années à venir, alors que de nouvelles techniques sont créées pour l'utilisation de sources alternatives non renouvelables. En outre et tout en prenant en compte le fait que certaines ressources naturelles de base sont situées principalement dans des pays sous-developpés, le monde développé – en raison de ses capacités supérieures sur les plans économique et technologique – conservera encore pendant de longues années un net avantage dans la course vers les sources traditionnelles des matières premières.

Un autre fait, se rapportant également aux contraintes matérielles, est que les considérations sur l'environnement accroissent les difficultés permettant d'atteindre l'indispensable taux de croissance de l'exploitation des ressources naturelles non renouvelables pour amener, sur l'ensemble du globe, le niveau de vie aux normes prévues actuellement pour les pays les plus avancés. Il est encore impossible de prévoir la forme exacte que prendront ces restrictions sur l'environnement mais elles imposeront à coup sûr certaines limites à une exploitation sans restriction des matières premières naturelles.

Ces problèmes de ressources naturelles ont-ils des implications sur les perspectives de développement dans les pays retardés?

Dans les cercles dirigeants de la plupart des pays développés, l'idée de limiter la croissance est apparue; elle est le produit de l'idée essentiellement statique de la terre conçue comme un vaisseau spatial; comme elle est un corps fini, ses ressources sont également finies. L'accroissement de la population rendra leur épuisement inéluctable, dans un avenir relativement proche. Bien que plusieurs solutions aient été avancées par ces cercles, elles sont essentiellement centrées sur l'accroissement de la population, surtout dans les pays en voie de développement. Le contrôle de cet accroissement est considéré comme une nécessité préalable pour éviter la catastrophe; le contrôle de la pollution, l'utilisation rationnelle des ressources par les pays développés, etc., ne sont que des mesures subsidiaires.

Toutefois, le destin du genre humain n'a jamais été déterminé de manière univoque par des contraintes extérieures. Dans une confrontation avec les problèmes globaux, il y a toujours eu des degrés de liberté permettant d'envisager plusieurs solutions alternatives; celle qui est choisie est toujours déterminée par la position de celui qui la propose dans un contexte social, économique et politique donné.

Les pays développés, dans la situation mondiale présente, ont le privilège d'être les bénéficiaires du système, ce qui les amène à chercher des solutions qui ne touchent pas à l'organisation sociale et au système de valeurs sur lesquels ils s'appuient. Ces solutions se fondent sur l'hypothèse implicite que les relations à l'intérieur du système humain ont peu de rapport avec l'environnement physique. Il en découle que toutes les variables sociales doivent être considérées comme des constantes; l'éco-système est alors entièrement déterminé par les variables physiques, population comprise. Si certaines d'entre elles sont également considérées comme des constantes – comme les ressources naturelles dans certains modèles –, alors l'évolution de l'éco-système est déterminée presque sans équivoque, et les solutions « fatalistes » font leur apparition.

Cette conceptualisation oublie toutefois que l'effet qu'exerce l'humanité sur son environnement physique dépend largement de son organisation sociale et du système de valeurs qui la soutient; un grand nombre des valeurs actuelles de la société sont vraiment destructrices pour l'éco-système tout comme pour l'homme, à travers une aliénation toujours croissante. Elle oublie également que les obstacles à un développement équilibré du genre humain sont essentiellement sociopolitiques – tout au moins dans un avenir prévisible – et fondés sur la répartition actuelle du pouvoir aux niveaux national et international. Ceci est reflété par l'inégalité croissante entre pays développés et pays en voie de développement ainsi qu'à l'intérieur de ces derniers; ainsi, aujourd'hui, alors que nous sommes encore très loin d'avoir atteint la limite éventuelle imposée par l'environnement, plus de la moitié de l'humanité vit dans une misère absolue, tandis que la consommation de la minorité privilégiée s'accroît à un rythme sans équivalent dans le passé.

Les pays en voie de développement, victimes de l'organisation actuelle du monde, sont seuls dans la situation de formuler des solutions prenant réellement en compte tous les stades possibles de liberté. La complexité de l'organisation sociale, à laquelle s'ajoutent les progrès de la science et de la technologie, créent plus de choix dans les voies vers le développement qu'il n'y en a jamais eu dans l'histoire [1].

IV

Pour définir une nouvelle manière d'aborder ce problème, il faut d'abord faire une brève description de quelques-unes des plus importantes caractéristiques des pays en voie de développement et de leur implication dans la recherche de solutions nouvelles.

En premier lieu, il faut accepter comme un fait fondamental que la

1. *Latin American World Model, Progress Report,* Fondation Bariloche, Argentine, 1973.

plupart de ces pays sont des sociétés doubles, composées d'un secteur moderne et d'un secteur traditionnel. Le secteur moderne comprend 10 à 30 % de la population, avec un revenu moyen par personne dix fois au moins supérieur à celui du secteur traditionnel et ayant les schémas culturels de consommation des classes moyennes et supérieures des pays les plus avancés. Dans la plupart de ces pays, le secteur traditionnel comprend la majorité de la population, et ses traits les plus frappants sont trop connus pour qu'il soit nécessaire d'en faire une description détaillée : il vit principalement dans une économie de subsistance et, par conséquent, il se trouve pratiquement en dehors du marché international global auquel participe le secteur moderne; ses habitudes culturelles et ses valeurs ont peu changé par rapport à celles du passé et surtout, il vit généralement dans un état de misère matérielle absolue. Au cours des dernières décennies, les moyens de communication et d'information ont déclenché des modifications dans ses habitudes culturelles mais sans améliorer sa situation matérielle.

La structure double des pays en voie de développement plonge ses racines dans le XIXe siècle au moment où – conséquence de la Révolution industrielle – fut établie la division actuelle du monde entre pays industrialisés et pays produisant des matières premières, elle s'est encore accentuée au cours des dernières décennies. Depuis le début du siècle et surtout après la Deuxième Guerre mondiale, ces pays se sont efforcés de briser la stagnation chronique de leur économie en introduisant des méthodes modernes de production. Le facteur clef de cet effort a été la création d'un processus d'industrialisation fondé sur le mécanisme connu de la substitution des importations. Le schéma général adopté était plus ou moins semblable dans tous les pays : à une première étape, où seuls étaient produits les biens de consommation les plus simples et les plus élémentaires, succède la production de marchandises durables, de plus en plus élaborées, et finalement, dans certains pays, la création d'une industrie lourde naissante.

Cette industrialisation, du point de vue du marché, se fondait sur les besoins des minorités privilégiées, urbaines surtout (10 à 30 % de la population globale dans la majorité des pays en voie de développement), qui détiennent la plus grande part du pouvoir politique et économique. Un secteur moderne de l'économie fut donc mis en place dans les pays retardés, qui, par certains de ses aspects fondamentaux, le rend étroitement solidaire des pays industrialisés.

Le reste de la population, essentiellement rural, a été à peine effleuré par ce processus de modernisation, et demeure plus ou moins dans le même état de pauvreté et d'arriération qui est son lot depuis bien des générations.

V

En dépit de la preuve historique, l'hypothèse sous-jacente dans les pays développés et dans les classes dominantes des pays en voie de développement est que l'extension du secteur moderne à elle seule transformera et absorbera au bout du compte le secteur traditionnel. Cependant, même une analyse superficielle des conditions requises afin d'étendre amplement le secteur moderne montre que cette hypothèse est insoutenable.

D'abord et en raison des circonstances que nous venons d'examiner brièvement, le secteur moderne a dû adopter les mêmes technologies de travail intensif que celles qui prédominent dans les pays industrialisés. Même dans un grand nombre de ces pays ayant un taux élevé de multiplication des capitaux et un faible taux d'accroissement de la population, le maintien du plein-emploi n'est pas tâche facile. Pour les pays sous-développés ayant de faibles taux d'accumulation des capitaux, un taux élevé de croissance démographique et 70 à 80 % de la population se trouvant encore dans le secteur traditionnel pré-industriel, le problème est virtuellement insoluble.

Nous avons déjà brièvement examiné le deuxième problème de base, celui de la disponibilité des ressources naturelles et des limites imposées par l'environnement physique.

La plupart des pays en voie de développement, en raison des contraintes matérielles dont nous avons parlé – ou pour d'autres raisons – devront s'attaquer au problème du développement à partir de prémisses radicalement nouvelles. L'approche de ce problème variera selon les conditions particulières de chaque pays; toutefois, certaines des plus importantes de ces prémisses sont relativement indépendantes des particularités locales; encore faut-il qu'existe la volonté politique d'améliorer aussi rapidement que possible la situation de la partie immergée de la société.

Le point de départ sera une tentative de définition des principaux objectifs ultimes du développement, qui sont, à notre avis, les suivants :

a) L'objectif principal du développement doit être la satisfaction des besoins élémentaires comme la nourriture, le logement, la santé et l'éducation. Le premier principe doit être que tout être humain – du seul fait de son existence – a le droit absolu de satisfaire ces besoins qui sont essentiels à une intégration complète et active dans sa culture. Un objectif parallèle et complémentaire consiste à diminuer et éventuellement à éliminer complètement l'inégalité sociale.

b) L'aménagement rationnel de l'environnement physique devrait être une des lignes d'orientation du développement économique; il est essentiel de construire une société entièrement en harmonie avec son environnement; cela signifie que les objectifs définis au point *a)* doivent être atteints en utilisant une quantité minimale de ressources naturelles compatible avec le niveau adéquat des besoins élémentaires.

c) Le développement de chaque pays ou de chaque région devra être fondé, dans la mesure du possible, sur ses propres ressources – naturelles et humaines.

Nous croyons que ces principes sont une réponse rationnelle aux contraintes matérielles et sociales actuelles, tout en n'étant qu'une première approximation. Un projet social de cette ampleur se construit au moyen d'un long et difficile processus de tentatives et d'erreurs, au cours duquel les hypothèses initiales sont soit étendues, soit modifiées.

Quant aux ressources naturelles, on a établi le principe que leur gestion rationnelle doit être compatible avec l'objectif de tout être humain pour atteindre un niveau adéquat de satisfaction des besoins matériels et culturels essentiels à son intégration complète et active dans une société civilisée. On pourra rétorquer qu'en tenant compte de l'accroissement de la population du globe au cours des prochaines décennies, cette hypothèse comporte un certain risque en ce qui concerne les disponibilités en ressources naturelles ou l'effet de leur exploitation sur l'environnement. Nous croyons, pour les raisons déjà mentionnées, que ce risque, tout au moins dans un avenir prévisible, n'existe pratiquement pas. Il reste toutefois que le point important est d'accepter malgré tout ce risque si nous admettons qu'il existe un certain degré d'incertitude. La prise de décisions touchant au destin des êtres humains n'est pas uniquement un problème technique, mais aussi et surtout un problème moral.

VI

Le processus de transformation des sociétés traditionnelles telles que nous les avons définies exige de toute évidence de profonds changements sociaux et institutionnels, qui peuvent être réalisés uniquement par des moyens politiques. Cependant, une fois les décisions politiques prises, l'instrument le plus important de la mise en place du processus est l'existence d'une capacité scientifique et technologique élevée. Un domaine pratiquement inexploré par les pays développés et qui soulève des problèmes, c'est celui de l'utilisation rationnelle et de la « création » de ressources naturelles, le développement de nouvelles technologies appropriées aux conditions spécifiques des pays attardés, etc. Une approche imaginative et ouverte est indispensable dans cette recherche technologique et scientifique, et son absence s'est fait cruellement sentir dans les systèmes R et D des pays sous-développés [1].

Les changements dans les relations de pouvoir à l'intérieur d'une société ne sont pas suffisants en eux-mêmes pour adapter automatiquement les éléments de la superstructure à la nouvelle situation. Les systèmes R et D des sociétés modernes, dans les pays avancés comme dans les pays en voie de développement, ont des traditions quant aux critères pour effectuer et orienter les recherches qui se sont développées dans les sociétés occidentales avancées. C'est pourquoi, compte tenu des contraintes politiques, ils se sont révélés si peu efficaces face à une situation radicalement nouvelle posée par le secteur traditionnel des pays en voie de développement. Le problème important à résoudre est de savoir modifier cette situation pour changer la conception et l'orientation des systèmes scientifiques et technologiques.

Il faut, en premier lieu, chercher de quelle manière les systèmes actuels de recherche et de développement déterminent l'orientation et le contenu de la recherche ayant trait aux problèmes sociaux du point de vue des technologies particulières nécessaires à leur solution. On sait que certains pays développés ont fort bien défini les structures institutionnelles permettant d'établir l'orientation et le contenu de l'effort scientifique en rapport avec leurs principaux objectifs de déve-

1. Système R et D : Recherche et Développement *(Research and Development system).*

loppement. Cette disposition formelle manque presque complètement dans d'autres pays, et le système fonctionne plus ou moins indépendamment de la structure définie par la planification sur le plan national. Toutefois, et dans les deux cas, l'efficacité de ces systèmes reste plus ou moins la même. Il ne s'agit pas ici, bien entendu, de porter un jugement de valeur sur les avantages intrinsèques présentés par l'orientation donnée au développement, mais de dire que les systèmes de recherche et de développement des pays développés répondent avec la même insuffisance à la demande implicite de leurs sociétés.

L'explication en est très simple, et nous l'analyserons brièvement car on n'en tient presque jamais compte.

Déterminer la technologie qui conviendra à une société donnée soulève un problème comportant de nombreuses variables, dont fort peu sont strictement technologiques. La plupart d'entre elles se rattachent aux domaines de l'économie, de la sociologie et de la psychologie sociale, pour former ce que l'on pourrait appeler un ensemble d'hypothèses qui constituent, si l'on veut, le cadre de référence du système de recherche et de développement. Elles sont l'expression des caractéristiques les plus fondamentales de ces sociétés, et sont rarement explicitées car elles ont été assimilées par chaque membre des systèmes en question. C'est pourquoi tout savant ou technologue du monde industrialisé, indépendamment de sa situation sociale ou de son idéologie politique, rejette automatiquement et presque inconsciemment, lorsqu'il est confronté à un problème technologique, toute solution non conforme aux hypothèses généralement admises. C'est ce premier filtrage qui détermine la solution technologique possible applicable aux problèmes spécifiques des pays en voie de développement. Le point important est que, sans cet ensemble d'hypothèses ou leur équivalent, aucun problème technologique ne peut être établi en termes clairs. Autrement dit, un problème technologique ne peut faire l'objet d'une recherche scientifique qu'à la condition que ses paramètres sociaux et économiques ainsi que ses variables soient définis sans ambiguïté.

Les systèmes de recherche et de développement des pays en voie de développement ont évolué en même temps que le secteur moderne de l'économie et en rapport étroit avec le système de recherche et de développement des pays avancés; leurs hypothèses fondamentales sont semblables à celles des sociétés développées.

D'autre part, dans le secteur traditionnel, le problème couvre un domaine presque entièrement différent de celui du secteur moderne, et par conséquent, les hypothèses du système ne peuvent pas s'appliquer à ce secteur. Ce domaine n'a, pour l'essentiel, jamais été exploré, et aucun ensemble d'hypothèses ne peut servir de base pour orienter les efforts des systèmes de recherche et de développement. En d'autres termes, le problème spécifique et fondamental du secteur traditionnel ne peut pas être posé dans des conditions qui en feraient l'objet de la recherche scientifique directe. La conséquence, on le sait, c'est que le secteur traditionnel n'a pratiquement pas voix au chapitre dans le système R et D des pays sous-développés. Cette affirmation n'est pas en contradiction avec le fait que le système de recherche et de développement tente de trouver certaines solutions aux problèmes du secteur traditionnel par l'introduction de quelques technologies modernes. Toutefois, le point important est que la recherche part de l'hypothèse implicite que les critères appliqués au secteur moderne sont également valables pour le secteur traditionnel. Il en résulte nécessairement une approche fragmentée qui implique l'introduction de certaines technologies « modernes », sans tenir compte des effets sociaux globaux.

Pour s'orienter efficacement, le système de recherche et de développement des pays en voie de développement manque d'un ensemble d'hypothèses englobant une conception entièrement nouvelle du développement. Un tel ensemble donnerait pourtant aux pays sous-développés, et non seulement au secteur moderne, un cadre de références permettant de définir de manière satisfaisante le type et le caractère des technologies nécessaires.

Il est donc clair que les pays sous-développés partent d'une situation présentant une certaine ressemblance avec celle que connurent les pays européens occidentaux au début de la Révolution industrielle, lorsqu'ils mirent en place un nouveau projet social, moins clairement défini mais tout aussi concret que celui qu'affrontent actuellement les pays en voie de développement. Nous pensons qu'ils auraient dû commencer par utiliser des technologies produites par l'ingéniosité et l'habileté des gens du peuple dont le savoir était presque exclusivement fondé sur une connaissance empirique et traditionnelle, mais d'abord l'ensemble de la connaissance scientifique de l'époque offrait ensuite peu de possibilités d'application aux besoins concrets du processus naissant de l'industrialisation, et surtout, l'histoire nous apprend que la technologie est généralement issue d'une technologie antérieure, et il n'y avait alors que la technologie traditionnelle. Plus tard, on voit apparaître certaines technologies entièrement nouvelles fondées sur les découvertes scientifiques, mais il n'en reste pas moins que la technologie se développe surtout à partir de technologies antérieures, même si l'élément scientifique devient de plus en plus important.

Dans les pays sous-développés, il existe une situation similaire, dans le sens où ils doivent mettre en place un processus très peu expérimenté jusqu'alors et se fier, dans une large mesure, à la connaissance empirique de l'environnement physique et social acquise par les sociétés traditionnelles. D'autre part, il faut noter une différence essentielle par rapport à ce qui s'est produit au moment de la Révolution industrielle, c'est l'existence d'un ensemble riche et diversifié de connaissances scientifiques qui, utilisées rationnellement, pourraient fournir les bases technologiques d'une nouvelle approche du développement.

Le problème principal sera de savoir quel type de mécanismes imaginer pour faciliter l'insertion des connaissances et des expériences locales dans la capacité opérationnelle des systèmes R et D. Cette question est très difficile à résoudre car, dans la majorité des cas, il ne s'agit pas simplement d'adapter des technologies traditionnelles et spécifiques, mais d'en extraire les idées originales et de les étudier en se servant des ressources de la science moderne. Plus que dans des technologies spécifiques et concrètes, la contribution locale la plus importante devrait se situer dans une nouvelle façon d'envisager la solution de problèmes anciens, afin de stimuler la recherche vers des directions encore inexplorées.

COMMUNICATION

AMILCAR O. HERRERA

Quand on aborde le problème des pays sous-développés, j'ai parfois l'impression de me trouver dans une réunion où beaucoup de personnes sont rassemblées autour de quelqu'un qui meurt de faim, mais où la conversation tourne presque exclusivement autour des problèmes digestifs des gros mangeurs entourant le mourant. Et j'en conclus finalement qu'ils sont incapables de renoncer à la moitié du sucre qu'ils mettent dans leur café pour sauver cette vie.

Ma deuxième impression est que les pays sous-développés sont considérés dans leur ensemble comme un poids mort pour l'humanité, et que la seule question qui se pose est de savoir s'ils vont survivre ou non. Mais on n'envisage pas qu'ils puissent contribuer à l'avenir du genre humain. Alors j'essaie simplement de voir quelle est la position du Tiers Monde face à cette situation.

Je ne tenterai pas de définir ce qu'est une crise. Je me contenterai d'une courte et brève déclaration : dans toute situation humaine, il y a crise lorsque les personnes, ou certaines personnes concernées considèrent qu'il y a crise. Si nous considérons la littérature que nous lisons tous les jours à ce sujet, nous voyons que la grande crise de notre culture s'est produite au XXe siècle et non au XIXe siècle. Or, le XIXe siècle fut un siècle d'espoirs, de progrès, de croissance généralisée. Mais prenons le monde dans son ensemble. Que s'est-il passé au XIXe siècle? Pour la plus grande partie de l'humanité, ce fut un siècle où le monde a été partagé entre ce que nous appelons pays centraux et pays périphériques. Chez ces derniers, la stabilité politique, la vie même, ont été bouleversées et, en dernier ressort, subordonnées au monde occidental. Ça c'est une crise, une des plus importantes de l'histoire humaine, et pourtant personne ne considère ces événements comme tels car ils ne touchent que le reste du monde.

Alors qu'est-ce qu'une crise? Quelles en sont les implications? Si cela dépend d'une définition, cela dépend aussi de la définition de ce qu'est un état normal. Or un état normal, et en général tout au moins, pour le monde occidental, n'exclut pas le fait que deux milliards de gens, ou à peu près, ne disposent pas du minimum alimentaire. Et pourtant, il n'y a pas crise! En ce qui concerne ce que nous vivons aujourd'hui, pour les pays développés il s'agit d'une crise négative; tout ce que nous lisons à ce sujet l'indique. Il en va de même pour les pays sous-développés, pense-t-on. Je ne suis pas de cet avis : les pays sous-développés sont enfin sortis de l'ère coloniale. Nombre de ces pays suivent un processus de libération, et le fait le plus important est qu'ils sont devenus des protagonistes de l'histoire mondiale. En d'autres termes, cette crise n'est pas essentiellement négative; elle l'est pour une certaine partie du monde, mais pas pour l'autre.

Nous parlons de la crise du développement, mais quels sont les protagonistes de cette crise, c'est-à-dire les participants les plus actifs? Les pays développés pensent évidemment qu'ils en sont les principaux protagonistes. Mais citons quelques faits simples : la Chine suit actuellement un schéma original de développement. Sa population est plus élevée que celle de l'Europe occidentale et des États-Unis réunis. Nous ignorons quel type de société naîtra en Chine, mais il est en tout cas très difficile de dire que la contribution de cette Chine sera moins importante pour l'avenir que celle de l'Europe occidentale.

Même dans l'histoire récente, prenons comme exemple ce qui s'est passé en 1918 ou 1917. Quels étaient alors les protagonistes? Du point de vue des personnalités, je suis sûr que tout le monde aurait mis en tête de liste Clemenceau et aurait fini par Lloyd George peut-être mais que personne n'aurait mentionné Lénine ou Mao. Quelque cinquante ans plus tard, notre jugement sur les protagonistes d'alors est tout à fait différent. Je crois qu'il se passe actuellement la même chose, ou que la même chose pourrait se passer. Autrement dit, le sentiment d'être le protagoniste le plus important qu'ont les pays développés n'est pas forcément justifié. L'un des faits les plus importants de l'histoire contemporaine est l'effondrement partiel des structures mondiales du pouvoir. Je veux parler de la masse immense de la population mondiale, les pays sous-développés qui apparaissent comme un facteur de puissance, non seulement en raison du poids de leur population, ou d'autres éléments, mais également du point de vue intellectuel. Il y a trente ans à peine, dans les pays sous-développés, tout le monde attendait les nouvelles idées en provenance de l'Europe. Ce n'est plus vrai actuellement. C'est une réflexion réconfortante pour les pays en voie de développement de savoir que cette situation a changé et que l'un des profonds traumatismes ressentis par les pays développés provient de ce changement formidable survenu dans le monde. Et on s'aperçoit qu'il en est résulté bien des conséquences. Par exemple, le monde occidental perçoit qu'il existe des limites physiques absolues à la recherche de certains niveaux de vie. Cette notion vient de la prise de conscience de plus de deux milliards de personnes qui ont eu l'incroyable idée qu'elles pourraient elles aussi profiter d'un niveau de vie réservé jusqu'à maintenant aux pays développés. Et cette idée s'est rapidement répandue, sans presque aucune analyse scientifique. Selon les spécialistes, il n'existe pas – tout au moins dans un avenir prévisible – de limites physiques absolues. J'ai consacré une partie de mon rapport à démontrer qu'en dépit des calculs les plus pessimistes, la capacité potentielle du globe de nourrir la population est bien plus élevée que le chiffre le plus élevé de population prévu pour le siècle prochain.

Depuis quelques années, on a décrété que la science et la technologie sont les grandes coupables, les vraies responsables du problème actuel. Il est curieux de noter que nous voici en face d'une science et d'une technologie devenues une espèce de monstre désincarné dont personne n'est responsable et qui est la cause en grande partie du mal qui pèse actuellement sur l'humanité. En somme, il n'y a pas de responsabilité sociale incombant aux pays développés. Dans un cas, il s'agit des limites physiques, dans l'autre d'une sorte de développement scientifique incontrôlé qui ne reflète nullement la société d'abondance et en serait pratiquement indépendant.

Face à cela, quelles solutions nous propose-t-on? En premier lieu, je pense qu'il est impossible d'attendre une solution de l'évolution du génie inconscient de la société, car cette idée appartient aux pays et aux classes qui peuvent attendre parce qu'ils ont tout. Le Tiers Monde, lui, ne peut pas attendre : il lui faut des solutions immédiates.

En second lieu, le Tiers Monde ignore l'aliénation de la consommation, l'aliénation de la suralimentation, mais possède d'immenses traditions culturelles, de nouvelles solutions possibles, encore inexploitées. Il commence seulement à apporter sa contribution au monde. En utilisant une analogie biologique, je dirais qu'il existe dans le Tiers Monde une réserve génétique de solutions possibles, sous forme culturelle, pour l'avenir du genre humain. Le Tiers Monde n'a présentement rien à perdre. C'est le seul monde où la situation historique impose de nouvelles solutions, l'exploration de tous les stades de liberté du système humain, car sa position de victime l'y oblige. Alors il lui faut créer une nouvelle technologie, au sens le plus large, c'est-à-dire en tenant compte de tout ce que l'homme fabrique ou utilise pour augmenter son niveau de vie, contrôler son environnement et conditionner l'essentiel de sa vie. Et, dans ce sens, la technologie est probablement la plus importante manifestation de la culture, car tout dépend des objectifs qu'elle sert. Ainsi, les Chinois connaissaient la poudre à canon bien avant les Occidentaux, et pendant des siècles ils s'en sont servis pour les feux d'artifice des fêtes populaires, mais dès que la poudre a pénétré en Occident, on a inventé le canon!

Un des changements les plus importants de notre époque est survenu après la Révolution industrielle : d'abord la technologie est devenue « scientifique »; ensuite alors qu'autrefois elle était la propriété commune à chaque pays, à chaque personne, elle est devenue créatrice presque uniquement dans les grands pays et, à l'intérieur de ces pays, dans les grands centres de plus en plus élaborés, sélectifs et coûteux. En d'autres termes, c'est la première fois dans l'histoire que la technologie apparaît comme un élément exogène pour une grande partie de l'humanité. Or, si nous croyons qu'elle est un des principaux éléments de la culture, nous constatons que l'adoption par d'autres représente l'un des principaux éléments de la domination du monde occidental sur le monde sous-développé.

Ainsi le problème posé par les pays sous-développés est de savoir s'ils pourront mettre au point un nouvel ensemble de paradigmes susceptibles d'exprimer réellement les aspirations de leurs peuples, les valeurs et les besoins d'une société nouvelle. Si nous admettons la nécessité de développer une nouvelle technologie, j'insiste pour que l'on comprenne bien qu'il ne s'agit pas, comme on le dit souvent, de créer *toute* la technologie, mais qu'il est possible de créer une variété particulière de technologie répondant à une situation particulière. Si nous acceptons cette notion, nous voyons que le monde en voie de développement est dans une situation presque semblable à celle du monde occidental au début de la Révolution industrielle, mais qu'en plus, il dispose d'un avantage qui n'existait pas alors, c'est-à-dire d'immenses connaissances scientifiques pouvant fort bien s'appliquer à la solution de ses problèmes.

VIII

Crise du développement : « praxis » et entéléchie

CANDIDO MENDES

I. INTRODUCTION

En quête d'une heuristique.

Comme point de départ à la réflexion suggérée par ce colloque, il est difficile de ne pas s'interroger sur l'idée même de « crise » telle qu'elle se trouve dans le discours conventionnel de notre époque et sur le rôle-limite qu'elle y joue dans toutes les références à l'évolution sociale. Il n'est pas dans notre projet de tenter une appréhension exhaustive du concept. Il s'agit plutôt d'essayer de saisir dans quelle mesure la « grande société », ou la « société d'abondance », ou encore la « société techno-bureaucratique » trouve par son invocation à la crise, au milieu de l'ébranlement de ses tensions concrètes, de quoi asseoir sa pensée et apaiser ses inquiétudes.

La tentation première — à laquelle nous succombons totalement — est de réagir dans un *feedback* continuel au « que dire » sur le thème qui occupe ce colloque. Chaque fois, il faut revenir sur son énoncé même : « la crise du développement ». Le premier terme, en effet, appelle beaucoup plus qu'un simple exercice du répertoriage exhaustif : il appelle le jeu de renvoi et de retour des significations.

Nous nous abstiendrons de chercher, en abordant l'idée de crise, un quelconque « dévoilement de contenu ». Dans la stratégie d'approche adoptée, nous tentons de situer la crise dans le cadre de la grande métonymie travaillant au cœur de l'actuel processus historique — ce qui interdit toute tentative conceptuelle trop précise. Nous espérons pouvoir avancer notre entendement en essayant de saisir comment la crise agit par sa « non-élucidation », son impulsion puis son *awareness*.

Cette réflexion ne suivra pas le chemin conventionnel de la rigueur scientifique. Ce que nous cherchons – par une stratégie de violentement des blocages –, c'est à dégager la valeur exceptionnelle impliquée dans l'intentionnalité du concept de crise pour échapper à l'organisation, ou plutôt à la super-organisation où nous nous enfermons.

L'impossible vision prospective de la crise.

Dans la présente démarche, nous ne retiendrons pas les dimensions explicatives ou classificatoires du concept de crise. Nous nous attacherons surtout à la « prise de conscience » qui accompagne sa pulsion. Nous voulons traiter la crise comme un « concept-seuil » parce que nous sommes sensible au risque épistémologique que représenterait sa capture par le jeu linéaire et par les schémas pratiquement inévitables qui viennent consacrer l'hégémonie de « l'homéostase » avec son jeu précis de symptômes, d'explications et de symétries. Nous ne connaissons rien d'autre que la vision organisée de la crise; nous n'avons pas accès à l' « autre face cachée de la lune ». Le concept de crise qui habite notre civilisation, notre « dire » et notre anxiété n'échappe pas à l'autorité pérenne des entéléchies, à la vision harmonieuse du réel si profondément enracinée dans nos cœurs. L'horreur du vide, propre à notre entendement, se manifeste ici par l'incapacité à reconnaître, dans une séquence donnée, l'anomie comme véritable objet d'étude, et donc de situer la crise à cette limite.

Plus qu'une antichambre, l'idée de crise a joué le rôle d'un maillon assurant la continuité du discours historique comme un saut entre les « ordres » successifs de configuration du réel. C'est dans cette mesure que le concept de crise est toujours revenu en arrière de son propre sens, obéissant aux homéostases (où le devenir suit les régulations préétablies et contribue à la stabilité du modèle), aux dépens des homéorhèses (où le devenir transforme ses propres règles), occultant ainsi le jeu ouvert et prospectif des alternatives qui se présentent lorsqu'une séquence historique arrive à une impasse.

L'horreur du vide, l'horreur de l'anomie : la veillée perpétuelle des entéléchies.

Notre vision du monde ne veut imaginer qu'un développement harmonieux du réel s'apparente aux entéléchies. Elle fait échouer toute quête d'alternatives capables de résoudre les impasses de l'évolution sociale du monde occidental. Diligentes, les entéléchies provoquent des « courts-circuits » qui laissent toujours les crises en deçà de leur *praxis*. C'est dans ce sens que, appauvrie, privée de densité historique réelle, la crise dans la vision enveloppante des entéléchies se présente toujours comme une non-entité, comme une instance épisodique entre les configurations qui se refont sans cesse et dont les matrices s'inspirent des ordres sociaux.

Par là se manifeste notre radicale incapacité à *penser la crise* comme un réel objet de recherche par-delà ou en marge de sa seule valeur de trait d'union, selon un modèle inévitable de dévoilement ou de succession d'ordres sociaux dictés par l'impérialisme du *logos* et de son discours spécifique.

Entéléchie et dialectique du changement.

Dans la compréhension immédiate et spontanée de la crise, deux connotations fondamentales se conjuguent :

a) la reconnaissance d'une solution de continuité dans « l'état général » d'un système de complexité donnée;

b) l'absence de toute appréciation de l'altération en tant que telle, subie par cet état général.

En un mot, le métabolisme même de cette mutation *pari passu* ne fait pas l'objet d'analyse. En vertu de l'instinctive horreur du vide que manifeste le *logos,* la discontinuité du système est compensée par le postulat immédiat d'un ordre alternatif. Cela équivaut à bloquer la dialectique réelle des processus sociaux en abusant du terme moyen de la disruption dans le syllogisme du devenir. Cette notion, entendue comme un « non moment » thématique, sert à escamoter la tension réelle des processus à l'œuvre. Elle s'y substitue dans l'explication de la dynamique exhaustive du réel concret comme un simple « entracte » entre les épreuves successives où la configuration des forces économiques et sociales s'ajuste aux mutations. Cela se produit à chaque fois que le devenir social est formulé en termes de disruption et/ou d'altérations substantielles d'un ordre donné. Les entéléchies dissimulent la dialectique véritable en niant la disruption comme moment du réel concret. Grâce à un tel artifice qui annule la possibilité de tout moment anomique, le processus social, pris en main et régi par son discours, peut rester soumis à une matrice réductrice et à une représentation *a priori* et préalable de la totalité à laquelle les diverses périodes ou étapes historiques n'ont qu'un rapport de mise en perspective.

La citoyenneté dialectique de la disruption.

Toutes ces considérations préliminaires visent à saisir la capacité opérationnelle du concept de crise à introduire la notion de changement social dans un système ouvert.

Les difficultés du projet apparaissent d'emblée. Il y a en effet comme un *no man's land* de concepts et de catégories quand on tente d'incorporer le social et sa galaxie pauvre dans l'ample horizon des écosystèmes. La problématique dans ce domaine vit encore d'une espèce de cannibalisme analogique avec les sciences de la nature. La représentation harmonieuse du changement social par exemple s'inspire d'images issues de l'arsenal de la mécanique et plus récemment de la thermo-dynamique et de la biologie. (Stitchcombe : « Indications for the use of functional imagery », in *Constructing Social Theories,* Harcourt Brace, 1968.) Comme matière première de l'imagerie associée à l'idée conventionnelle de crise, persistent toujours les références à une accumulation de pression et son inévitable ascension vers un point de rupture.

Point limite de cette dysfonction, l'idée de disruption dissimule le cours réel des tensions, du passé au futur, sous la forme du « non temps », simple passage entre les deux ordres successifs de configuration de la réalité sociale. Implicitement, l'homéostase prend le pas sur toute vision prospective, envahit la brèche et évacue toute possibilité d'un devenir qui s'écarterait de la stricte glose de son *hic et nunc* (Michel de Certeau : « L'opération historique », p. 33 et sq., in *Faire l'histoire,* 1974). On assiste – et ceci pour ne rester qu'au premier degré des analogies avec le monde physique – à la fermeture de toute vision de notre « devenir », étouffée par l'hyper-organisation des entéléchies du changement et la vision systémique continue de s'étioler dans la prison de l'actuelle conception « domestique » de la crise.

Les symptômes abondent qui montrent combien le présent usage de la notion de disruption n'est que la *nemesis* ou la « réplique » de cette entéléchie fondamentale. Il ne s'agit pas seulement de revendiquer l'établissement de règles pour apprécier la crise en tant que telle dans le processus de changement. Il convient d'aller plus loin en examinant jusqu'à quel point de profondeur notre lecture fermée de la réalité refaçonne les faits à son image de ressemblance : stabilité ou rupture, blocage ou fonctionnalité. Tous les éléments et facteurs d'une conjoncture donnée supposent comme prémisse indiscutable une compatibilité fondamentale entre les structures sociales et leurs composantes. La disruption est naturellement exclue du processus.

L'escamotage de la crise dans les entéléchies.

Dans cette présente note, nous considérons que le développement constitue un scénario optimal pour l'exercice d'une *praxis* conceptuelle, en particulier avec l'écroulement du développement dit spontané qui était apparu vers les années 50 dans les nations périphériques les plus avancées du système international. Il n'est pas question ici de dresser le catalogue des divers aspects de ce phénomène. On citera, à titre d'exemple, et dans la terminologie utilisée par la rhétorique traditionnelle pour évaluer les performances des nations afro-asiatiques ou latino-américaines, l'espoir déçu d'un accroissement accéléré du développement; l'arrêt de la croissance de l'aide extérieure; l'aggravation du fossé entre l'expansion des *have* et celle des *have not;* le déphasage, enfin, dans les rares cas de bonne marche du développement, entre l'expansion économique et le blocage ou la régression de l'évolution des autres sous-systèmes de la vie collective, marquée par l'accroissement de la marginalisation sociale ou le recul de toute participation politique.

Dans les années 70 et en opposition à l'épure ascendante qui structurait les espoirs de la moitié du siècle, l'évolution des rares systèmes jouissant d'une faible stabilité naissante se fait en ligne brisée ou même de façon aléatoire, démentant les pronostics ou prévisions qui donnaient au progressisme et à son *credo* de modernisation son meilleur élan missionnaire. On tentera ici une lecture de ce que, à première vue, la présence insistante des entéléchies se hâtait d'expliquer et de corriger dans le but d'empêcher toute saisie réelle de la *praxis* du changement social et l'éventuelle formulation du devenir en termes de politiques ouvertes.

Les entéléchies devront ainsi négocier leurs derniers alibis. Une fois passée une phase de « purgation cathartique », le devenir devra thématiser l'anomique; violenter la vieille horreur du vide; s'échiner sur des situations et des contextes jusque-là invisibles ou insaisissables aux tentacules du fonctionnalisme.

II. LES ENTÉLÉCHIES

L'empire souverain des homéostases.

Le paradigme des années 50 restera comme exemple canonique de l'empire des entéléchies sur la dialectique du changement. Selon ce paradigme, le développement devait se faire de façon simultanée dans tous les sous-systèmes sociaux grâce à une politique délibérée d'intervention contre l'inertie générale de la structure coloniale des relations dans le Tiers Monde. Ce « canon » pourrait trouver sa consécration dans le titre IX des *International Assistance Acts* votés par le Congrès américain en 1967. Suivant ses propres termes, n'auraient droit au soutien et à l'aide extérieure des États-Unis que les pays adoptant un modèle de développement où l'amélioration du revenu par tête s'accompagnerait d'un accroissement donné de la mobilité sociale, de l'élimination progressive des secteurs de population marginalisée ainsi que d'un progrès de l'institutionnalisation politique démocratique.

Le premier alibi diachronique.

La succession de régressions ou de développements hémiplégiques qui s'est manifestée dans le Tiers Monde pendant la décennie de « l'Alliance pour le progrès » a marqué l'échec du principe politique de la modernisation généralisée à tout le système social. La vision entéléchique toutefois se contenta de conclure à la faillite de l'hypothèse de simultanéité mais non à celle de sa prémisse de base. Celle-ci pouvait rester sauve grâce à l'introduction d'un alibi diachronique permettant la survie du modèle homéostatique de changement. D'où la signification et l'importance, dans le sillon de l'histoire des idéologies, du schéma d'Almond et Pye pour l'explication de la crise du développement (cf. Stein Rokkan : « Methods and Models in the comparative history of nation building », in *Citizens, Elections, Parties,* Universitätsforlaget, Oslo, 1970). Selon ce schéma, il existerait une succession ordonnée, obligatoire, de ces stades ou de ces crises de développement que sont respectivement la pénétration, l'intégration, l'identité, la légitimité et la distribution. La simultanéité des transformations des sous-systèmes se trouve ainsi remplacée par un agencement en séquence nécessaire aboutissant au même résultat final qu'est le développement du système global. La série historique ne fait que se dédoubler comme le prédicat nécessaire de ses prémisses. Simplement réfléchi, le schéma d'ensemble garde sa configuration élémentaire homéostatique. Les différentes séries d'événements se renvoient dans le temps comme autant de pièces prédéterminées de la totalité qui leur donne sa marque jusqu'à l'assemblage du puzzle final.

Autant dire que cette pseudo-vision diachronique est prisonnière de la totalité préfigurée. Le fil qui permet toujours de garder le tout implicite réside dans le passage réglé d'une homéostase à l'autre.

L'expérience des années 70 a multiplié les exemples d'inversion de cet ordre théorique. Le démenti d'une succession conforme à cet ordre rigide est particulièrement clair dans le cas des relances technocratiques du développement qui sont apparues ces dix dernières années et dont le modèle brésilien constitue un cas exemplaire.

On notera surtout les formes de régression, effets *boomerang* sur le processus de développement, qui ont accompagné cette perte de l'élan initial – effets régressifs d'autant plus marqués dans les systèmes qui n'avaient pas atteint une certaine « vitesse d'arrachement » ou un relatif palier d'auto-suffisance.

Rupture dans la chaîne génétique de l'homéostase.

La performance brésilienne d'après 1964 constitue une irrégularité dans la succession des crises « almondiennes » et rompt ainsi avec la chaîne génétique des homéostases qui veillait à la progression rigoureuse de ces moments dans son retable minutieusement ordonné. De fait, dans le cadre de la politique de changement retenue alors, il apparut qu'à la phase d'intégration peut se superposer celle de l'identité, en vertu de certains modes de promotion du consensus national et de gratification symbolique. De la même manière, la question de l'identité ne cède plus obligatoirement la place à celle de la participation. Les pratiques de mobilisation ont la chance historique de pouvoir parer et dévier le cours des exigences propres du modèle politique conventionnel fondé sur la volonté générale et sur la représentation. Elles peuvent, entre autres, faire reculer la demande de participation. Non seulement l'ordre des crises s'embrouille mais l'on observe également, en raison de l'apparition de nouveaux échanges entre sous-systèmes un nouvel infléchissement de complexité et la modification du jeu entre les offres du système et les expectatives qui l'entourent. En bref, le système économique réalise ce qui est demandé au système politique. Le modèle se désarticule totalement. L'entéléchie ne régit plus la génétique des homéostases et il y a, dès lors, ouverture sur des possibilités inédites et une politique qui peut se définir à partir d'une *praxis* réelle.

Ainsi le bouleversement de la série « almondienne » mis en évidence par le modèle brésilien de développement n'amène pas seulement à un réaménagement du modèle de séquence des crises, comme par exemple l'absorption de la fonction de légitimité par celle de l'identité. Ce bouleversement entraîne également une mutation de nature lorsque, par exemple, l'exigence de participation se trouve transformée par les politiques d'allocation venues remplacer les mécanismes de négociation ou d'arbitrage qui deviennent les substituts ou succédanés des modes prévus par le modèle Almond/Pye. Le processus s'écarte chaque fois plus du modèle dicté par l'entéléchie d'origine. Inévitablement, sous l'impulsion des irrégularités, des *trade off*, par l'effet même des régressions ou des contre-marches qui ont défait l'ultime prétention de l'homéostase à régir le devenir, on débouche sur une véritable *praxis*.

Dans la même perspective, on a pu constater l'introduction d'éco-systèmes ouverts dans le processus de développement (Kenneth Berrien : *General and Social Systems,* Rutgers, 1968). Mais l'entéléchie ne peut supporter que le réel soit affranchi de la discipline et des canons du *logos.* La vision harmonieuse ou « progressiste » de la réalité ne reconnaît qu'un devenir balisé par le *logos* et où la césure des crises garantit le continu de la stabilité. Du point de vue du *logos,* une inertie qui s'auto-organise serait la prééminence inadmissible du réel sur la logique qui le condamne. Il y a pourtant une dynamique propre des *steady states* sociaux portés par une complexité qui s'auto-alimente même de ses rejets, n'avance pas seulement au moment de paroxysme des contradictions et possède la capacité d'évoluer vers de nouveaux systèmes ouverts de causalité. L'ancienne vision entéléchique résiste à la multidimensionnalité du réel qu'elle a essayé en vain d'emprisonner : elle déguise son inertie dans un effort pour tolérer jusqu'à ses limites extrêmes, puis finalement détruire toute situation contraire à son « canon ».

De l'alibi diachronique à l'eschatologique.

Le dernier alibi des entéléchies réside en dernier lieu dans l'idée d'une suspension continue des ruptures et d'un sursis à l'infini de la chute finale. Il s'agit là de la dernière vision fermée du processus d'évolution, sourde à la nécessité de le relier à l'éco-système ouvert. C'est dans le « dernier carré » d'une telle conception que se rencontrent peut-être les explications les plus subtiles pour échapper à toute idée créatrice d'une « auto-organisation » de l'inertie. Cette ultime tentative a permis, entre autres, d'aboutir au degré maximal d'enrichissement que peut atteindre une vision fermée du devenir social, en incorporant pour la première fois dans son système d'interaction les *feedback* existant entre l'évolution linéaire des faits ou des complexes objectifs et celui du monde de leurs représentations ou de leur réflexion.

Dans cette perspective, il serait possible de mettre en regard la signification de l' « effet de démonstration » de Deusenberry pour le modèle de développement spontané, et celle du *tunnel effect* d'Albert Hirschmann dans la formulation d'un nouveau type de développement sectoriel, inégal et partiellement régressif, caractéristique de la dernière décade.

(Albert Hirschmann : « The changing tolerance for income inequality in the course of Economic development », *The Quarterly Journal of Economics,* nov. 1973.)

Le « tunnel effect » et ses intercessions.

L'analyse d'Hirschmann a vu le jour dans un monde où déjà l'on ne pouvait plus croire que la croissance effacerait le fossé des inégalités. Dans le nouvel univers des asymétries, la tolérance à l'injustice va fournir le nouveau ressort qui permettra l'adaptation ou la survie du vieux paradigme grâce au tour de prestidigitation du *tunnel effect.* Pour expliquer que la régression du développement n'a pas entraîné le système à sa ruine, Hirschmann fait l'hypothèse d'une disruption du changement et introduit la dimension subjective. Il suggère que l'on peut tolérer l'injustice tant que l'on croit que le changement continue de progresser, même si on ne le voit pas soi-même. Comme dans un tunnel, où l'on peut avancer sans rien voir mais avec la conviction que d'autres déjà en voient le bout.

Avec la plus grande *maestria,* le *tunnel effect* peut ainsi rendre compte de la tolérance à l'existence de contradictions dans un système social. Mais il s'agit toujours d'une tolérance avec, à terme, l'échéance du *bang.* Menée jusqu'à ses dernières implications, la théorie du *tunnel effect* s'apparente encore à une vision quasi « chiliastique » de la disruption. La réussite de la suspension de la crise – en dépit de son issue – n'aboutit qu'à rendre chaque fois plus étroite la marge de négociation pour maintenir un *statu quo* ressenti comme « afonctionnel » ou « injuste ».

Hirschmann fait une critique pertinente des eschatologies faciles, issues d'une vision entéléchique de la crise. Ainsi l' « hypothèse de la courbe » qui était censée permettre de prévoir l'imminence de la disruption, ou son éventuel retard, à partir d'une variation minime des altérations d'un rythme ascensionnel donné de l'expansion. La vigueur du système aurait dépendu, dans ces situations, de compromis infinitésimaux entre sa performance et la marge de tolérance des expectatives sociales. Dans l'hypothèse du *tunnel effect* cependant, se retrouve encore la croyance, aussi sophistiquée que profonde, qu'une fois passée l'opportunité des trêves, le devenir doit se dénouer selon les règles d'une adaptabilité fondamentale entre structures et processus sociaux. L'histoire, au bout de chemin, finit toujours par se faire l'écho de la cohérence essentielle du système tel qu'il est anticipé par le discours.

Le *tunnel effect* n'est en réalité qu'un « effet de démonstration » différé. L'algèbre au bout du compte y reste la même. Les strates et groupes sociaux portés par un même processus de changement ne cessent pas d'aspirer à la répartition des mêmes bénéfices mais ils sont capables de différer leur attente tant que d'autres groupes à leur côté paraissent se déplacer encore le long du « tunnel » ou du processus d'amélioration sociale. L'effort pour maintenir en suspens le sentiment d'inégalité repose sur l'agencement d'une série de médiations capables de sauvegarder la croyance qu'en bout de chaîne tous les bénéfices et avantages promis seront fidèlement distribués. Toute cette stratégie d'infléchissement des expectatives repose sur l'impermutabilité rigide de ces chaînes de transferts entre groupes également rétribués ou en voie de l'être.

La conception « hirschmanienne » constitue sans doute une première ouverture sur l'auto-organisation du système. Mais elle s'en remet pour son dénouement à l'action d'une politique, si ce n'est une prestidigitation, de symboles ou de gratifications, toujours dans le cadre de la vision entéléchique du développement. Elle ne va pas au-delà d'une tentative d'ajournement ou de temporisation. En cas de réussite, le *tunnel effect* doit permettre de déboucher sur la conjonction d'une situation encore marquée par la pauvreté généralisée et d'une attitude également générale de foi en une modification future de celle-ci. On atteindrait là au paroxysme de la péréquation des expectatives positives suspendant toute « prise de conscience » face à des situations d'inégalités ou d'injustice, par le biais d'un mécanisme de transferts de « crédits de confiance » systématique et généralisé à tous les segments de l'ensemble social. Le *tunnel effect,* de fait, obéit toujours à des règles du jeu étroites et extrêmement fragiles : tout dépend de ce pont suspendu qu'est le transfert de confiance, objet d'infinie vigilance, entrelacs délicat qui à chaque instant menace de se rompre. Il ne s'agit jamais que d'un « rafistolage » provisoire, allant à contre-courant d'un dénouement inéluctable.

Dans ces stratégies dilatoires revient sans cesse la référence à l'épuisement de l'échéance, à l'inévitabilité d'une « prise de conscience » finale ou d'un auto-dévoilement des situations objectivement injustes. Les prodiges ou la sagacité dilatoire du pouvoir à différer ce moment « révélateur » ne peuvent à terme éviter ni la cristallisation finale d'une réalité taillée à partir de telles contradictions ni sa réflexion dans le miroir de la « conscience sociale ».

La dernière trêve avec le « logos ».

Hirschmann n'a pas exclu l'éventualité d'effets positifs pour la consolidation du système, par le biais par exemple de la négociation de la trêve, *in bonam partem* et par les corrections apportées aux situations d'inégalités pendant le transit dans le tunnel. Mais en cas d'échec, son schéma reste toujours tributaire d'une semi-dialectique dans laquelle, aux méandres difficiles du processus de changement et à sa suspension indéfinie des situations de conflit et de tensions, finit par se substituer la loi impérieuse du *logos* et son emprise inévitable sur la conscience sociale.

Les transactions favorisées par le *tunnel effect* n'empêchent pas les groupes sociaux de se représenter leur situation objective comme un *zero sum game* et par là laissent entière l'éventualité d'une disruption, par une rupture violente avec le *statu quo* du système (Hirschmann, 1973, *op. cit.*, p. 559). La conduite adéquate des « contiguïtés empathiques », la manipulation comptable des ressentiments divers, n'empêchent pas d'agir en circuit fermé et dans le cadre d'une tolérance limitée. Dans ce schéma, l'action dilatoire du *tunnel effect* d'une part, et d'autre part la violence de la rupture née de l'impatience et des frustrations croissantes se cumulent en sens inverse. Dans le jeu entre les situations objectives et leurs représentations encore passives, le prix des temporisations est chaque fois plus celui de l'instabilité, et la crise devient prête à exploser à la moindre « difficulté de perception ». La trêve n'aboutit qu'à une « décompression » incontrôlable de l'attente accumulée en vase clos. Dans le même temps, les effets différés ne s'annulent pas et ne changent pas d'intensité potentielle. La matrice compensatoire de tout le mécanisme peut étendre indéfiniment ses *trade off* intermédiaires, mais sa comptabilité reste la même.

La conception « hirschmanienne » constitue sans doute la macro-analyse du changement social la plus vigilante jamais avancée par un économiste dans le cadre empirique élargi de l'interdisciplinarité. La richesse de l'analyse n'élimine pas, pourtant, une fidélité fondamentale au modèle entéléchique. Fondamentalement, le dénouement – le dénouement obligatoire – se mesure toujours au degré d'adaptation entre les bases objectives des situations d'injustice et leur reconnaissance par les protagonistes sociaux. Le *tunnel effect* élargit et démultiplie les processus mais il maintient encore une eschatologie fermée pour le devenir social. On ne peut négliger cependant l'apparition de la valeur « liminaire » que peut avoir le jeu de *feedback* entre la situation objective et sa représentation, pour l'élaboration d'un modèle de causation ouvert de l'évolution sociale contemporaine. Le pas en avant réalisé par l'analyse d'Hirschmann est d'avoir allongé le *feedback* en postulant l'existence d'un véritable niveau d'auto-organisation de l'univers des représentations de la réalité. Il est d'avoir rompu, par là même, avec le principe de causation fermée par l'introduction d'un *input* autonome.

Mais il ne suffit pas de souligner que la mise en valeur de l'univers des représentations peut donner corps à une politique donnée et permettre de passer d'un simple élan socio-historique à l'action sur le métabolisme des *steady states*. La stratégie du *tunnel effect* bute sur un *non sequitur,* sauf si la manipulation des gratifications symboliques parvient à réduire l'écart avec la réalité. La différence entre une telle perspective et une conception vraiment ouverte réside dans la capacité à traiter le « bruit » (Edgar Morin : « Le retour de l'événement », *Communications,* n° 18, 1972), c'est-à-dire les interférences causées dans le système par l'*interplay* des gratifications et des différements permis par le *tunnel effect;* en un mot, dans la capacité à éviter que le dénouement ne soit encore, à la onzième heure, celui de la reddition du devenir à une séquence fermée.

III. LES ÉPOCHÈS

Des entéléchies aux épochès.

Notre intention ici est de revenir à une méthodologie de prudence pour aborder la crise contemporaine. Nous retiendrons pour cela une stratégie basée sur une vision parenthétique (Guereiro Ramos : *A Reduçao Sociologica,* 1972), une stratégie qui contrarie le discours entéléchique, arrête son cheminement inévitable vers la rupture, en un mot suspend la crise par une pratique d'*épochè.* Par cette mise entre parenthèses, comme dans l'interstice de son silence, on peut espérer voir surgir de l'inertie du système les signes d'un principe réel d'auto-organisation. Ce qui restait dans les mailles du discours peut peut-être révéler une *praxis* nouvelle sur laquelle fonder une stratégie viable de changement. Encore une fois, pour arriver à ce point, il faut éliminer les visions logomorphiques qui disjoignent crise et développement. C'est l'exclu qui doit être considéré. *Tertius datur.*

Nous avons besoin, pour scruter l'avenir, de soutenir un principe d'auto-organisation de l'inertie, rebelle au discours et susceptible d'imprimer au processus du devenir une architecture différente de la forme conventionnelle du concept de changement. Dans ce travail, nous nous proposons d'examiner les exemples récents de pays périphériques qui se consolident et se façonnent de manière aberrante par rapport au modèle fonctionnaliste du progrès, et surtout par rapport aux disruptions qui étaient censées sanctionner tous les écarts aux paradigmes des années 50.

Steady states, crises et dialectiques continues.

La vision de la crise comme *épochè* prétend conduire à une compréhension ouverte des *steady states,* c'est-à-dire des états sociaux et de leur auto-régulation spontanée. Le *steady state* permet de faire de la crise un réel concept « liminaire », un seuil, une caution du devenir. Dans cette perspective, l'évolution sociale n'est pas interrompue par un « entracte » anomique, mais passe seulement d'une complexité donnée à une complexité accrue (Edgar Morin : *La complexité* et *L'Auto-organisation,* 1974). Cette approche s'oppose à celle des crises comme instance décisive. Elle restaure l'existence thématique et continue du cours historique jamais *in fieri* mais toujours hyper-exposé : l'anomie n'est que la mauvaise lecture d'une causalité qui est en réalité hyper-saturante et par là même « ouverte ».

Cette conception ouverte de la crise signifie une sensibilité accrue à la débauche de méandres et d'entrelacs capricieux où la complexité se fait hyper-complexité. Le processus historique ainsi entendu comme une véritable invasion causale, on pourra comprendre qu'il s'agit là du « méta-résultat » de rétroactions et régulations spontanées propres aux *steady states* et super-produits de toute politique attentive à leur spécificité. Ce que l'on cherche ici à opposer aux règles du discours historique séquentiel – qui imprime à la réalité factuelle le filigrane du *logos* – est le jeu des relations entre le développement et la crise à partir d'une *praxis* de l'inertie sociale.

En quête d'une praxis de l'inertie sociale.

Dans cette optique, il s'agit de trouver des stratégies, des mécanismes, des procédés issus d'une *praxis* de la vitalité du *statu quo* et, bien sûr, tous à contre-courant des recettes élaborées par les politiques « fonctionnalistes » pour façonner l'avenir. En acceptant de prendre au sérieux les homéostases, ils peuvent les transcender et permettre à la crise du développement de ne plus appartenir à la dynamique des « inerties fermées », mais au tissu complexe des *steady states* (Anthony Wilden : « Beyond the entropy principle », in *System and Structure, Essays in Communication and Exchange,* Tavistock, 1972).

C'est ce qu'a entrevu par exemple, avec une très grande intuition phénoménologique, Jaguaribe (*Brasil : Crise e Alternativa,* 1974) quand il évoque le recours à l'un de ces mécanismes hétérodoxes. Il cite, en l'occurrence, le jeu de compensations et de transactions entre les demandes et les attentes du populisme brésilien dans une espèce de régime « d'ambiguïté institutionnalisée », où la stabilisation est assurée par le biais – ou peut-être à cause – d'un système de comptabilité d'exigences et de satisfactions « qui ne ferme pas ».

On assiste à l'inversion des mécanismes de renvoi entre les conditions objectives de changement et la formulation des politiques qui conduisent à un processus cumulatif indiscutable. En se cristallisant en régimes, ces pratiques ouvrent peut-être une voie nouvelle pour le devenir des processus de changement au sein desquels elles opèrent.

Dans le tableau politique actuel de l'Amérique latine, on trouve par exemple quelques cas de régimes *marooned* sur le plan social et qui semblent avoir échappé à la dislocation du développement ou de la disruption. Paraissent y fonctionner déjà, et avec ampleur, les mécanismes plus profonds d'organisation qui vont dans le sens d'une causalité multiple et échappent aux schémas linéaires d'une politique conventionnelle de développement. La dynamique de l'auto-organisation que l'inertie écrit au verso des entéléchies semble y présider. Une contre-histoire faite des situations jugées stériles, gangrenées ou intolérables au *logos* prend maintenant son envol sous l'effet fécond du dépassement de l'optique initiale, encore imprimée sur la rétine des responsables officiels. Échappant à la prédiction de la crise, ces pays répondent par l'émergence élargie d'un *steady state* qui prend la pleine possession de son dynamisme réel et appelle à la mise en place d'un nouveau régime.

Ces mécanismes ont en commun d'être issus d'une quête inconsciente d'institutions capables d'assurer un *statu quo,* quête reposant sur une stratégie qui donne un ample cours au système de « causations » réciproques, mobilise toute la gamme des *feedback* sociaux et met au service de ses fins le jeu des mutations des conditions objectives et des représentations, acquérant ainsi l' « empirie » d'une véritable cybernétique sociale. Par là s'inaugure l'appel à la « réciprocité des perspectives », contrepoint aux représentations univoques que l'on se fait du changement et moyen plus probable pour que s'ouvre le chemin d'un jeu plus fécond de complexité sociale (Ervin Goffmann : *La mise en scène de la vie quotidienne,* Paris, Éditions de Minuit, 1973).

« Feedback » sociaux et réciprocité des perspectives.

La pratique des rétroactions de l'univers des représentations par une politique d'intervention sur les états de conscience et les gratifications collectives – retraduction des anciennes formes spontanées de manipulation de ces *feedback* – se distingue des *trade off* sociaux par plusieurs aspects. Elle peut par exemple orchestrer l'accès diachronique et successif des groupes et classes au bénéfice du développement en un jeu de sommes algébriques successives, permettant le transit permanent des attentes et annulant au bout du compte son résultat final. La manipulation des attentes issues de ces groupes et classes peut s'effectuer par l'offre de gratifications symboliques et par l'établissement des conditions immédiates de mobilisation avant toute formulation particulariste des intérêts grâce à la mise en scène de la conquête d'un projet national. A considérer de façon ouverte ce jeu cybernétique où l'univers des représentations joue son rôle avec relief, on ne peut pas exclure l'éventualité extrême, délirante même, de proposer de nouveaux *épos* sociaux aux collectivités en développement. Dans ce cas limite, la vision du futur peut, entre autres, institutionnaliser une « représentation équivoque » du présent en suspendant le travail de ses contradictions et de ses déchirures. Le *steady state* pourra bénéficier de ce « jeu de miroir » sur le réel qui permet d'escamoter la cristallisation fatale de la prise de conscience hirschmanienne des injustices en lui opposant, avec la richesse des signes « cryptiques » offerts par la gratification symbolique, la patience et l'endurance d'une « société d'initiés ».

Les pratiques d' « épochè ».

La réciprocité des perspectives entre acteurs sociaux et entre niveaux de la réalité permet de déboucher sur une vision ouverte qui desserre l'emprise du *logos* sur le développement. En Amérique latine, il est possible de détecter, au cours de ce dernier quart de siècle, quelques cas de réponses hétérodoxes qui échappent à la *némésis*.

C'est à travers ces exemples que l'on se propose d'aider à la compréhension de la *praxis* du changement en donnant un statut thématique aux moments et aux étapes historiques tenus jusque-là pour aberrants. On ne prétend pas enfermer dans un système d'exclusions disjonctives ces situations qui vont gagner leur citoyenneté thématique malgré leur divergence avec le modèle fonctionnel. Le « non-dénouement » distinctif de ces cas n'a pas pour contrepartie la durabilité indéfinie des régimes concernés. Il implique, en revanche, l'exigence méthodologique de maintenir une attente ouverte, indéfiniment remodelable, à l'inertie des contextes présents.

Tertius datur, toujours dans la séquence historique, cela se fait avec tous les facteurs et toutes les conditions réunis en permanence, et le devenir découle du présent sans passer par un quelconque purgatoire de la disruption. Si elles s'accompagnent souvent de résultats limités, les stratégies de « vitalisation » de l'inertie peuvent aussi déboucher sur des dénouements bienvenus, avec l'apparition de potentiels inattendus d'organisation qui s'intègrent au fil de son histoire. Celle-ci se déroule dans des contextes élargis et sur la toile de fond de cycles ouverts. Les protagonismes et les causations qui président à l' « avenir » d'un *steady state* ne suivent pas un scénario prévu à l'avance. Les mécanismes en jeu dans ces conditions ne sont pas des expédients de la onzième heure pour sauver des situations condamnées ou sur le point d'être emportées par le *logos* de la crise. Ce sont, au contraire, des nœuds de constellations où se devine le vrai devenir du développement.

IV. EN QUÊTE D'UNE DYNAMIQUE DES « STEADY STATES ». « TERTIUS DATUR » : LE POPULISME

L'imbrication des déséquilibres.

Le premier exemple de ces cas aberrants offerts par l'Amérique latine peut être celui du populisme. Il s'agit là de situations où, tout particulièrement pendant les présidences de Vargas (1930-1945 et 1951-1954) et de Kubitscheck (1956-1960), on a pu assister à une première expérience conjointe, à la fois de conduite des mutations structurelles et de contention de leurs effets, *pari passu,* dans la recherche continuelle d'un rétablissement de « l'équilibre général » du système.

L'essentiel du populisme réside dans un schéma continu de sommes algébriques entre les gains et les pertes des différentes attentes sociales, grâce à l'utilisation d'un système diachronique d'allocations pour en neutraliser les bénéficiaires. Dans cette stratégie s'introduit une véritable approche politique du cadre de changement, et l'on peut y apercevoir, dans toute son envergure, l'amplitude du jeu de la cybernétique sociale corrective, réalisée par la généralisation effective du changement des statuts d'accès des groupes et classes sociales au partage des bénéfices nationaux.

Le mouvement initial du processus part des conditions préalables de prolétarisation de la majorité de la population et se traduit par la rupture des allocations (ou part du revenu national distribué à chaque groupe) qui étaient rigidement définies par le système antérieur. La loi du salaire minimum de 1941 cependant, qui constitue l'impulsion première et fondamentale d'une pratique de redistribution, comporta immédiatement son *offset*, c'est-à-dire sa compensation et son contraire. Les mesures adoptées pour protéger le capital et le patronat firent en effet s'inverser le flux et l'on s'abstint progressivement de tenir la comptabilité de l'accroissement du produit national et de sa redistribution égalitaire. C'est ainsi que s'instaura un modèle où la répartition des bénéfices du développement devait se faire au bout du compte dans un *zero sum game* sans perdants.

L'institutionnalisation de l'ambiguïté.

L'histoire du populisme est marquée par une accélération des transferts entre groupes sociaux, mais elle se situe progressivement en deçà d'une réelle amélioration de la vieille structure sociale. Le populisme s'est appuyé de plus en plus sur le décalage entre deux trajectoires, à savoir d'une part celle du jeu des attributions fictives de bénéfices – les pertes causées par les augmentations de salaires constantes se trouvant annulées par des mesures compensatoires en faveur du capital – et d'autre part celle du cycle réel des nouveaux « rôles » productifs amorcé par le développement. C'est dans ces termes que le populisme a pu compenser les dommages causés au patronat par l'instauration du salaire minimum, grâce à la préservation complaisante du parc industriel obsolescent ou le maintien d'une taxation symbolique du capital.

La particularité de la stratégie du populisme a consisté ainsi à offrir aux groupes et classes impliqués dans l'évolution une redistribution des statuts qui se succédaient sans s'affronter. C'est ce que Jaguaribe *(op. cit.)* a pu décrire comme l'institutionnalisation d'un « régime d'ambiguïté ». Le ressort de cette ambiguïté résidait dans la capacité politique du système à éliminer toute représentation conflictuelle entre les postulants aux bénéfices finaux du changement par une redistribution en séquence plutôt que concurrente.

Les charismes schizoïdes.

Une telle pratique de suspension des conflits reposait en partie sur un jeu de personnalités doubles. Ce que la bourgeoisie perdait comme exploitante du secteur primaire, elle le retrouvait comme industrielle entourée des soins du protectionnisme. La politique de monopole des échanges menée par le système populiste, tout en affectant les « rôles » au sein des classes, n'a cessé, par le dédoublement de personnalité des acteurs du vieux régime, de compenser largement ce qu'elle retirait d'une main pour le redonner de l'autre. La stratégie du populisme, dans son expérience de développement à partir de la vieille structure coloniale, fut ainsi de tenter une fonctionnalisation des performances économiques du système sans altérer de fait les positions des groupes et des classes dans le partage final. L'avantage comparé de chaque protagoniste pouvait être perçu comme *en transit* et, rétrospectivement, la référence au système pouvait se faire dans une optique ambiguë dont les résultats s'annulent. Personnalisé en « rôles » élémentaires dont il est devenu progressivement prisonnier, le populisme s'est affiné par l'exigence d'une médiation toujours plus personnelle dans le jeu des duplicités : le charisme schizoïde qui a fait de Vargas, en même temps et au même titre, le « père des pauvres » et la « mère des riches ».

La métastase de l'ambiguïté.

Une telle stratégie – et ceci est le point essentiel à relever – laissait ouverte la possibilité qu'à la marge de ce jeu de prestidigitation vienne à émerger une structure étatique autonome et solide, capable de conduire à un véritable développement et atteindre en pleine liberté un niveau de performance vraiment fonctionnel. Elle aurait pu s'y épanouir, comme ressort de l'histoire profonde du progrès du système. Cela ne s'est pas passé à cause de la contamination de l'État lui-même par l'ambiguïté de ses rôles dans la tâche de mutation et de stabilisation, d'altération et de contention, d'absorption du changement et de sa crise.

L'obligation de payer le prix d'une entropie, introduite par à-coups ou prématurément dans le système, n'était pas inscrite dans la dynamique profonde du régime. Il n'était pas nécessaire que l'appareil d'État soit timoré, miné par l'ambiguïté et peu susceptible d'assumer entre groupes et classes le commandement de ce qui aurait pu être le développement d'un appareil de production plus ample et plus diversifié.

L'épuisement de l'homéostase et l'étatisme timoré.

Dans un tel dénouement, la matrice finale allait exploser dans le climat d'inflation où le populisme, surtout à partir de 1959, perdit son souffle. Cela ne troubla cependant pas le débat entre les gauches dites « positives » et « négatives » qui, à la fin du populisme, auraient encore pu se joindre, en une option claire visant à faire émerger, par la *praxis* de l'inertie, l'organisation véritable d'un *steady state.* La stratégie qui mena le populisme à la crise fut ainsi « morte dans l'œuf », en raison de sa négligence originelle envers la paralysie et la dégradation de l'État atteint par l'ambiguïté du processus qu'il prétendait gérer et manipuler.

Il ne s'agit pas seulement de vérifier comment, par-delà le contrepoint infini des compensations entre capital et travail réduisant en des courts-circuits chaque fois plus pervers ses *trade off,* l'entrepreneur en est venu à déserter progressivement les fonctions requises par le développement, ni comment le cycle galopant de l'inflation élimina chez tous les protagonistes et acteurs sociaux tout ce qui pouvait encore avoir un caractère économique dans leur comportement. Ce qui – dans un excédent historique tragiquement gratuit – exécuta finalement le gétulisme, non pas sa théorie mais sa *praxis* populiste, ce fut la capture de l'État par les mêmes *trade off,* et ce fut sa lenteur à promouvoir une nouvelle gamme d'utilisation des capitaux et des techniques nés du développement. A cette époque et en dépit de l'énormité des ressources mises à la disposition des pouvoirs publics, on ne rencontra pas une idéologie vigoureuse de l' « État entrepreneur ».

La symptomatique est claire. L'État toucha avec timidité les réserves d'épargne forcée, et ceci pour les donner au secteur privé. L'action publique de subsides au secteur étatisé se transforma de plus en plus en une pratique négligente à « fonds perdus », et l'inflation en spirale finit par s'installer dans le système de comptabilité « ouverte » du régime. L'historien futur pourra distinguer dans cette situation ce qui était nécessaire, inéluctable, de ce qui ne relevait que de la conjoncture, révisable et réversible.

Le paroxysme du gouffre inflationniste de 1962-1963 n'excluait pas la possibilité d'une reprise vigoureuse de l'appareil d'État pour le dégager de son ambiguïté, rétablir son importance réelle et son envergure faussées, dénaturées par l'avalanche des subsides, transferts et réallocations.

Les stratégies de la onzième heure n'ont pas été utilisées; elles ont été délaissées comme des sinalèphes à la marge du tourbillon final du populisme. L'anomie qui engloutit le *steady state* s'est manifestée symétriquement à l'élargissement final et déjà irréversible de l' « étatisme timoré ». Ce fut même avec les fonds publics que se constitua, dans les derniers moments, le *working capital* des entreprises, dans ce jeu de comportements substitués aux véritables comportements économiques qui fut le scénario du processus brésilien de changement, lors de l'agonie de la phase dite « spontanée » de développement.

V. LES HOMÉOSTASES SÉLECTIVES OU LE DÉVELOPPEMENT MALTHUSIEN

Cloisonnement et désamorçage des tensions.

Nous avons souligné que la stratégie de base adoptée par le populisme reposait sur la « fuite en avant » du modèle diachronique des attentes des groupes sociaux et sur la duplicité des mesures prises par les gouvernants. On a souligné également que la règle essentielle de ce jeu se fondait sur le parcours des *feedback* au travers des tensions sociales.

L'homéostase cependant et son *steady state* peut s'établir sous d'autres formes. Elle peut se baser sur un jeu de cloisonnement plus que sur le jeu des boucles amples et distendues des politiques d'allocations et de privations. Il est possible de remplacer la stratégie de « fuite diachronique » par celle de la recherche d'équilibres sociaux par un accès fragmenté, échelonné au changement. Dans ce nouveau style « malthusien », le partage des bénéfices se fait sélectivement. Des « îlots de prospérité » côtoient de vastes zones de pauvreté appelées peu à peu, au moment opportun, à intégrer à leur tour la dynamique du changement.

Le rôle tampon de la marginalité.

L'homéostase profite des stratifications et de l'anomie qui marquent la vieille organisation coloniale encore incomplètement éliminée par le développement. Elle s'appuie en particulier sur le « double fond » de l'édifice social, où se fait le va-et-vient entre le prolétariat admis à l'économie de marché et celui qui reste confiné dans l'Éden pauvre et immémorial de l'économie de subsistance. On peut dire que l'essentiel de la stratégie de cloisonnement consiste à pouvoir morceler, détailler les tensions entre les protagonistes d'un processus de changement. Les compartiments deviennent alors des valvules, ou plutôt des vases communicants, qui retiennent et modulent le flux général du changement. Ils l'empêchent d'atteindre une limite synergique et surtout veillent à ce que ses rythmes et ses impulsions éventuelles se fassent selon une logique de renvois, selon un modèle de *loops* excentriques.

Dans la mise en forme d'une telle politique de développement on n'assiste pas à la formation du « champ magnétique » global des forces historiques qui imposerait au processus le langage supérieur d'une dialectique capable d'atteindre aux réels affrontements et aux oppositions de force, dévoilés et activés par la cristallisation de leur prise de conscience. Agissent à sa place des superpositions d'écluses et de cloisonnements qui viennent à fonctionner comme de véritables transformateurs du flux, instaurant des barrages et des médiations au progrès constant d'une complexité du développement.

Au contraire du modèle populiste, le nouveau *steady state* accepte les zones marginales. Il accepte la confrontation entre différents niveaux d'organisation économique qu'il n'harmonisera qu'en fonction des possibilités. C'est de cette ouverture même, de cette suspension dans le sein d'un *steady state* qui reste encore en magma, que l'on peut voir naître éventuellement la promesse d'un éco-système ouvert.

Les stratégies de cloisonnement, comme celle du régime techno-militaire brésilien, viennent à leur heure et place dans le large cours séculaire du processus social ou de l'évolution de la complexité vers l'hyper-complexité. C'est justement par des phases de progression et de retour du développement à des étapes mal dégagées encore du labyrinthe de la structure coloniale que s'accroissent les opportunités d'une telle stratégie. Ces opportunités sont spécifiques au moment où s'écroule totalement l'idée classique de modernisation des périphéries, qui limite la problématique à une question d'insuffisance de capitaux, de *skills* ou de *know how*. Elles ne correspondent cependant pas au point de la courbe d'évolution où les forces opérantes du processus et le degré d'exclusion réciproque qui les tient débouchent sur le paroxysme où les représentations contradictoires sont en conflit.

Dans cette optique et en réponse déjà à l'analyse du discours logique et à son impatience, l'on peut interpréter la révolution telle qu'elle apparaît dans l'eschatologie occidentale, comme un « luxe » du processus historique, un « surplus » de l'auto-organisation atteinte par la société. On voit, en contrepoint et face à la solidité de l'actuelle relance du développement sur des bases technocratiques et autoritaires, les paliers encore élémentaires où opère l'auto-organisation qui retrouve son impulsion en travaillant « malthusiennement » par la marginalisation, la ségrégation et le rejet.

Les « steady states » concentrationnaires.

Les stratégies de cloisonnement actuellement en vogue dans le continent latino-américain supposent des nodules de haute fonctionnalité dans l'articulation des facteurs de production au reste du complexe social; le jeu d'équilibre de ce système se fait par l'écoulement continu et réglé des masses individualisées dans le champ de forces du devenir. Le poids de la marginalité ne s'accumule pas en pression à la frontière du système : il s'écoule en permanence, attiré par le « fil de terre » qui mène à l'anomie. On peut apercevoir dans l'état présent du système la sédimentation des échelons et des cloisonnements qui se sont succédé. Au sein du modèle de vases communicants, les séquences ont formé de multiples ordres concentriques d'absorption et de contrôle du dynamisme permis au régime. L'issue finale du nouveau *steady state* dépend de sa capacité à rencontrer le jeu de valvules adéquat aux degrés supérieurs d'organisation de l'appareil de production actuellement en cours au niveau international. A ce stade ultime, le régime peut rencontrer son éco-système s'il sait tirer profit de la conjoncture tout en restant à l'abri de ses valvules et de ses écluses qui le protègent des éventuelles régressions. De l'économie internationale à l'économie nationale, de l'économie nationale de marché à celle de susbsistance, le jeu de cloisonnement permet au système de moduler ses entrées et leur impact, de réguler ses réorganisations et leur extension au reste du corps social.

Le « welfarisme » cybernétique au Brésil.

Préparé pour toute cette « fuite en avant » par la concentration du capital et la polarisation de sa technologie, le système brésilien est en même temps équipé pour réagir avec des scénarios adéquats aux récessions du processus, au réagencement de son dynamisme. Il ne s'agit pas seulement de recenser les possibilités infinies dont dispose le système pour se reconvertir de l'intérieur, mais de définir les formules alternatives d'expansion du marché intérieur qui peuvent assurer à ses complexes de production un haut dynamisme de pointe. De tels modèles peuvent susciter des systèmes compensatoires, socialement gratifiants, capables d'absorber les vagues d'insatisfaction et de réinsérer les courants susceptibles d'échapper à l'étanchéité des cloisonnements, de créer des embryons de déséquilibre dans les attentes sociales et de remettre en cause l'univers programmé par la technocratie. Dans cette matrice de compensations, le système peut, par exemple, mettre en œuvre des actions de superstructure, comme la distribution généreuse de services et de gratifications caractéristiques d'un « welfarisme » prématuré. Ce peut être, par exemple pour certains segments du prolétariat ou des classes moyennes, des avantages en nature dans le domaine de l'éducation, de la santé ou du logement. Viennent ainsi contrebalancer la pression généralisée sur les salaires, des secteurs de prestations et de services localisés et dirigés qui permettent au système de réaliser des *trades off* limités. Ceux-ci ne dépassent pas les niveaux de distribution du revenu postulés par l'équilibre général du système et par les limites assignées à la concentration du capital.

Il s'agit ici toujours d'un même mécanisme d'homéostase, qui s'oppose au jeu des alternances globales, de *shifts* généralisés pour une meilleure appropriation du revenu national. Dans le jeu des cloisonnements, le régime peut réaliser continuellement des *feedback* sociaux qui viennent à corriger toute attente déviante. Mais une telle opportunité se restreint, par définition, à l'action super-structurelle, et par là reste confinée à des enclaves du tissu social.

L'écologie en question.

Le développement sélectif qui a suivi, en Amérique latine, la chute du populisme, semble révéler l'émergence de *steady states* sociaux, peut-être porteurs de nouvelles nébuleuses qui permettront à l'analyse des processus sociaux de dépasser le cours entéléchique et de déboucher sur une conception d'éco-système ouvert.

Il faut, dans cette perspective, dépouiller la « vision de la crise » de toute trace où le discours, ses risques et ses pompes peuvent encore emprunter le déguisement des mécanismes bien agencés de l'analyse prédictive. Il faut en particulier éviter tout malthusianisme « eschatologique » dans la contemplation du futur car il ne s'agit pas de ne voir dans les éthiques de modération de 1970 que l'envers de l'esprit prométhéen de 1950. On ne peut pas ignorer qu'à l'époque un *éthos* du changement n'existait pas encore. On ne peut pas non plus négliger que dans les années 60 un nouvel impératif de « promotion » s'est dessiné ainsi que la notion d'un « droit au développement » dans les relations entre les pays riches et pauvres. La comparaison entre « l'Alliance pour le Progrès » et « Populorum progressio » serait intéressante à faire à ce titre.

Dans cet ultime quart de siècle, l'écroulement de la modernisation fut à l'origine de l'émergence des « nouveaux barbares » dans un monde fissuré, privé de l'alibi des transits historiques, des hibernations, des *trade off* toynbeeniens entre les prolétariats extérieurs et intérieurs des civilisations triomphantes.

Des grandes utopies égalisatrices des années 50 à la grande diaspora de la présente décennie et à l'apparition déjà mort-née d'un Quart Monde au cœur des périphéries, on voit s'opérer surtout une profonde translation idéologique encore dépourvue de sa nécessaire « purgation » critique. Les années 70 adoptent une perspective de *restraint* d'autant plus malthusienne que les années 50 vivaient le dernier élan missionnaire d'un esprit « civilisateur ». Il ne s'agit pas seulement de voir de quelle manière l'idéologie nouvelle peut altérer les anciennes priorités du « que faire » international, de noter que dans l'ordre du jour du développement elle a remplacé les éthiques de « performances » par celles de l'accommodation, de recherche d'un équilibre entre l'homme et son *œcumene,* dont l'Occident s'éloigne depuis des siècles au point d'en arriver à une quasi-

« lobotomisation ». L'important est de saisir le rôle spécial et subtil que peut assumer le développement des idéologies dans un processus de changement au point extrême de modifier la nature même de la représentation de la gamme des facteurs en jeu dans une réalité donnée. En un mot, il s'agit d'observer comment les idéologies se lancent en plein dans le travail des « réifications » (ce dernier concept étant entendu dans son acception luckacsienne élémentaire), au sein du procès social. Dans le vaste tableau où s'élabore le contrepoint du contenu des idéologies et de leur « performance » éventuelle, il serait difficile d'imaginer un rôle plus parfait que celui de l'écologie pour présider, à son gré, un processus de dévitalisation des facteurs intervenant dans l'évolution sociale.

La nouvelle conscience écologique qui semble incarner ce changement radical des subjectivités court le risque de n'être qu'un mouvement dans la dynamique des sous-systèmes de réflexion sociale pour bloquer la conquête d'une *praxis* d'ouverture. Tout se passe comme si une espèce d'éclairage obligatoire était imposée à l'étiologie et aux nouvelles exigences de l'éthique malthusienne, qui rappelle à la collectivité la gamme des variables qui tendent à commander le devenir des prochaines décennies. Dans cette lente réintroduction, dans ces retrouvailles de l'homme avec ses éco-systèmes, encore sous la coupe fermée de la nature, s'infiltre un échange clandestin entre ce qui est contextuel et ce qui ne l'est pas. La nouvelle empreinte écologique se trouve en réalité accompagnée d'une répartition déséquilibrée du discours de *restraint* adressé aux différents acteurs, firmes, « corporations » et États responsables de notre avenir. Les facteurs définis comme contextuels ou relevant des domaines externes au jeu proprement économique incombent à la charge de la collectivité. Les autres variables « sauvages », réticentes à une éthique de contrainte, sont censées relever du forum inexpugnable de la décision directe des protagonistes privés du devenir économique. On a pu observer cette règle de « deux poids, deux mesures » dans la division des responsabilités sociales aux deux conférences de Stockholm et de Nairobi. A moins que, dans l'hypothèse la plus favorable, il ne s'agisse plus que d'une simple vision encore équivoque du nouveau jeu de *restraint.* En tout état de cause, on en reste toujours à une représentation binaire et schématique où facteurs de dynamisme et de freinage, de développement et de restriction se répondent en contrepoint.

Une pédagogie du futur.

Ce n'est pas par les mêmes détours ni par le filtre de la même règle d'or écologique que passent les problèmes qui se situent comme un contre-*feedback* à l'évolution globale du système – comme celui de la pollution ou de l'accroissement démographique – ni les décisions relatives à la concentration des grands protagonistes du devenir économique ou à la composition organique de son capital, ni non plus, dépouillée, dans sa dernière liberté sauvage, la vision a-critique qui fait de l'innovation, dans toute analyse prédictive, la folle du système.

On perçoit par là même le danger d'une conscience écologique naïve qui maintient la distribution actuelle des rôles dans le processus de changement contemporain. Une telle perspective peut aisément se scléroser en une eschatologie malthusienne. Elle ne contribuerait alors que très peu à trouver le meilleur moyen pour lui de se réadapter à la nouvelle conjoncture de rareté de cette fin de siècle. Nous nous référons à la sensibilité éthique qui traverse les années 1970, à ce nouveau placenta de visions, d'attentes et d'inquiétudes. Peut-être, dans cette nouvelle orientation normative, pourra-t-on voir apparaître une certaine vigilance à l'égard de la dimension de totalité – ou politique – impliquée dans le processus et, en son sein, au jeu nouveau, des instances inattendues, des rythmes et des tendances qui pourront se présenter. Mais la recherche d'un « canon régulateur » ne saurait comporter l'annulation de l'ambiguïté des composantes de l'histoire actuelle.

A partir du moment où se rompent les amarres des causalités fermées, on doit pouvoir entrevoir la complexité s'organisant déjà sous la pression d'une hyper-complexité qui se livre au tourbillon déréifié de son véritable devenir (Jean Noël Vuarnet : *Le Discours impur,* Éd. Gallimard, Paris, 1973). Cette *praxis* dans le devenir a besoin de stratégies capables d'échapper à la discipline du futur malthusien. On ne pourra peut-être pas aller plus loin que baliser la direction d'un devenir libéré de la distinction entre composantes actives et contextuelles, entre ce qui intervient et ce qui est inerte, mais le processus social pourrait ainsi rencontrer le rythme de sa nébuleuse, les dynamiques profondes et fortes qui, dans l'état actuel de la science, commencent à peine à trouver leur vocabulaire connotatif.

Une fois écartée la tentation de lire le réel à travers la grille tenace de nos entéléchies, il sera possible de confronter les jeux et rythmes de la complexité. On essaiera de retrouver un vrai regard capable de considérer le jeu de miroir entre nature et société, entre action et désir, entre *input* et *feedback*. Et pour s'arracher aux discours fermés des méthodologies précédentes, pour débloquer la *praxis* nouvelle, il faudra dégager de leur immobilité totémique les concepts de crise ou de développement.

Jusqu'où pouvons-nous prétendre à cette nouvelle attitude? Dans quelle mesure pouvons-nous sérieusement « déréifier » ce que le discours a hypostasié en des mythologies inexpugnables? ou encore repersonnaliser (Balandier : *Anthropologiques,* 1974) ce qu'une vision fermée depuis des temps immémoriaux a exilé, éloigné de la trame où se tisse la « vraie » histoire?

Échapper à la rhétorique du millénaire.

Sous la séduction des eschatologies – et la future fin de ce millénaire avec ses comètes et ses stigmates est là pour les stimuler – reviennent en cercles non encore exorcisés les stratégies de salut, toujours sélectives, discriminatoires et en contradiction avec les véritables parousies. Dans les apocalypses explosent finalement les mauvaises polarisations d'une histoire travaillée de manière manichéenne par le *logos*. Il s'agit de leur opposer la continuité rénovatrice des progrès indéfinis du processus porté par les « systèmes ouverts ». Mais notre esprit prométhéen n'est pas préparé à ce type de causation souple et ample. Lui échappe le cosmos capable d'être travaillé et porté par sa propre dialectique et sous l'impulsion de l'auto-organisation incessante et vorace. En nous orientant sur ce chemin, il ne suffit pas de reconnaître seulement la pauvreté malthusienne de nos eschatologies. Durant ces deux millénaires, l'Occident n'a pas été capable d'épuiser ou de dominer les symboles de l'apocalypse. Il faut noter que, dans la pédagogie qui conduit à une causation réellement ouverte de notre devenir, il s'agit d'abord de commencer par la rééducation de l'imaginaire (Jean Château : *Les Sources de l'imaginaire,* Presses universitaires de France, 1972). Dans la quête de concepts clés pour exprimer le malaise ou notre mauvaise conscience de cette fin de siècle, c'est notre pensée, tourmentée, réprimée, qui souffre le plus, qui se violente le plus face à l'emprise des entéléchies sur le devenir occidental. Sans doute la quête de méthodologies humbles arrive-t-elle tardivement. La *praxis* des années 1970 est déjà marquée par la panique des grands « tournants », les crises faciles de culpabilité, mais elle est aussi la recherche d'alternatives hors de la rhétorique du *logos* et des alibis sémantiques qui détournent de la quête véritable du réel. C'est dans cette recherche que devraient se rencontrer les œcuménismes souples. La rationalité ne se démettra pas facilement de son emprise sur l'exercice de la *praxis* par ses reconversions et ses exercices épuisants d'autocritique. Pourtant elle ne pourra plus emprisonner le réel.

Dans cette fin de siècle, préparée à affronter tous les exorcismes, la garde prométhéenne continuera avec vigilance à empêcher le développement de la modestie écologique de la décennie. Dans l'attente des contre-courants à cette *pax* entropique probable des années 2000, le prophétisme dont se réclamera l'intelligentsia ne sera pas celui d'un discours excentrique, naufragé ou lucide, mais celui plus humble d'une critique de ce discours somnambule et conditionné à l'excès qui réduit l'histoire.

On doit reconnaître l'énorme témérité de tenter de trouver des réponses alternatives à un futur trop dépendant du présent. On ne peut cependant s'empêcher de compter sur ce que l'accélération de l'histoire contemporaine peut faire pour déséduquer notre esprit de sa soumission millénaire. Peut-être par son excès de cicatrices pourra-t-il, en se réinventant une imagination, commencer son réapprentissage.

— COMMUNICATION

L'idée de base de toute discussion sur notre sujet est de partir des deux mots du titre pour faire une phénoménologie du développement. L'analyse de la « crise du développement », pourtant, est trop du déjà vu. On croyait à un développement harmonieux, où tous les sous-systèmes devaient évoluer ensemble, où les développements économique, social, culturel et politique devaient se faire de façon synchronique. Il est clair maintenant que cette conception n'était pas nécessaire, car on a pu voir presque toutes les combinaisons possibles : le développement économique sans le développement politique, ou le développement politique sans le développement économique, ou encore une régression politique et économique à la fois, mais jamais, précisément, l'intégration des quatre dimensions du développement.

Personnellement, je préfère aujourd'hui m'intéresser surtout au terme même de crise. J'ai constaté avec plaisir que l'on avait cherché à éviter les exercices de définition dans cette conférence. Pour ma part, je vais essayer de discuter un peu sur ce que peut être une approche heuristique de la notion de « crise ».

La thèse que je propose, c'est qu'il y a un impérialisme du discours sur le réel, du moins en ce qui touche à la manière d'aborder la « crise du développement ». Tout se passe comme si on n'arrivait pas à saisir la « crise » en elle-même, comme si la greffe du discours l'altérait, ou encore qu'une vision entéléchique s'y substituait. Depuis l'après-guerre, je crois que l'on pourrait distinguer trois avatars de cette emprise du *logos* sur le réel : la conception synchronique ou simultanée du développement, sa modification diachronique, puis l'hypothèse du *tunnel effect* d'Hirschmann qui suggère la possibilité d'une grande trêve avec l'apocalypse de l'explosion sociale. Dans cette rhétorique qui évoque le millénarisme, le futur semble ne se percevoir que dans la perspective d'une *either/or approach :* il y a « développement » ou il y a « crise », c'est-à-dire disruption. A mon avis, cette vision de la crise au travers du discours s'oppose formellement à une véritable *praxis* de la crise, et c'est bien cette *praxis* qu'il nous faut essayer de retrouver, de pressentir. Pour la mériter, il faut déblayer tout ce discours entéléchique et commencer à comprendre ce qu'est la dynamique des *steady states,* et surtout cette chose mortelle que nous propose Morin dans son « auto-organisation » et qui est le passage, sans les médiations de la rhétorique, de la complexité à l'hyper-complexité.

A ce sujet, je me permettrai de rappeler à votre attention deux cas de *steady states* qui sont justement comme un troisième sexe historique : deux cas aberrants qui n'aboutissent ni au développement classique ni à la disruption. Le premier est un exemple avorté : il s'agit du populisme des années 50 en Amérique latine. L'autre est ce que j'appellerais gentiment le développement malthusien ou sélectif que l'on a actuellement au Brésil depuis 1964.

En fait, je voudrais suggérer ici que l'on se trouve pour l'instant menacé d'une entropie de l'utopie. J'emprunte l'idée à Jean-Marie Domenach. On aborde le futur avec une dialectique hémiplégique et il me semble important d'ouvrir ce futur sur ce qui peut être effectivement un système ouvert. Comment peut-on passer de l'homéostase à l'homéorhèse, pour reprendre les termes de Wilden? Comment peut-on sortir du labyrinthe infernal des entéléchies? En d'autres termes, comment obtenir la trêve des *époché* où le discours fermé et concentrationnaire du développement classique se trouverait enfin suspendu?

Si l'on reprend l'historique de ce discours, on rencontre d'abord la toute-puissante conception de la simultanéité. Les « International Assistance Acts » votés par le Congrès américain en 1967 en sont un bon exemple. Ils signifiaient à peu près : on vous donne de l'argent pour vous développer si l'essor économique s'accompagne d'une participation et d'une mobilité sociale croissantes. Ce qui est fantastique, c'est que toute l'aide internationale, et même celle de la banque de M. Herrera, s'est alignée sur cette position qui n'est pourtant qu'une loi américaine et qui tient pour évidente la simultanéité du développement de toutes les parties d'un corps social. On se trouve là dans le domaine parfait des entéléchies où l'évolution est ordonnée, le progrès impérial et où démocratie, développement, mobilité sociale et authenticité culturelle coulent d'une même source.

Quand ce beau rêve des années 50 s'est trouvé passablement remis en cause, la solide résistance des entéléchies a permis de mettre au point une nouvelle version adaptée grâce à l'introduction de la dimension diachronique. Selon le modèle le plus classique, le paradigme Almond/Pye, le développement ne devait plus se faire d'un bloc mais en plusieurs phases critiques successives. La simultanéité se voyait ainsi débitée et déroulée dans le temps, mais au bout du compte, après la série ordonnée des crises de centralisation, intégration, participation, identité, légitimation et distribution, le puzzle du développement se reconstituerait dans sa totalité. Cette nouvelle conception n'échappe nullement au discours harmonieux de l'entéléchie, elle se contente d'étaler l'homéostase dans le temps. Le processus peut être long, il peut se perdre au fil des années, mais l'issue est fatale. Les crises ne s'échangent pas parce qu'elles sont éléments du tout. A son tour l'histoire est venue battre en brèche ce nouveau paradigme. En Amérique latine en particulier, les crises ont plutôt eu l'air de s'emmêler. Dans le cas du « monstre » brésilien par exemple, c'est plutôt l'intégration qui a succédé à la centralisation puis l'identité et la légitimité, alors que la participation et la distribution ont été mises à l'écart.

Le *tunnel effect* d'Albert Hirschmann peut s'interpréter comme la dernière lecture, la plus rusée et la plus prophétique déjà, de la crise par les entéléchies. On arrive là à une véritable trêve, presque à l'infini, avec l'apocalypse. Par la tolérance à l'injustice, par une dynamique de l'espoir et du symbole, les conflits d'intérêt peuvent être suspendus. Comme dans un tunnel où l'on imagine que tout le monde roule et finira par voir le jour, les classes sociales peuvent retarder leur prise de conscience ou tout au moins ses conséquences explosives. Le *tunnel effect* d'Hirschmann est certainement la plus riche des interprétations et la plus ouverte. Elle permet tout particulièrement le maintien presque à l'infini de systèmes dysfonctionnels. Pourtant, l'entéléchie persiste et la suspension des conflits n'est qu'une trêve avant une apocalypse fatale. Hirschmann pense encore en effet qu'il y aura un moment où les classes déboucheront sur un antagonisme et que la tension devra éclater. La pensée d'une comptabilité fermée, d'un *zero sum game,* est toujours là et le *tunnel effect* n'échappe pas au bout du compte à cette *either/or approach* de la conception classique.

Pourtant, il existe des *marooned nations,* des nations qui n'ont pas une grande rapidité d'évolution mais qui n'en exploseront pas pour autant; des nations qui se rangent, qui se refroidissent sans l'inévitable disruption. Il faut essayer d'éliminer cette infinie médiation du discours et voir que, dans les situations véritables du Tiers Monde, il existe des pays qui ne se développent pas conformément aux attentes et ne se payent pas non plus le luxe d'une révolution. Là se révèle sans doute ce que j'appellerais une « *praxis* réelle de l'inertie sociale ». Elle évoque la notion Wilden-Morin des *steady states* et se trouve peut-être au seuil d'un éco-système ouvert dans la dynamique du social. Il semble exister effectivement des *steady states* en changement, en contradiction avec toutes les théories mais qui demeurent avec une stabilité extraordinaire et paraissent pouvoir résister très longtemps. Je pense par exemple que le populisme latino-américain aurait pu durer indéfiniment, et je crois également que la techno-bureaucratie brésilienne le peut aussi. On pressent en effet, dans ces cas aberrants, une inventivité, une créativité et surtout un surplus de résistance historique qu'on ne peut pas saisir si on se limite à une approche fonctionnelle ou marxiste.

Le livre d'Helio Jaguaribe, *Brésil, crise et alternative,* est particulièrement lumineux dans sa définition du populisme : « Le populisme, écrit-il, a institué un régime de l'ambiguïté avec des comptabilités qui ne ferment pas. » Pendant des années, en effet, le populisme a réussi à suspendre le *zero sum game* par une fuite en avant qui permettait de satisfaire à la fois et sans affrontement les masses et les classes capitalistes. Par la médiation de personnalités charismo-schizoïdes comme le président Vargas, le régime a pu simultanément veiller à la hausse régulière des salaires et permettre le parasitisme du capital. Pendant vingt ans, la situation a pu se maintenir dans une stabilité inconcevable pour les modèles classiques. Au travers de ce jeu sur trois ou quatre tableaux, par cette prestidigitation politique ouverte, l'État brésilien aurait pu devenir une machine à reconstituer l'univocité du système au travers de multiples modifications partielles et successives. L'expérience est malheureusement morte dans l'œuf. L'État, plutôt que d'utiliser l'ambiguïté à la gestation progressive d'une nouvelle cohérence sociale, a fini par devenir la « putain respectueuse » du système, gagné lui-même par l'ambiguïté dont il avait perdu le contrôle.

L'analyse que je voudrais faire de l'actuel système brésilien est sans doute beaucoup plus difficile, plus risquée et hasardeuse parce que celui-ci paraît particulièrement antipathique à l'opinion internationale. Pourtant on peut y voir une nouvelle tentative de *praxis* de l'inertie sociale. Là aussi, il s'agit de suspendre l'apocalypse, d'échapper à une lecture figée du futur. Cette fois-ci, la stratégie ne repose pas sur la fuite en avant mais sur le compartimentement. Elle joue sur le double fond de l'économie de subsistance qui exerce un rôle tampon, absorbant ou restituant les poussées sociales. C'est par la manipulation de la marginalité sociale, par le jeu de compartiments et d'écluses entre les économies de subsistance, le marché intérieur et le marché international que le système peut louvoyer entre les crises. Ce cloisonnement perturbe les processus de prise de conscience de classe, et par là gomme la dynamique des antagonismes sociaux. Pour développer le secteur compétitif de l'économie, le régime peut concentrer les bénéfices et socialiser les pertes. Il peut également se créer des clientèles sélectionnées comme autant d'îlots de prospérité au travers d'une politique de prestations sociales qui permet de neutraliser les nodules potentiels de tensions. 20 % de la population brésilienne est actuellement dans l'économie de subsistance et 40 % est marginale. Parce que marginale, elle est justement incapable de changer la règle du jeu, et cela rend peu probable à nos yeux l'explosion d'une révolution en Amérique latine. On pourrait rester toute la nuit à discuter le cas de Cuba, qui est l'exception confirmant la règle. Il est en effet difficile de bien saisir et formuler comment ce jeu de cloisonnement, qui est tampon et vague à la fois, peut arriver à créer une dynamique de *steady state.* Comme le dit Edgar Morin dans son « auto-organisation », je pense que le principe de cette dynamique de *steady state* réside peut-être dans la capacité de ne pas penser l'anomie, de pouvoir envisager – je pose la question – un passage direct de la complexité à l'hypercomplexité. Le système brésilien s'appareille, s'organise pour prévoir ses crises. Il gagne une stabilité qui n'est pas médiatisée par une situation de disruption. Cette éventualité est sans doute insoutenable pour nos esprits occidentaux habitués à penser la rupture. Nous nous trouvons comme devant une machine infernale où le passage d'un degré de complexité à un autre se fait continuellement et sans répit, à l'infini. En ce sens, il semble bien que c'est une boîte de Pandore qu'a ouverte Edgar Morin en évoquant un éco-système ouvert et une indéfinie auto-organisation. Je crois très probable que les technocraties latino-américaines sont capables de s'auto-organiser, et ceci d'une façon que nous, libéraux, ne sommes pas préparés à concevoir.

Grave question. Nous sommes confrontés là à une espèce d'entropie de notre utopie, à l'extrême pauvreté de nos modes de penser le futur. On regarde celui-ci en renvoyant la balle sur le passé. Sur ce plan je me demande s'il ne faut pas se méfier tout particulièrement de la nouvelle idée écologique qui pourrait bien être le testament des entéléchies, la reprise en négatif du discours des années 50 sur le développement. Quel est le ressort de la notion écologique? Ne court-elle pas le risque d'être un alibi? C'est dans cette perspective de perplexité que je trouve tout à fait intéressante l'idée de « fascisme écologique » de Jean-Marie Domenach. N'est-il pas vrai, en effet, qu'au nom de l'écologie on arrive à une nouvelle définition, arbitraire et fluctuante, des responsabilités sociales? Certaines dimensions de la société, la démographie, l'environnement, seraient du ressort collectif et imputables à tous; d'autres comme la concentration du capital, le niveau d'absorption technologique, relèveraient toujours de la décision individuelle. N'a-t-on pas là un étrange pouvoir de l'écologie qui conduit à distinguer ce qui est « contextuel » de ce qui ne l'est pas, et par là à socialiser les pertes tout en préservant la distribution des bénéfices?

De plus en plus nous entrons dans le moment des paniques du millénaire. Les anciennes paniques reviennent, bien sûr, mais il s'y ajoute de nouveaux chiliasmes et de nouvelles brèches : il y a le grand antagonisme Léviathan-Béhémot, par exemple, entre les États et les grandes multinationales. Ensuite reste, peut-être, une nouvelle espérance, un nouveau rôle à jouer pour nous, intelligentsia. Il faut surprendre ce discours funambulesque qui est là. Il y a toute une déséducation à entreprendre pour saisir le réel, tout un nouvel apprentissage du *cogito* à faire.

DISCUSSION

EDGAR MORIN : La qualité de ce que l'on vient d'entendre est liée à son pouvoir d'électro-choc permanent. C'est une série de secousses que nous recevons dans l'appareil cérébral et qui nous oblige à repenser très vite.

Premier point : je trouve qu'il est très important, au moment où il semble admis comme un dogme que nous vivons une époque d'évolution accélérée, de se dire subitement qu'il y a des choses qui changent très lentement. On peut même penser que sur le plan de l'organisation politique, les changements les plus considérables se sont passés à la fin du XIXe et au début du XXe siècle plutôt qu'après la Première Guerre mondiale. Prenons par exemple l'URSS. Depuis 1934, quelle extraordinaire stabilité, quel système qui s'auto-perpétue!

Sur le plan des idées politico-sociales, je crois qu'il n'y a aucune idée nouvelle depuis un siècle, et je crois même que les idées les plus révolutionnaires, comme l'auto-gestion ou la démocratie directe, ont déjà été exprimées par les penseurs libertaires il y a plus d'un siècle.

Il y a donc une sorte de stagnation. Ce qui est étonnant, c'est de voir les immobilismes, le manque d'invention socio-politique au sein d'un devenir accéléré. Regardons le rôle accru de ce que l'on peut appeler les appareils qui constituent les géno-phéno-structures. Je m'explique; prenons le cas le plus simple : l'appareil d'État, qui est phéno-structure puisqu'il contrôle les activités phénoménales d'une société, notamment la guerre, la répression, etc., et qu'il est aussi géno-structure, c'est-à-dire un appareil génératif qui permet à la société de s'auto-reproduire. Or ce qui s'est passé, ce n'est pas seulement ce formidable renforcement des appareils d'État, c'est que ces appareils d'État se sont vus coiffés d'autres appareils, lesquels ont apporté en plus une idéologie très rigoureuse. Ainsi le Parti, qui-est-la-conscience-du-peuple et qui-possède-la-science-de-la-société. Si ce Parti monopolise tout pouvoir, coiffe l'État, l'armée, la police, il crée un système qui, à ce moment-là, peut s'auto-perpétuer à l'infini. Ça peut durer des milliers d'années en principe. Un système suffisamment « totalitaire » peut, s'il manie bien la terreur, durer indéfiniment. Donc, nous sommes dans une période où tout ce qui était stable dans les siècles précédents évolue, et puis, brusquement, les choses qui semblaient très évolutives précédemment deviennent extraordinairement immobiles.

Autre point : Candido Mendes nous met en garde contre le discours qui veut rationaliser l'aventure très singulièrement de l'Europe occidentale en le proposant comme modèle universel. Le vrai modèle, c'est le point d'*arrivée* de l'Occident, ce n'est pas le processus pour y arriver. Ainsi le modèle, c'est l'État-Nation formé en France et en Angleterre pendant une gestation millénaire. Il s'est formé à travers une unification civilisationnelle et politique. Or, le modèle se réalise à partir de bases tout à fait différentes et « aberrantes » par rapport au processus original : ainsi la nation se forme à partir de son territoire préalable; elle se forme à partir d'un découpage territorial, arbitraire comme en Afrique. La nation se forme avec non seulement l'école et la police, mais aussi la radio, la télévision. Ainsi se constituent des structures génératives qui permettent à l'État de s'auto-perpétuer. C'est pourquoi il faut reprendre une réflexion fondamentale et nouvelle sur l'État.

Un autre point encore, c'est la pensée écologique. Qu'est-ce que la conscience écologique? Ce n'est pas simplement la conscience que la société humaine en tant que système ouvert est dans l'éco-système, communique avec lui et s'en nourrit. La conscience écologique signifie aussi que l'éco-système est en nous, c'est-à-dire que la nature est en nous. C'est donc qu'il n'y a pas une identité close, définissable clairement qui serait l'homme et la société, plus une autre chose définissable, reconnaissable, qui serait la nature, l'éco-système et entre eux des connexions. C'est pourquoi je dirais que la société est un système auto-éco-organisateur. C'est-à-dire qu'il faut introduire « auto » dans « éco », ce qui est une antinomie; mais ce sont ces antinomies qui, à mon avis, sont fondamentales.

Enfin, autre électro-choc, fécond car il va dans le sens d'intuitions confuses, de pensées incubantes, c'est que Candido Mendes propose finalement une « désentéléchisation ». Peut-être est-ce là l'idée fondamentale puisque nous vivons dans un univers où, dans le fond, les fins ne sont pas données, prévues.

FELIPE HERRERA : J'aimerais faire deux commentaires. L'un est lié aux technocrates et aux libéraux. L'autre concerne le populisme en Amérique latine.

En ce qui concerne le premier point, il y a encore dans la communauté universitaire et dans le monde entier la conception selon laquelle les technocrates participent de la pensée libérale en Amérique latine. Je pense que c'est faux actuellement. L'ouverture des possibilités, un meilleur système scolaire, les relations et la coopération internationales ont sans aucun doute permis à d'importants secteurs des classes moyennes de devenir de plus en plus technocratisées, si j'ose dire. A cause de leur origine sociale, ils étaient évidemment favorables à un processus de modernisation, très convaincant au début des années 60. Les choses paraissaient claires et elles renforçaient l'identité nationale; le développement, c'était l'identité mais aussi les réformes sociales. Et les responsables, tant au niveau national que régional ou international, avaient ce genre d'approche technocratique, considérée comme libérale à cette époque. Cette image a été brisée au cours des années 60. En Amérique latine, jusqu'alors, développement signifiait création de richesses et création de centres de pouvoir nationaux, régionaux ou internationaux. Bien sûr, les gens qui se trouvaient dans le *statu quo* étaient ceux qui bénéficiaient le plus du développement. Les technocrates étaient membres d'un nouvel *establishment,* celui de la richesse, *l'establishment* nourri par le libéralisme, l'internationalisme et la modernisation. Peu à peu, ils ont essayé d'empêcher la montée des classes moyennes et de la classe ouvrière, ainsi que les réformes sociales. Ils étaient devenus les meilleurs défenseurs, les meilleurs serviteurs, même les « orienteurs » du système. L'un de nos problèmes à l'heure actuelle, en Amérique latine, c'est de rééduquer philosophiquement nos technocrates.

Quant au populisme, je dirai que tout le monde lui est opposé, que l'on soit de droite ou de l'extrême gauche. Le populisme, du point de vue sociologique et politique, n'est pas un concept populaire. Il y a d'ailleurs deux types de populismes en Amérique latine, et puis le populisme *per se* est un processus de transition. Je n'ai pas donné de définition du populisme mais je suppose que nous en parlons comme d'une politique qui met très fort l'accent sur la distribution du revenu national; il ne s'agit pas d'organiser le système économique en tant que tel, ni de promouvoir des changements sociaux à long terme. Ainsi, l'expérience péroniste en Argentine est très certainement une expérience type de populisme. Le gouvernement Goulart aussi. Le plus souvent, il amène la droite au pouvoir. C'est le cas au Chili, au Brésil, en Équateur. On a des changements faits par les militaires qui, généralement, vont vers la droite.

Mais je pense qu'il y a aussi une autre issue possible, plus rare certes, et dont le Venezuela en 1958 est un exemple. A cette époque, Bettencourt avait constitué un gouvernement populiste; il avait d'ailleurs été élu sur ces bases. C'était une question de survie pour lui et pour la démocratie au Venezuela que de promouvoir des changements dans le système. C'est donc pour ce que j'appelle son réalisme économique qu'il fut élu et, d'un point de vue historique, ce fut très positif. On pourrait citer d'autres exemples en Amérique latine où le courage de dirigeants populistes, confrontés à certaines réalités et à des conditions internationales particulières, a amené ce qu'on peut appeler un mouvement populaire.

JORGE SABATO : Une crise est habituellement vue et décrite comme un état pathologique, alors que les crises sont en réalité un état normal, du moins sur notre continent. Au cours de ces trente ou quarante dernières années, tous les pays d'Amérique latine furent en crise — crise politique ou crise sociale. Vivre une crise sans théorie de la crise est une chose très inconfortable, car vous êtes censé faire autre chose que d'écrire des livres, et pour faire quelque chose, vous avez besoin d'une théorie, et ce n'est pas un exercice académique, quand on vit dans un pays sous-développé, que de rechercher une telle théorie, c'est une nécessité. C'est une nécessité tout simplement parce qu'il faut agir et qu'on ne peut pas attendre le jour glorieux de la révolution, la prise du Palais d'hiver, image-mirage. C'est pourquoi je suis heureux que Candido Mendes ait non seulement soulevé le problème, mais présenté l'esquisse d'une théorie. Cette théorie, je l'appellerai thermo-dynamique, dans ce sens qu'elle essaie de décrire la façon dont fonctionne formellement le système. Il l'a essentiellement appliquée au Brésil, mais il eût été bon qu'il puisse également l'appliquer à d'autres pays. Au Mexique par exemple. Et peut-être à Cuba, dont vous avez dit d'ailleurs que c'était une exception qui confirme la règle, ce qui, à mon avis, est un bon proverbe mais pas de la bonne science.

A la fin du siècle dernier et au début de ce siècle, il était de mode d'utiliser des termes biologiques; toute chose était évolution, survivance de, etc. Or, tout langage métaphorique est dangereux. La mode actuelle est d'employer des termes de physique, *steady state* par exemple. Mais cette expression a une définition précise; un *steady state* peut être mesuré avec précision. Entropie est aussi un mot extrêmement précis; il est tellement précis qu'il est calculé en toute circonstance. Alors, quand vous employez le terme d'entropie, ne le faites qu'avec la certitude qu'il peut être mesuré; sinon, mettez une note en bas de page indiquant qu'il s'agit d'un terme général. Il en est de même de *feed-back, tunnel-effect,* etc. Vous risquez d'induire les gens en erreur si vous utilisez ces termes d'une façon non scientifique.

CORNELIUS CASTORIADIS : L'intervention de Candido Mendes apparaît comme un mariage heureux entre le délire et le somnambulisme. Et l'énorme tricherie de Candido, c'est que sous ces dehors de feu d'artifice d'expressions – qui, encore une fois, viennent de quarante siècles d'histoire et de subtilité intellectuelle de l'Occident – il y a un noyau réaliste extrêmement solide. En effet, je trouve que ce qu'il a dit sur le Brésil notamment, lequel à mes yeux est un cas exemplaire, est absolument juste. Mais qu'est-ce que cela veut dire? Qu'il faut mettre de côté le triomphalisme tiersmondiste. Parce que tu as dit qu'on peut avoir au Brésil un système plus ou moins autoritaire ou dictatorial pour ne pas dire totalitaire; un système qui maintient une bonne partie de la population dans une exploitation atroce combinée avec une marginalisation, et qui peut se perpétuer. Et ton pronostic, c'est qu'il va se perpétuer. Or j'ai entendu tout à fait autre chose de la part de nos amis latino-américains. Mais si c'est cet état qui se perpétue au Brésil, ce n'est certainement pas là qu'une nouvelle civilisation peut être créée.

Cela dit, je pense que la situation à laquelle tu fais face n'est pas sans présenter une certaine analogie avec celle que nous, révolutionnaires des pays développés, avons affrontée lorsqu'il nous est apparu comme une évidence qu'un certain nombre de problèmes considérés depuis un siècle comme absolument insolubles par le capitalisme étaient parfaitement solubles. Que le capitalisme pouvait réguler l'économie dans des marges infiniment plus grandes qu'on le pensait, qu'il pouvait donner du pain aux gens, et des tas d'autres choses, et que tout cela n'annulait pas la perspective révolutionnaire. Mais le système, s'il peut régler quelque chose, peut-il tout régler? Je réponds qu'il ne peut pas. Il n'y a jamais eu d'automatisme de la catastrophe, mais il n'y a pas non plus d'automatisme de la pérennité. Il y a peut-être la dialectique de l'auto-organisation. Mais c'est l'auto-organisation de ce système-là. Or, elle est mise en cause par deux faits. Le premier, c'est la lutte dans la société, dont nous avons si peu parlé ici, et je regrette de ne pas avoir soulevé plus tôt ce lièvre – qui est en réalité un dinosaure. Parce que moyennant ce concept à mes yeux mystificateur de la légitimation, on a confondu le consensus apparent dans une société et la lutte explicite avec le véritable consensus et la lutte profonde qui se déroule dans une société. Le deuxième, ce sont les « ratés » du fonctionnement du système; c'est-à-dire que dans ce système les accidents sont nécessaires, peut-être même inévitables.

Je crois que ton schème et les concepts sont dans la bonne voie, mais ce n'est pas encore assez radicalisé, et je crois que c'est la faute de Wilden et du mot homéorhésie. Parce qu'il y a homéo là-dedans. On croit qu'on « dialectise » lorsqu'on passe de la statique à l'homéostasie comme processus, et qu'on dialectise un peu plus quand on passe à l'homéorhésie. Or c'est l'*homeo* qui est en cause; parce que l'histoire, c'est l'*hétéro,* c'est-à-dire que l'histoire est création. Nous avons à penser l'histoire comme l'émergence d'altérités radicales (qui ne sont certes jamais totales puisqu'il y a toujours aussi une reprise de ce qui était là). Ce qui est en cause dans l'histoire, c'est *l'autre,* ce qui n'est pas réductible au premier et ce qui n'est pas semblable. C'est cela, la créativité de l'histoire : de nouvelles formes apparaissent, qui ne sont pas réductibles aux précédentes, qui sont radicalement autres.

ANDRÉ HELLIGERS : Je me pose des questions sur toutes les théories qui se proposent de repenser tout le processus de développement, et je me demande si certains événements qui se sont produits n'ont pas, en fait, pré-déterminé les options futures.

Par ailleurs, j'ai un problème : on demande de plus en plus aux professions techniques, biologiques, médicales, de résoudre certaines questions concernant la naissance et la mort. Les gens commencent à demander à la technologie, tout particulièrement à la biologie, une solution à un ensemble de problèmes sociaux. Mais les réponses de la science ou de la technologie ne risquent-elles pas, à la longue, d'amener des changements dans les cellules biologiques humaines?

Autre chose : comment considérez-vous, dans votre processus de développement, le contrôle de la mort? Comme un succès ou comme un échec?

RÉPONSE DE CANDIDO MENDES

Au travers des questions posées, on retrouve les problèmes centraux. Il y a un problème de contenu, un problème de méthode et un problème d'éthique. A mes yeux, penser sérieusement le problème de la crise est un service pour la promotion des peuples. Nous essayons ici de démystifier les idéologies; ce n'est pas un problème de système; c'est un problème de démythologisation, de démystification et de « dédiscursification »; comme disait Albert Béguin, « on est toujours au service du peuple quand on essaie de maintenir la conscience ». Pour des intellectuels c'est très difficile, mais je crois pouvoir parler de système, même en langage abstrait, parce que je n'abdique aucune de mes valeurs d'intellectuel et ne commets pas d'imposture. Il me semble qu'une conférence comme celle-ci peut même aider les efforts et les pratiques de mobilisation, qu'elle peut aider les stratégies de prise de position et qu'elle peut contribuer à ce que l'impérialisme des homéostases ne passe pas. Ce n'est pas une crise de *leadership* qu'on a en ce moment en Amérique latine et le populisme s'est effondré par manque d'imagination, de stratégie, d'humilité, de compétence. Pour ceux qui jouent le jeu dangereux de la foi, il ne faut pas oublier qu'il y a des fois laïques dans tous ces systèmes et que le jeu des valeurs y est intégré.

Personnellement, je me trouve devant une interrogation fondamentale : je pense que nous avons trop de *praxis*. On devrait pouvoir reprendre d'une façon chrétienne un langage abstrait, pour se situer dans la recherche de la vérité. La question que vous me posez me paraît essentielle, et je pense qu'elle joue surtout sur ce que peut encore être cette chose hybride, pauvre, inefficace mais indispensable qu'est l'intelligentsia détruite d'Amérique latine, qui commence à retrouver un peu son langage et sa capacité de parler. C'est pour cela peut-être que nous avons droit au dialogue.

Certaines questions m'ont fasciné parce qu'au fond j'ai ici deux prophètes des éco-systèmes ouverts, qui ne tolèrent pas leur propre message. Je m'explique : j'ai été puni pour avoir sans doute trop appris leur leçon. Au moment où on me dit « système ouvert », où Edgar Morin me dit « système ouvert, ces hippopotames de l'Amérique latine, ces cas aberrants », je réponds : mais oui, l'importance de la machine militaire y est caractéristique et le *feedback* y est comme hémiplégique. Il y a autre chose encore, c'est le problème d'ouverture de l'éco-système sur l'éco-système. Et quand Castoriadis me dit : « si c'est ça le système par lequel on va arriver à une ouverture créatrice », je dis que nous manquons d'humilité sur ce qu'est un *steady state* et sur ce qu'est la *praxis* d'une inertie travaillant effectivement sur elle-même et acceptant le jeu de son hyper-complexité. Dans ce sens, il peut y avoir création. Si Castoriadis barre la création dans cette situation-là, encore une fois, c'est une hémiplégie dans la dialectique hyper-ouverte qu'il m'impose comme principe. C'est ainsi qu'en entrant quelquefois dans des dialectiques rompues, on fait une pause sans le savoir, ou on fait de la lutte de classes. Pour qu'une lutte puisse avoir lieu, il faut qu'il y ait réciprocité de position; il faut qu'il y ait un système ou un rapport de force. L'homéorhèse, même l'homéorhèse wildenienne, est encore une voie étroite, mais elle est la voie qui peut ouvrir une brèche dans l'homéostase. Elle peut nous permettre cette chose qu'a découverte Edgar Morin mais qu'il ne peut pas supporter : l'auto-organisation. L'auto-organisation nous dépasse et nous dévore, parce qu'on n'est pas préparé à jouer totalement le jeu de l'auto-organisation.

Je ne pense pas que le populisme soit un modèle. Le populisme est une *praxis* qui a débouché sur une configuration sociale toujours en transit, et c'est là que se trouve sa fécondité historique; c'est par là que passe le jeu de l'auto-organisation d'un système social qui se veut véritablement ouvert. Nous n'avons que l'imagination pour travailler en profondeur une telle *praxis*, et cette imagination, il va falloir commencer à l'éduquer.

IX

Réflexions sur le « développement » et la « rationalité »

CORNELIUS CASTORIADIS

I

Il y a déjà un certain temps que le « développement » est devenu à la fois un slogan et un thème de l'idéologie officielle et « professionnelle » – comme aussi des politiques des gouvernements. Il peut être utile de rappeler brièvement sa généalogie.

Le XIXe siècle a célébré le « progrès », en dépit des critiques acerbes et amères des adversaires du capitalisme triomphant. La Première Guerre mondiale, puis, après un court interlude, la Grande Dépression, la montée du fascisme et du nazisme en Europe et l'inéluctabilité flagrante d'une nouvelle guerre mondiale, qui semblaient toutes démontrer que le système était ingouvernable, ont provoqué un effondrement de l'idéologie officielle. « La crise du progrès » était le thème des années 30.

Dans le monde d'après-guerre, les pouvoirs établis se sont d'abord et surtout préoccupés de la reconstruction, et des problèmes nouveaux créés par la lutte entre les États-Unis et la Russie. En Occident, le succès de la reconstruction économique dépassa tous les espoirs, et une longue phase d'expansion commença. Lorsque, avec la fin de la guerre de Corée, l'antagonisme russo-américain parut s'atténuer; lorsque aussi, malgré quelques sanglantes exceptions, la « question coloniale » sembla être en cours de liquidation plus ou moins pacifique, l'opinion officielle commença à rêver que l'on avait enfin trouvé la clef des problèmes humains. Cette clef, c'était la croissance économique, réalisable sans difficultés grâce aux nouvelles méthodes de régulation de la demande, et les taux de croissance du PNB par habitant contenaient la réponse à toutes les questions. Certes, le conflit potentiel avec le Bloc oriental restait toujours menaçant; mais l'idée se répandait aussi que, ces pays atteignant la maturité industrielle et allant être envahis par le consommationnisme, leurs maîtres seraient amenés à suivre une politique internationale moins agressive et, peut-être, à introduire un certain degré de « libéralisation » interne. Certes aussi, la faim était (comme elle l'est toujours) réalité quotidienne pour une énorme partie de la population de la planète, et le Tiers Monde *ne* réalisait *pas* une croissance économique, ou bien sa croissance restait trop faible et trop lente. Mais la raison en était que les pays du Tiers Monde ne se « développaient » pas. Le problème donc consistait à les développer, ou à les faire se développer. La terminologie internationale officielle a été adaptée en conséquence. Ces pays, auparavant nommés, avec une sincère brutalité, « arriérés », puis « sous-développés », ont été poliment appelés « moins développés » et finalement « pays en voie de développement » – joli euphémisme, signifiant en fait que ces pays *ne* se développaient *pas*. Comme les documents officiels l'ont formulé à maintes reprises, les développer voulait dire : les rendre capables d'entrer dans la phase de la « croissance auto-entretenue ».

Mais à peine la nouvelle idéologie était-elle mise en place, qu'elle était attaquée de divers côtés. Le système social établi commença d'être critiqué non pas parce qu'il serait incapable d'assurer la croissance, ni parce qu'il distribuait inéquitablement les « fruits de la croissance » – critiques traditionnelles de la Gauche – mais parce qu'il ne se souciait *que* de la croissance et ne réalisait *que* de la croissance – une croissance d'un type donné, avec un contenu spécifique, entraînant des conséquences humaines et sociales déterminées. Limitées à l'origine à l'intérieur d'un cercle très étroit de penseurs politiques et sociaux hétérodoxes, ces critiques se sont largement répandues, en l'espace de quelques années, parmi les jeunes et ont commencé d'influencer aussi bien les mouvements étudiants des années 60 que le comportement effectif de divers individus et groupes, qui décidèrent d'abandonner la « course de rats[1] » et tentèrent d'établir pour eux-mêmes de nouvelles formes de vie communautaire. De manière de plus en plus insistante, on commença à soulever la question du « prix » auquel les êtres humains et les collectivités « ache-

1. *Rat's race :* expression devenue courante aux États-Unis depuis les années 50, et désignant le mode de vie dominé par la tentative de tous de monter dans la hiérarchie et dans l'échelle de la consommation.

taient » la croissance. Presque simultanément, on « découvrait » que ce « prix » comprenait une composante énorme, jusqu'alors passée sous silence, et dont souvent les conséquences ne concernaient pas directement les générations présentes. Il s'agissait de l'amoncellement massif et peut-être irréversible de dommages infligés à la biosphère terrestre, résultant de l'interaction destructrice et cumulative des effets de l'industrialisation; effets déclenchant des réactions de l'environnement qui restent, au-delà d'un certain point, inconnues et imprévisibles et qui pourraient éventuellement aboutir à une avalanche catastrophique finale dépassant toute possibilité de « contrôle ». Depuis l'enfoncement de Venise dans les eaux jusqu'à la mort peut-être imminente de la Méditerranée; depuis l'eutrophisation des lacs et des fleuves jusqu'à l'extinction de douzaines d'espèces vivantes; depuis les printemps silencieux jusqu'à la fonte éventuelle des calottes glaciaires des pôles; depuis l'érosion de la Grande Barrière de Corail jusqu'à la multiplication par mille de l'acidité des eaux de pluie – les conséquences effectives ou virtuelles d'une « croissance » et d'une industrialisation effrénées commençaient à se dessiner, immenses. La récente « crise de l'énergie » et les pénuries de matières premières sont survenues au moment approprié pour rappeler aux hommes qu'il n'était même pas certain qu'ils pourraient continuer longtemps à détruire la terre.

Comme c'était prévisible, les réactions des pouvoirs établis ont été conformes à leur nature. Puisque le système était critiqué pour s'être uniquement préoccupé des quantités de biens et de services produits, de nouveaux organismes bureaucratiques ont été établis pour prendre soin de la « qualité de la vie ». Puisqu'il semblait y avoir un problème de l'environnement, des Ministères, des Commissions et des Conférences internationales ont été organisés pour le résoudre. Ces organismes ont en effet résolu efficacement certains problèmes très graves, tel, par exemple, celui des postes ministériels à trouver pour des politiciens qu'il fallait accommoder à des places sans importance politique, ou celui des raisons à inventer pour maintenir et accroître les crédits budgétaires accordés à des organisations nationales et internationales moribondes ou désœuvrées. Les économistes découvrirent immédiatement un terrain neuf et prometteur pour leurs délectables exercices d'algèbre élémentaire – sans s'arrêter une seconde pour remettre en question leur cadre conceptuel. Les indicateurs économiques ont été complétés par des « indicateurs sociaux » ou des « indicateurs de bien-être », et de nouvelles lignes et colonnes ont été ajoutées aux matrices des transactions inter-industrielles. La question de l'environnement n'était discutée que du point de vue des « coûts » et des « rendements », et de l'impact possible des mesures de contrôle de la pollution sur les taux de croissance du PNB; cet impact risquait d'être négatif mais, avançait-on avec espoir, cela pourrait bien à la fin être compensé par la croissance de la nouvelle « industrie de contrôle de la pollution ». Il est à peine utile d'ajouter que la phrase *« travail d'avant-garde en matière de contrôle de la pollution »* a aussitôt pris une place éminente dans la publicité des principaux pollueurs, les compagnies industrielles géantes. Le point le plus gravement discuté était la question de savoir si et comment on pouvait et on devait « internaliser » les coûts du contrôle de la pollution [1]. L'idée que l'ensemble du problème dépassait de loin les « coûts » et les « rendements » n'a presque jamais traversé l'esprit des économistes et des politiciens.

Même les réactions les plus « radicales » qui se sont fait jour à l'intérieur des couches dominantes n'ont pas, en réalité, mis en question les prémisses les plus profondes des vues officielles. Puisque la croissance créait des problèmes impossibles à contrôler et, encore plus, puisque tout processus de croissance exponentielle devait inéluctablement se heurter, tôt ou tard, à des limites physiques, la réponse était « pas de croissance » ou « croissance zéro ». Aucune considération n'était accordée au fait que, dans les pays « développés », la croissance et les gadgets étaient tout ce que le système pouvait offrir aux gens et qu'un arrêt de la croissance était inconcevable (ou ne pourrait conduire qu'à une explosion sociale violente), à moins que l'ensemble de l'organisation sociale, y compris l'organisation psychique des hommes et des femmes, ne subisse une transformation radicale.

1. C'est-à-dire faire supporter ces coûts par les firmes polluantes, et non par le public (l'État). Les « économies externes » ou « externalités » (positives ou négatives), dont il sera aussi question plus loin, englobent tous les effets des activités d'une firme sur les autres firmes et la société (comme aussi les effets des activités des autres firmes, etc., sur une firme donnée) qui diminuent (ou augmentent) les coûts de production de celles-ci. Dans la conceptualisation économique régnante, la destruction de l'environnement apparaît – et ne peut apparaître que – comme une « économie (négative) externe » résultant du fonctionnement de la firme.

Pas davantage ne tenait-on sérieusement compte des dramatiques aspects internationaux de la question. Est-ce que l'écart entre les pays ayant un PNB de 6 000 dollars par habitant et par an, et les pays ayant un PNB de 200 dollars par habitant et par an, devait être maintenu? Est-ce que ces derniers accepteraient le maintien d'un tel écart, étant donné leurs besoins physiques impératifs, l' « effet de démonstration » qu'y exerce constamment l'exemple de la vie dans les pays riches et, *last but not least,* la politique de puissance et le désir de puissance des couches dominantes de tous les pays? (Existe-t-il un seul Président d'un seul « pays en voie de développement » qui ne donnerait pas volontiers la vie de la moitié de ses sujets pour avoir sa propre bombe H?) Et si l'on devait combler cet écart – c'est-à-dire si, *grosso modo,* la totalité de la population de la terre devait être amenée au niveau d'un PNB par habitant et par an de 6 000 dollars –, comment pouvait-on concilier les conclusions et les raisonnements sous-tendant l'idée de la « croissance zéro » avec le triplement du « Produit mondial brut » qu'impliquerait cette égalisation (triplement qui exigerait encore un quart de siècle de « croissance » mondiale au taux composé de 4 % par an, supposant une population *statique*), comme aussi avec la continuation subséquente indéfinie d'une production au niveau annuel d'environ 25 000 milliards de dollars aux prix de 1970 – soit, à peu près, vingt-cinq fois le PNB présent des États-Unis, et donc aussi, à peu près vingt-cinq fois leur consommation présente d'énergie, de matières premières, etc. [1]? Enfin, avec les structures politiques et sociales existantes, est-ce que les pays « développés » accepteraient de devenir et de rester une minorité impuissante face à des pays asiatiques, africains et latino-américains tout autant « riches » et beaucoup plus peuplés? Est-ce que la Russie tolérerait l'existence d'une Chine trois fois plus forte qu'elle? Est-ce que les États-Unis accepteraient l'existence d'une Amérique latine deux fois plus forte qu'eux-mêmes? Comme toujours, le réformisme prétend être réaliste, mais, lorsqu'on en vient aux questions vraiment importantes, il se révèle comme une des manières les plus naïves de prendre ses désirs pour des réalités.

1. Ces chiffres – correspondant en gros aux données statistiques officielles pour 1973 et 1974 – ont surtout une valeur illustrative, mais ils représentent correctement les ordres de grandeur des variables en cause.

II

Les questions ici en cause sont, évidemment, étroitement liées à l'ensemble de l'organisation sociale, tant au niveau national qu'international. Plus encore sont-elles liées aux idées et aux conceptions fondamentales qui ont dominé et formé la vie, l'action et la pensée de l'Occident depuis six siècles, et moyennant lesquelles l'Occident a conquis le monde et l'aura encore conquis même s'il doit être matériellement vaincu. « Développement », « économie », « rationalité » ne sont que quelques-uns des termes que l'on peut utiliser pour désigner ce complexe d'idées et de conceptions, dont la plupart restent non conscientes, aussi bien pour les politiciens que pour les théoriciens.

Ainsi, personne ou presque ne s'arrête pour se demander : qu'*est*-ce que le « développement », *pourquoi* le « développement », « développement » de *quoi* et *vers quoi*? Comme déjà indiqué, le terme « développement » a commencé à être utilisé lorsqu'il devint évident que le « progrès », l' « expansion », la « croissance » n'étaient pas des virtualités intrinsèques, inhérentes à toute société humaine, dont on aurait pu considérer la réalisation (actualisation) comme inévitable, mais des propriétés spécifiques – et possédant une « valeur positive » – des sociétés occidentales. Ainsi considérait-on celles-ci comme des sociétés « développées », entendant par là qu'elles étaient capables de produire une « croissance auto-entretenue »; et le problème semblait consister uniquement en ceci : amener les autres sociétés à la fameuse « étape du décollage ». Ainsi l'Occident se pensait, et se proposait, comme modèle pour l'ensemble du monde. L'état normal d'une société, ce que l'on considérait comme l'état de « maturité » et que l'on désignait par ce terme apparemment allant de soi, était la capacité de croître indéfiniment. Les autres pays et sociétés étaient naturellement considérés comme moins mûrs ou moins développés, et leur problème principal était défini comme l'existence d' « obstacles au développement ».

Pendant un certain temps, ces obstacles ont été vus comme purement « économiques », et de caractère négatif : l'absence de croissance était due à l'absence de croissance – ce qui, pour un économiste, n'est pas une tautologie, puisque la croissance est un processus autocatalytique (il suffit qu'un pays entre dans la croissance, pour qu'il continue de croître de plus en plus rapidement). Par conséquent, on posait que des injections de capital étranger et la création de « pôles de développement » étaient les conditions nécessaires et suffisantes pour amener les pays moins développés à l'étape de « décollage ». En d'autres termes, l'essentiel était d'importer et d'installer des machines. Assez rapidement, on a été obligé de découvrir que ce sont les hommes qui font marcher les machines, et que ces hommes doivent posséder les qualifications appropriées; alors l' « assistance technique », la formation technique et l'acquisition de qualifications professionnelles devinrent à la mode. Mais à la fin, on a dû se rendre compte que les machines et les ouvriers qualifiés ne suffisaient pas, et que beaucoup d'autres choses « manquaient ». Les gens n'étaient pas partout et toujours prêts et capables de renoncer à ce qu'ils avaient été pour devenir de simples rouages du processus d'accumulation – même lorsque, étreints par la famine, ils « auraient dû » le faire. Quelque chose n'allait pas, dans les « pays en voie de développement » : ils étaient pleins d'hommes qui, eux, n'étaient pas « en voie de développement ». De manière tout à fait naturelle et caractéristique, on a alors identifié le « facteur humain » avec l'absence d'une « classe d'entrepreneurs ». Cette absence fut profondément regrettée – mais les économistes n'avaient pas beaucoup de conseils à offrir sur la manière dont il faut procéder pour développer une « classe d'entrepreneurs ». Les plus cultivés parmi eux avaient quelques vagues souvenirs relatifs à l'éthique protestante et la naissance du capitalisme – mais ne pouvaient pas se transformer de missionnaires de la croissance en apôtres de l'ascèse intra-mondaine.

On a ainsi commencé à s'apercevoir obscurément qu'il n'existait pas d' « obstacles au développement » particuliers et séparables et que, si le Tiers Monde devait « être développé », les structures sociales, les attitudes, la mentalité, les significations, les valeurs et l'organisation psychique des êtres humains devaient être changées. La croissance économique n'était pas quelque chose qui pouvait être « ajouté » à ces pays, comme l'avaient pensé les économistes; elle ne pouvait pas non plus être simplement superposée à leurs autres caractéristiques. Si ces sociétés devaient « être développées », elles devraient subir une transformation globale. L'Occident avait à affirmer, non pas qu'il avait trouvé un truc pour produire moins cher et plus vite davantage de marchandises, mais qu'il avait découvert *le* mode de vie approprié pour toute société humaine. Ce fut une chance pour les idéologues occidentaux, que le malaise qu'ils auraient pu éprouver à cet égard ait été apaisé par la précipitation avec laquelle les nations « en voie de développement » ont essayé d'adopter le « modèle » occidental de société – même lorsque sa « base » économique faisait défaut. Ce fut aussi leur malchance, que la crise des « politiques du développement » en un sens réel mais limité, l'échec du « développement » des « pays en voie de développement », ait coïncidé avec une crise beaucoup plus ample et profonde dans leurs sociétés, l'écroulement interne du modèle occidental et de toutes les idées qu'il incarnait.

III

Qu'est-ce que le développement? Un organisme se développe lorsqu'il progresse vers sa maturité biologique. Nous développons une idée lorsque nous explicitons autant que possible ce que nous pensons qu'elle « contient » implicitement. En bref : le développement est le processus de la réalisation du virtuel, du passage de la *dunamis* à l' *energeia,* de la *potentia* à l'*actus.* Cela implique évidemment, qu'*il y a* une *energia* ou un *actus* pouvant être déterminés, définis, fixés, qu'*il y a* une norme appartenant à l'essence de ce qui se développe; ou, comme aurait dit Aristote, que cette essence *est* le devenir-conforme à une norme définie par une forme « finale » : l'*entelecheia.*

En ce sens, le développement implique la définition d'une « maturité » et, au-delà, celle d'une *norme naturelle* : le développement n'est qu'un autre nom de la *physis* aristotélicienne. Car la nature contient ses propres normes, en tant que *fins* vers lesquelles les êtres se développent et qu'ils atteignent effectivement. « La nature est fin *(telos)* », dit Aristote. Le développement est défini par le fait d'atteindre cette fin, en tant que norme naturelle de l'être considéré. En ce sens aussi, le développement était une idée centrale pour les Grecs – et non seulement pour ce qui est des plantes, des animaux ou des hommes en tant que simples vivants. La *paideia* (élevage/dressage/éducation) est développement : elle consiste à amener le petit monstre nouveau-né à l'état propre d'un être humain. Si cela est possible, c'est parce qu'il *existe* un tel état propre, une norme, une limite *(peras),* la norme incarnée par le citoyen, ou le *kalos kagathos,* qui, s'ils sont atteints, *ne peuvent pas* être dépassés (les dépasser serait simplement retomber en arrière). « Meurs maintenant, Diagoras, car tu ne monteras pas sur l'Olympe. » Mais la question : comment et sur quelle base un tel état propre peut être déterminé une fois que la constitution de la *polis* (qui pose la norme du développement des citoyens individuels) a été mise en cause et perçue dans son caractère relatif; en quel sens peut-on dire qu'il y a une *physis* de la *polis,* un état propre unique de la cité — cette question devait nécessairement rester pour les grands penseurs grecs, malgré ou à cause de leur préoccupation constante avec la *dikaiosuné* et la *orthé politeia,* un point obscur à la frontière de leur réflexion. De la même manière, et pour les mêmes raisons profondes, la *techné* devait rester en fait non définie, flottant quelque part entre la simple imitation de la nature *(mimésis)* et la création proprement dite *(poiésis)* — entre la répétition d'une norme déjà donnée et, comme Kant devait le dire vingt-cinq siècles plus tard, la position effective d'une nouvelle norme incarnée dans l'œuvre d'art [1].

La *limite (peras)* définit à la fois l'être et la norme. L'illimité, l'infini, le sans-fin *(apeiron)* est de toute évidence non achevé, imparfait, moins-être. Ainsi, pour Aristote, il n'y a qu'un infini virtuel, pas d'infini effectif; et réciproquement, pour autant qu'une chose quelconque contient des virtualités non actualisées, elle est infinie, puisqu'elle est, par là même et dans la même mesure, inachevée, indéfinie, indéterminée. Ainsi, il ne peut y avoir de développement sans un point de référence, un état défini qui doit être atteint; et la nature fournit, pour tout être, un tel état « final ».

Avec la religion et la théologie judéo-chrétiennes, l'idée de l'illimité, du sans-fin, de l'infini acquiert un signe positif — mais cela reste, pour ainsi dire, sans pertinence sociale et historique pendant plus de dix siècles. Le Dieu infini est ailleurs, *ce* monde est fini, il y a pour chaque être une norme intrinsèque correspondant à sa nature telle qu'elle a été déterminée par Dieu.

Le changement survient lorsque l'infini envahit *ce* monde-*ci.* Il serait risible de comprimer ici, en quelques lignes, la masse immense des faits historiques bien connus, et moins bien connus qu'on ne le croit,

1. Pour une discussion plus ample de ce problème, le lecteur peut se rapporter à mon étude : « Valeur, égalité, justice, politique : de Marx à Aristote et d'Aristote à nous », *Textures,* nos 12/13, 1975; reprise maintenant dans *les Carrefours du Labyrinthe,* à paraître aux Éditions du Seuil. Cf. aussi *L'Institution imaginaire de la société* (Le Seuil, 1975), p. 272-274.

concernant tant de pays et tant de siècles. J'essaie seulement d'en rassembler quelques-uns dans une perspective particulière en éliminant les explications-justifications « rationnelles » de leur succession que l'on fournit habituellement (explications et justifications qui sont, bien entendu, une auto-« rationalisation » du rationalisme occidental, tendant à prouver qu'il existe des raisons rationnelles expliquant et justifiant le triomphe de la variété particulière de « Raison » exhibée en Occident).

Ce qui importe ici est la « coïncidence » et la convergence que l'on constate à partir, disons, du XIVe siècle, entre la naissance et l'expansion de la bourgeoisie, l'intérêt obsédant et croissant porté aux inventions et aux découvertes, l'effondrement progressif de la représentation médiévale du monde et de la société, la Réforme, le passage « du monde clos à l'Univers infini », la mathématisation des sciences, la perspective d'un « progrès indéfini de la connaissance » et l'idée que l'usage propre de la Raison est la condition nécessaire et suffisante pour que nous devenions « maîtres et possesseurs de la Nature » (Descartes).

Il serait sans intérêt, et privé de sens, d'essayer d'expliquer « causalement » la montée du rationalisme occidental par l'expansion de la bourgeoisie, ou l'inverse. Nous avons à considérer ces deux processus : d'une part, l'émergence de la bourgeoisie, son expansion et sa victoire finale marchent de pair avec l'émergence, la propagation et la victoire finale d'une nouvelle « idée », l'idée que la croissance illimitée de la production et des forces productives est *en fait* le but central de la vie humaine. Cette « idée » est ce que j'appelle une *signification imaginaire sociale*[1]. Lui correspondent de nouvelles attitudes, valeurs et normes, une nouvelle définition sociale de la réalité et de l'être, de ce qui *compte* et de ce qui *ne compte pas*. Brièvement parlant, ce qui compte désormais est ce qui peut être compté. – D'autre part, philosophes et scientifiques imposent une torsion nouvelle et spécifique à la pensée et à la connaissance : il n'y a pas de limites aux pouvoirs et aux possibilités de la Raison, et la Raison par excellence, du moins s'il s'agit de la *res extensa,* est la mathématique : *Cum Deus calculat, fiat mundus* (« Au fur et à mesure que Dieu calcule, le monde est fait », Leibniz). N'oublions pas que Leibniz chérissait également le rêve d'un calcul des idées.

1. Cf. *L'Institution imaginaire..., op. cit.,* en particulier p. 190 s. et p. 457 s.

Le mariage – probablement incestueux – de ces deux courants donne naissance, de diverses manières, au monde moderne. Il se manifeste dans l' « application rationnelle de la science à l'industrie » (Marx) – aussi bien que dans l'application (rationnelle?) de l'industrie à la science. Il s'exprime dans toute l'idéologie du « progrès ». Puisqu'il n'existe pas de limites à la progression de notre connaissance, il n'en existe pas davantage à la progression de notre « puissance » (et de notre « richesse »); ou, pour s'exprimer autrement, les limites, où qu'elles se présentent, ont une valeur négative et doivent être dépassées. Certes, ce qui est infini est inépuisable, de sorte que nous n'atteindrons peut-être jamais la connaissance « absolue » et la puissance « absolue »; mais nous nous en approchons sans cesse. De là la curieuse idée, aujourd'hui encore partagée par la plupart des scientifiques, d'une progression « asymptotique » de la connaissance vers la vérité absolue. Ainsi, il ne peut pas y avoir de point de référence fixe pour notre « développement », un état défini et définitif à atteindre; mais ce « développement » est un mouvement avec une *direction* fixe, et, bien entendu, ce mouvement lui-même peut être mesuré sur un axe sur lequel nous occupons, à tout instant, une abscisse à valeur croissante. En bref, le mouvement est dirigé vers le plus et plus; plus de marchandises, plus d'années de vie, plus de décimales dans les valeurs numériques des constantes universelles, plus de publications scientifiques, plus de gens avec un Doctorat d'État – et « plus », c'est « bien ». « Plus » de quelque chose de positif et, bien entendu, algébriquement, « moins » de quelque chose de « négatif ». (Mais qu'est-ce qui *est* positif ou négatif?)

Ainsi parvenons-nous à la situation présente. Le développement historique et social consiste à sortir de *tout* état défini, à atteindre un état qui n'est défini par rien sauf par la capacité d'atteindre de nouveaux états. La norme est qu'il n'existe pas de norme. Le développement historique et social est un déploiement indéfini, infini, sans fin (aux deux sens du mot *fin*). Et, pour autant que l'indéfinité nous est insoutenable, la définitude est fournie par la croissance des quantités.

Je répète : je n'essaie pas de comprimer en quelques lignes des siècles de faits et de pensée. Mais j'affirme qu'il y a une strate de vérité historique qui ne peut être représentée que par la bizarre coupe transversale tentée ici et qui traverse, disons, Leibniz, Henry Ford, l'IBM et les activités de quelque « planificateur » inconnu, en Ouganda ou au Kazakhstan, qui n'a jamais entendu le nom de Leibniz. C'est là, évidemment, une vue en survol, que la plupart des philosophes et des historiens critiqueraient sévèrement. Mais on doit renoncer au spectacle des vallées et à l'odeur des fleurs, si l'on veut « voir » que les Alpes et l'Himalaya appartiennent à la « même » chaîne de montagnes.

C'est ainsi que, finalement, le développement en est venu à signifier une croissance indéfinie, et la maturité la capacité de croître sans fin. Et conçus ainsi, en tant qu'idéologies, mais aussi, à un niveau plus profond, en tant que significations imaginaires sociales, ils étaient et restent consubstantiels avec un groupe de « postulats » (théoriques et pratiques), dont les plus importants semblent être :

– l' « omnipotence » virtuelle de la technique;

– l' « illusion asymptotique » relative à la connaissance scientifique;

– la « rationalité » des mécanismes économiques;

– divers lemmes sur l'homme et la société, qui ont changé avec le temps mais qui tous impliquent soit que l'homme et la société sont « naturellement » prédestinés au progrès, à la croissance, etc. (*homo economicus,* la « main cachée », libéralisme et vertus de la libre concurrence), soit – ce qui est beaucoup plus approprié à l'essence du système – qu'ils peuvent être manipulés de diverses manières pour y être amenés (*homo madisoniensis Pavlovi,* « ingéniérie humaine » et « ingéniérie sociale », organisation et planification bureaucratiques en tant que solutions universelles applicables à tout problème).

La crise du développement est évidemment aussi la crise de ces « postulats » et des significations imaginaires correspondantes. Et cela exprime simplement le fait que les institutions qui incarnent ces significations imaginaires subissent un ébranlement brutal dans la réalité effective. (Le terme « institution » est utilisé ici au sens le plus large possible : au sens, par exemple, auquel le langage est une institution, de même que le sont l'arithmétique, l'ensemble des outils de toute société, la famille, la loi, les « valeurs ».) Cet ébranlement, à son tour, est dû essentiellement à la lutte que les hommes vivant sous le système mènent contre le système – ce qui revient à dire que les significations imaginaires dont on a parlé sont de moins en moins acceptées socialement. C'est là l'aspect principal de la « crise du développement », que je ne peux pas traiter ici [1].

Mais les « postulats » s'effondrent aussi en eux-mêmes et par eux-mêmes. J'essaierai d'illustrer sommairement la situation, en discutant quelques aspects de la « rationalité » économique et de l' « omnipotence » de la technique [2].

IV

Il n'est peut-être pas difficile de comprendre pourquoi l'économie a été considérée pendant deux siècles comme le royaume et le paradigme de la « rationalité » dans les affaires humaines. Son thème est ce qui était devenu l'activité centrale de la société; son propos, de prouver (et pour les opposants, comme Marx, de réfuter) l'idée que cette activité est accomplie de la meilleure manière possible dans le cadre du système social existant et par son moyen. Mais aussi — heureux « accident » — l'économie fournissait la possibilité apparente d'une mathématisation, puisqu'elle concerne le seul champ d'activité humaine où les phénomènes paraissent mesurables de manière non triviale, où même cette « mesurabilité » semble être — et, jusqu'à un certain point, est effectivement — l'aspect essentiel aux yeux des agents humains concernés. L'économie traite de « quantités » et, sur ce point, tous les économistes sont toujours tombés d'accord (bien qu'ils aient été forcés, de temps en temps, de discuter la question : quantités *de quoi?*). Ainsi, les phénomènes économiques semblaient se prêter à un traitement « exact » et passibles de l'application de l'instrument mathématique, dont la formidable efficacité était démontrée jour après jour en physique.

Identifier maximum (ou extremum) et optimum semblait, dans ce domaine, la chose évidente à faire — et elle a été faite rapidement. Il y avait un produit à maximiser, et des coûts à minimiser. Il y avait donc

1. Je me permets de renvoyer le lecteur à mes livres *La Société bureaucratique*, vol. 1 et 2 et *L'Expérience du mouvement ouvrier*, vol. 1 et 2, éd. 10/18, 1973 et 1974.

2. J'ai discuté ailleurs certains aspects du problème de la science moderne, y compris l' « illusion asymptotique » : « Le monde morcelé », *Textures*, nos 4/5, 1972, élargi par la suite en « Science moderne et interrogation philosophique », *Encyclopaedia Universalis*, vol. 17 (Organum), 1974; repris maintenant dans *les Carrefours du Labyrinthe, op. cit.*

une différence à maximiser : le produit net vendable pour la firme, le « surplus » net pour l'économie globale (« surplus » apparaissant sous forme de « biens » ou d'accroissement des « loisirs » tel qu'il est mesuré par le « temps libre », sans considération de l'usage ou du contenu de ce « temps libre »).

Mais qu'est-ce que le « produit », et que sont les « coûts »? Les bombes H sont incluses dans le produit net – car l'économiste « ne s'occupe pas des valeurs d'usage ». Y sont également incluses les dépenses de publicité moyennant lesquelles les gens ont été induits à acheter de la camelote qu'ils n'auraient probablement pas achetée sans cela; et, bien entendu, cette camelote elle-même. Le sont aussi les dépenses encourues pour nettoyer Paris de la suie industrielle; et, à chaque accident de la route, le produit national net augmente à divers titres. Il augmente également chaque fois qu'une firme décide de nommer un vice-président supplémentaire touchant un salaire substantiel (car, *ex hypothesi,* la firme ne l'aurait pas nommé si son produit marginal net n'était pas au moins égal à son salaire). Plus généralement, la « mesure » du produit reflète les valuations de divers objets et de divers types de travail faites par le système social existant – valuations qui, bien entendu, reflètent elles-mêmes, à leur tour, la structure sociale existante. Le PNB est ce qu'il est *aussi* parce qu'un dirigeant d'entreprise gagne vingt fois autant qu'un balayeur. – Mais, même si ces valuations étaient acceptées, la mesurabilité des phénomènes économiques, trivialités mises à part, n'est qu'une apparence trompeuse. Le « produit », quelle qu'en soit la définition, est mesurable « instantanément », au sens que l'on peut toujours sommer, pour l'ensemble de l'économie et pour un moment donné, les quantités des biens produits multipliés par les prix correspondants. Mais, si les prix relatifs et/ou la composition du produit changent (ce qui, en fait, est toujours le cas), les « mesures » successives effectuées à des moments différents dans le temps ne peuvent pas être comparées (pas plus que ne peuvent l'être, et pour la même raison, les « mesures » effectuées sur des pays différents). Rigoureusement parlant, l'expression « croissance du PNB » est privée de sens, sauf dans le cas fictif où il n'y a qu'une expansion homothétique de tous les types de produits, et rien d'autre. En particulier, dans une économie à changement technique, le « capital » ne peut être mesuré de façon qui ait un sens – sauf à l'aide d'hypothèses *ad hoc* hautement artificielles et contraires aux faits.

Tout cela entraîne immédiatement qu'il n'est pas davantage possible de mesurer vraiment les « coûts » (puisque les « coûts » de l'un sont pour la plupart les « produits » de l'autre). Les « coûts » ne peuvent pas être mesurés aussi pour d'autres raisons : parce que l'idée classique de l'*imputation* de telle part du produit net à tel ou tel « facteur de production », et/ou de tel produit à tel assortiment de moyens de production est inapplicable. L'imputation de parts à des « facteurs de production » (travail et capital) implique des postulats et des décisions qui dépassent largement le domaine de l'économie. L'imputation des coûts à un produit donné ne peut pas être effectuée à cause de divers types d'indivisibilités (que les économistes classiques et néo-classiques traitent comme des exceptions, cependant qu'elles sont partout présentes), et à cause de l'existence d' « externalités » de toutes sortes. Les « externalités » signifient que le « coût pour la firme » et le « coût pour l'économie » ne coïncident pas, et qu'un surplus (positif ou négatif) non imputable apparaît. Ce qui est encore plus important, les « externalités » ne sont pas confinées à l'intérieur de l'économie comme telle.

On avait l'habitude de considérer la plus grande partie de l'environnement (sa totalité, à l'exception des terres sous propriété privée) comme un « don gratuit de la nature ». De la même manière, le cadre social, les connaissances générales, le comportement et les motivations des individus étaient traités implicitement comme des « dons gratuits de l'histoire ». La crise de l'environnement n'a fait que rendre manifeste ce qui était toujours vrai (Liebig le savait il y a plus d'un siècle) : un « état approprié » de l'environnement *n'est pas* un « don gratuit de la nature » en toutes circonstances et sans égard au type et à l'expansion de l'économie considérée. Et il n'est pas non plus un « bien » auquel on pourrait affecter un « prix » (effectif ou « dual ») – puisque personne, par exemple, ne sait quel serait le coût d'une re-glacialisation des calottes glaciaires polaires, si elles venaient à fondre. Et le cas des pays « en voie de (non-) développement » montre que l'on ne peut pas traiter le judaïsme, le christianisme et le shintoïsme comme des « dons gratuits de l'histoire » – car l'histoire a fait « don » à d'autres peuples de l'hindouisme ou du fétichisme, lesquels apparaissent plutôt jusqu'ici comme des « obstacles au développement » fournis gratuitement par l'histoire.

Derrière tout cela se trouve l'hypothèse cachée de la *séparabilité totale,* aussi bien *à l'intérieur* du champ économique, qu'*entre* ce champ et les processus historiques, sociaux ou même naturels. L'économie politique suppose tout le temps qu'il est possible de séparer sans absurdité les conséquences résultant de l'action *X* de la firme *A* et le flux total des processus économiques à l'intérieur et à l'extérieur de la firme; comme aussi, que les effets de la présence ou de l'absence d'un « total » donné de « capital » et de « travail » peuvent être séparés du reste de la vie humaine et naturelle de manière qui fasse sens. Mais, lorsque l'on abandonne cette hypothèse, l'idée d'un calcul économique dans les cas non triviaux s'effondre – et, avec elle, l'idée de la « rationalité » de l'économie au sens admis du terme (comme obtention d'un extremum ou d'une famille d'extremums), aussi bien au niveau théorique (de la compréhension des faits) qu'au niveau pratique (de la définition d'une politique économique « optimale »).

Ce qui est ici en cause n'est pas simplement l' « économie du marché » et le « capitalisme privé », mais la « rationalité », au sens indiqué plus haut, de l'économie (de toute économie en expansion) comme telle. Car les idées qui fondent ce qui vient d'être dit s'appliquent tout autant, tantôt littéralement, tantôt *mutatis mutandis,* aux économies « nationalisées » et « planifiées ».

Pour illustrer ce dernier point, j'utiliserai un autre exemple, qui touche à la question fondamentale du *temps.* Le temps n'est pris en compte par l'économie politique que pour autant qu'il peut être traité comme non-temps, comme medium neutre et homogène. Une économie en expansion implique l'existence de l'investissement (« net »), et l'investissement est intimement lié avec le temps, puisque dans l'investissement le passé, le présent et l'avenir sont mis en relation. Or, les décisions concernant l'investissement ne peuvent jamais être « rationnelles », sauf au niveau de la firme et à condition de s'en tenir à un point de vue très étroit. Il en est ainsi pour de multiples raisons, dont je ne mentionnerai que deux. D'abord, non seulement « l'avenir est incertain », mais *le présent est inconnu* (il se passe constamment des choses partout, d'autres firmes sont en train de prendre des décisions, l'information est partielle et coûteuse, et cela à des degrés différents pour les différents agents, etc.). Deuxièmement, comme déjà dit, les coûts et le produit ne peuvent pas être vraiment mesurés. Le premier facteur pourrait, en théorie, être éliminé dans une économie « planifiée ». Le deuxième ne le pourrait pas.

Mais, dans tous les cas, une question beaucoup plus importante surgit : quel est le taux *global* correct d'investissement? La société devrait-elle consacrer à l'investissement (« net »), 10, 20, 40 ou 80 % du produit (« net »)? La réponse classique, pour les économies « privées », était que « le » taux d'intérêt constituait le facteur d'équilibre entre l'offre et la demande d'épargne, et par conséquent le « régulateur » approprié du taux de l'investissement. Cette réponse, on le sait, est pur non-sens. (« Le » taux d'intérêt n'existe pas; il est impossible d'admettre que le taux d'intérêt est le déterminant principal de l'épargne totale, que le niveau des prix est stable, etc.) Von Neumann a prouvé, en 1934, que, moyennant certaines hypothèses, le taux d'intérêt « rationnel » devrait être égal au taux de croissance de l'économie. Mais quel *devrait* être ce taux de croissance? Supposant que ce taux de croissance est fonction de la capacité de production, et sachant que cette capacité dépend du taux d'investissement, nous sommes ramenés à la question initiale : quel devrait être le taux d'investissement? Faisons l'hypothèse additionnelle que les « planificateurs » se fixent l'objectif de maximiser la « consommation finale » sur une période donnée. La question devient alors : quel est le taux d'investissement qui maximiserait (sous des hypothèses complémentaires concernant la « productivité physique » du capital additionnel) dans un « état permanent (ou « stationnaire » : *steady state*) l'intégrale de la « consommation finale » (individuelle ou publique, de « biens » ou de « loisirs »)? La valeur de cette intégrale dépend, bien entendu, de l'intervalle d'intégration — c'est-à-dire de l'horizon temporel que les « planificateurs » ont décidé de prendre en considération. Si la consommation à maximiser est la consommation « instantanée » (horizon temporel nul), le taux d'investissement approprié est évidemment zéro. Si la consommation doit être maximisée « pour toujours » (horizon temporel infini), le taux approprié de l'investissement est presque 100 % du produit (« net ») — en supposant que la « productivité physique marginale » du capital reste positive pour toutes les valeurs correspondantes de l'investissement. Les réponses qui « ont un sens » sont évidemment situées entre ces deux limites; mais où exactement, et *pourquoi?* Aucun « calcul rationnel » n'existe pouvant montrer qu'un horizon temporel de cinq ans est (pour la société) plus ou moins « rationnel » qu'un horizon temporel de cent ans. La décision devra être prise sur des bases autres que les bases « économiques ».

Tout cela ne signifie pas que tout ce qui se passe dans l'économie est « irrationnel » en un sens positif, encore moins qu'il est inintelligible; mais que nous ne pouvons pas traiter le processus économique comme un flux homogène de valeurs, dont le seul aspect pertinent serait qu'elles sont mesurables et doivent être maximisées. *Ce* type de « rationalité » est secondaire et subordonné. Nous pouvons nous en servir pour déblayer une partie du terrain, éliminer quelques absurdités manifestes. Mais les facteurs qui, aujourd'hui, façonnent effectivement la réalité, et parmi ceux-ci, les décisions des gouvernements, des firmes et des individus, ne peuvent pas être soumis à ce genre de traitement. Et, dans une société nouvelle et autre, ils seraient d'une nature totalement différente.

V

La question de la technique est depuis longtemps discutée à l'intérieur de cadres mythiques qui se succèdent les uns aux autres. Tout d'abord, le « progrès technique » était, bien entendu, bon et rien que bon. Puis, le progrès technique est devenu bon « en lui-même », mais utilisé mal (ou pour le mal) par le système social existant; en d'autres termes, la technique était considérée comme pur moyen, en lui-même neutre quant aux fins. Cela reste, à ce jour, la position des scientifiques, des libéraux et des marxistes; il n'y a, par exemple, rien à dire contre l'industrie moderne comme telle : ce qui ne va pas, est qu'elle est utilisée pour le profit et/ou la puissance d'une minorité, au lieu de l'être pour le bien-être de tous. Cette position s'appuie sur deux fallaces combinées : la fallace de la séparabilité totale des moyens et des fins, et la fallace de la composition. Le fait que l'on puisse utiliser l'acier pour fabriquer, indifféremment, des charrues ou des canons, *n'*implique *pas* que le système total des machines et des techniques existantes aujourd'hui pourrait être utilisé, indifféremment, pour « servir » une société aliénée et une société autonome. Ni idéalement, ni réellement on ne peut séparer le système technologique d'une société de ce que cette société *est*. Et maintenant, nous sommes plus ou moins parvenus à une position située exactement aux antipodes de la position initiale : de plus en plus nombreux sont les gens qui pensent que la technique est mauvaise en elle-même.

Nous devons tenter de pénétrer plus profondément dans la question. L'illusion non consciente de l' « omnipotence virtuelle » de la technique, illusion qui a dominé les temps modernes, s'appuie sur une autre idée non discutée et dissimulée : l'idée de *puissance.* Une fois cela compris, il devient clair qu'il ne suffit pas de demander simplement : la puissance *pour quoi faire,* la puissance *pour qui?* La question est : qu'*est*-ce que la puissance et, même, en quel sens non trivial *y a-t-il* jamais réellement puissance?

Derrière l'idée de puissance gît le phantasme du contrôle total, de la volonté ou du désir maîtrisant tout objet et toute circonstance. Certes, ce phantasme a toujours été présent dans l'histoire humaine, soit « matérialisé » dans la magie, etc., soit projeté sur quelque image divine. Mais, assez curieusement, il y a toujours eu aussi conscience de certaines limites interdites à l'homme — comme le montrent le mythe de la Tour de Babel, ou l'*hubris* grecque. Que l'idée de contrôle total ou, mieux, de maîtrise totale soit intrinsèquement absurde, tout le monde évidemment l'admettrait. Il n'en reste pas moins que c'*est* l'idée de maîtrise totale qui forme le moteur caché du développement technologique moderne. L'absurdité directe de l'idée de maîtrise totale est camouflée derrière l'absurdité moins brutale de la « progression asymptotique ». L'humanité occidentale a vécu pendant des siècles sur le postulat implicite qu'il est toujours possible et réalisable d'atteindre plus de puissance. Le fait que, dans tel domaine particulier et dans tel but particulier, on pouvait faire « plus » a été vu comme signifiant que, dans tous les domaines pris ensemble et pour tous les buts imaginables, la « puissance » pouvait être agrandie sans limites.

Ce que nous savons maintenant avec certitude, c'est que les fragments de « puissance » successivement conquis restent toujours locaux, limités, insuffisants et, très probablement, intrinsèquement inconsistants sinon carrément incompatibles entre eux. Aucune « conquête » technique majeure n'échappe à la possibilité d'être utilisée autrement qu'il n'était visé à l'origine, aucune n'est dépourvue d'effets latéraux « indésirables », aucune n'évite d'interférer avec le reste — aucune, en tout cas, parmi celles que produit le type de technique et de science que *nous* avons « développées ». A cet égard, *la « puissance » accrue est aussi, ipso facto, impuissance accrue, ou même « anti-puissance », puissance de faire surgir le contraire de ce que l'on visait;* et qui calculera le bilan net, en quels termes, sur quelles hypothèses, pour quel horizon temporel?

Ici encore, la condition opérante de l'illusion est l'idée de séparabilité. « Contrôler » les choses consiste à isoler des facteurs séparés et circonscrire avec précision les « effets » de leur action. Cela marche, jusqu'à un certain point, avec les objets courants de la vie quotidienne; c'est ainsi que nous procédons pour réparer un moteur de voiture. Mais, plus nous avançons, plus nous voyons clairement que la séparabilité n'est qu'une « hypothèse de travail » à validité locale et limitée. Les physiciens contemporains commencent à se rendre compte du véritable état de choses; ils soupçonnent que les impasses apparemment insurmontables de la physique théorique sont dues à l'idée qu'il existerait des choses telles que des « phénomènes » séparés et singuliers, et se demandent si l'Univers ne devrait pas être plutôt traité comme une entité unique et unitaire [1]. D'une autre manière, les problèmes écologiques nous obligent à reconnaître que la situation est similaire en ce qui concerne la technique. Ici aussi, au-delà de certaines limites, on ne peut pas considérer que la séparabilité va de soi; et ces limites restent inconnues jusqu'au moment où la catastrophe menace.

La pollution et les dispositifs visant à la combattre en fournissent une première illustration – banale, et facilement contestable. Depuis plus de vingt ans, des dispositifs contre la pollution ont été installés sur les cheminées des usines, etc., pour retenir les particules de carbone contenues dans la fumée. Ces dispositifs se montrèrent très efficaces, et l'atmosphère autour des villes industrielles contient actuellement beaucoup moins de CO_2 qu'auparavant. Toutefois, au cours de la même période, l'acidité de l'atmosphère a été multipliée par 1 000 (mille fois) et la pluie qui tombe sur certaines parties de l'Europe et de l'Amérique du Nord est aujourd'hui aussi acide que du « pur jus de citron » – entraînant de graves effets sur la croissance des forêts, déjà percevables –, car le soufre contenu dans la fumée et fixé auparavant par le carbone se dégage maintenant librement et se combine avec l'oxygène et l'hydrogène atmosphériques pour former des acides [2]. Que les ingénieurs, les hommes de science, les administrations n'y aient pas pensé avant que cela n'arrive, peut paraître ridicule; cela ne rend pas la chose moins vraie. La réponse sera : « La prochaine fois, nous saurons et nous ferons mieux. » Peut-être.

1. Cf. les beaux articles de Wigner, d'Espagnat, Zeh et Bohm *in* d'Espagnat (éd.), *Foundations of Quantum Mechanics*, New York et Londres, 1971.

2. *International Herald Tribune*, 14 juin 1974.

Considérons maintenant la question de la pilule contraceptive. Les discussions et les préoccupations sur ses éventuels effets latéraux indésirables se sont centrées sur la question de savoir si les femmes utilisant la pilule pourraient grossir ou avoir le cancer. Admettons qu'il soit démontré que de tels effets n'existent pas, ou que l'on puisse les combattre. Mais ayons le courage de reconnaître que ces aspects de la question sont microscopiques. Laissons de côté ce qui est peut-être l'aspect le plus important de la pilule, l'aspect psychique, dont pratiquement personne ne parle : que pourrait-il arriver aux êtres humains s'ils commençaient à se considérer comme maîtres absolus de la décision de donner ou de ne pas donner la vie, sans qu'ils aient à payer cette « puissance » d'un prix quelconque (sauf 20 F par mois)? Que pourrait-il arriver aux êtres humains s'ils se coupaient de leur condition et de leur destin animaux, relatifs à la production de l'espèce? Je ne dis pas que quelque chose de « mauvais » arriverait nécessairement. Je dis que tout le monde considère comme allant de soi que cette « puissance » supplémentaire ne peut être que « bonne » — et même simplement : qu'elle *est* vraiment « puissance ». Venons-en à l'aspect proprement biologique. La pilule est « efficace » parce qu'elle interfère avec des processus de régulation fondamentaux, profondément liés aux fonctions les plus importantes de l'organisme, sur lesquels nous ne « savons » pratiquement rien. Or, pour ce qui est de ses effets éventuels sous ce rapport, la question pertinente n'est pas : qu'est-ce qui peut arriver à une femme si elle prend la pilule pendant dix ans? La question pertinente est : que pourrait-il arriver à l'espèce, si les femmes prenaient la pilule pendant mille générations (je dis bien mille générations), c'est-à-dire après vingt-cinq mille ans? Cela correspond à une expérimentation sur une souche de bactéries *pendant trois mois environ*. Or, vingt-cinq mille ans sont évidemment un laps de temps « privé de sens » pour nous. En conséquence, nous agissons comme si ne pas se soucier des résultats possibles de ce que nous faisons était « plein de sens ». En d'autres termes : nous étant donné un temps linéaire et un horizon temporel infini, nous agissons comme si le seul intervalle de temps significatif était celui des quelques années à venir.

Dans le pays d'où je viens, la génération de mes grands-pères n'avait jamais entendu parler de planification à long terme, d'externalités, de dérive des continents ou d'expansion de l'Univers. Mais, encore pendant leur vieillesse, ils continuaient à planter des oliviers et des cyprès, sans se poser de questions sur les coûts et les rendements. Ils savaient qu'ils auraient à mourir, et qu'il fallait laisser la terre en bon état pour ceux qui viendraient après eux, peut-être rien que pour la terre elle-même. Ils savaient que, quelle que fût la « puissance » dont ils pouvaient disposer, elle ne pouvait avoir des résultats bénéfiques que s'ils obéissaient aux saisons, faisaient attention aux vents et respectaient l'imprévisible Méditerranée, s'ils taillaient les arbres au moment voulu et laissaient au moût de l'année le temps qu'il lui fallait pour se faire. Ils ne pensaient pas en termes d'infini — peut-être n'auraient-ils pas compris le sens du mot; mais ils agissaient, vivaient et mouraient dans un temps véritablement *sans fin*. Évidemment, le pays ne s'était pas encore développé.

VI

Il s'est trouvé que, sur cette planète, au long de milliards d'années, un bio-système équilibré comportant des millions d'espèces vivantes différentes s'est déployé et que, pour des centaines de milliers d'années, les sociétés humaines ont réussi à se créer un habitat matériel et mental, une niche biologique et métaphysique, en altérant l'environnement sans l'endommager. Malgré la misère, l'ignorance, l'exploitation, la superstition et la cruauté, ces sociétés sont parvenues à se créer à la fois des façons de vivre bien adaptées et des mondes cohérents de significations imaginaires d'une richesse et d'une variété stupéfiantes. Posons le regard sur la vie au XIIIe siècle, promenons-le de Chartres à Borobudur et de Venise aux Mayas, de Constantinople à Pékin et de Kublai-Khan à Dante, de la maison de Maïmonide à Cordoue jusqu'à Nara et de la *Magna Carta* jusqu'aux moines byzantins copiant Aristote; comparons cette fantastique diversité avec la situation présente du monde, où les pays ne diffèrent pas vraiment les uns des autres en fonction de leur présent — lequel, comme tel, est partout *le même* — mais seulement en fonction des restes de leur passé. C'*est cela,* le monde « développé ».

Mais les emplois du passé sont limités. Malgré la sympathie que l'on peut éprouver pour les mouvements « naturalistes » d'aujourd'hui, et pour ce qu'ils tentent d'exprimer, il serait évidemment illusoire de penser que nous pourrions rétablir une société « pré-industrielle », ou que ceux qui aujourd'hui détiennent le pouvoir l'abandonneraient spontanément s'ils se trouvaient confrontés avec une hypothétique désertion grandissante de la société industrielle. Et ces mouvements sont pris eux-mêmes dans des contradictions. Il n'y a guère eu de « communautés » sans musique enregistrée; et un magnétophone implique la totalité de l'industrie moderne.

Il serait également catastrophique de mal comprendre, mal interpréter et sous-estimer ce que le monde occidental a apporté. A travers et par-delà ses créations industrielles et scientifiques, et les ébranlements correspondants de la société et de la nature, il a détruit l'idée de *physis* en général et son application aux affaires humaines en particulier. Cela, l'Occident l'a fait moyennant une interprétation et une réalisation, « théorique » et « pratique », de la « Raison » – interprétation et réalisation spécifiques, poussées à leur limite. Au bout de ce processus, il a atteint un lieu où il n'y a plus et il ne peut plus y avoir de point de référence ou d'état fixe, de « norme ».

Dans la mesure où cette situation induit le vertige de la « liberté absolue », elle peut provoquer la chute dans l'abîme de l'esclavage absolu. Et dès maintenant, l'Occident est esclave de l'idée de la liberté absolue. La liberté, conçue autrefois comme « conscience de la nécessité » ou comme postulat de la capacité d'agir selon la pure norme éthique, est devenue liberté nue, liberté comme pur arbitraire *(Willkür)*. L'arbitraire absolu est le vide absolu; le vide doit être rempli, et il l'est avec des « quantités ». Mais l'augmentation sans fin des quantités a une fin – non seulement d'un point de vue extérieur, puisque la Terre est finie, mais d'un point de vue interne, parce que « plus » et « plus grand » n'est plus désormais « différent », et le « plus » devient qualitativement *indifférent.* (Une croissance du PNB de 5 % dans une année signifie que, qualitativement, l'économie est dans le même état que l'année précédente; les gens estiment que leur condition a empiré si leur « niveau de vie » ne s'est pas « élevé », et n'estiment pas qu'elle s'est améliorée si ce « niveau » ne s'est élevé que suivant le pourcentage « normal ».) Tout cela, Aristote et Hegel le savaient déjà parfaitement. Mais, comme c'est souvent le cas, la réalité suit la pensée avec un retard considérable.

Cependant, à moins d'un choc en retour religieux, mystique ou irrationnel de nature quelconque – choc en retour improbable, mais non impossible – le résultat principal de cette destruction de l'idée de *physis* ne saurait être désormais escamoté. Car *il est vrai* que l'homme n'est pas un être « naturel » – bien qu'il ne soit pas, non plus, un animal « rationnel ». Pour Hegel, l'homme était « un animal malade ». On devrait plutôt dire que l'homme est un animal fou qui, moyennant sa folie, a inventé la raison. Étant un animal fou, il a fait naturellement de son invention, la raison, l'instrument et l'expression la plus méthodique de sa folie. Cela, nous pouvons le savoir maintenant, parce que cela s'est produit.

Dans quelle mesure ce savoir peut-il nous aider dans notre épreuve actuelle? Très peu, et beaucoup. Très peu, car la transformation de l'état présent de la société mondiale n'est évidemment pas une affaire de savoir, de théorie ou de philosophie. Très peu aussi, car nous ne pouvons pas renoncer à la raison – pas plus que nous ne pouvons séparer librement « la raison en tant que telle » et sa réalisation historique actuelle. Nous serions insensés si nous pensions, à notre tour, que nous pourrions considérer la raison comme un « instrument » qui devrait être affecté à un meilleur usage. Une culture n'est pas un menu dans lequel nous pourrions choisir ce que nous aimons et négliger le reste.

Mais ce savoir peut nous aider beaucoup s'il nous rend capables de dénoncer et de détruire l'idéologie rationaliste, l'illusion de l'omnipotence, la suprématie du « calcul » économique, l'absurdité et l'incohérence de l'organisation « rationnelle » de la société, la nouvelle religion de la « science », l'idée du développement pour le développement. Cela, nous pouvons le faire si nous ne renonçons pas à la pensée et à la responsabilité, si nous voyons la raison et la rationalité dans la perspective appropriée, si nous sommes capables d'y reconnaître des créations historiques de l'homme.

Car la crise actuelle avance vers un point où, soit nous serons confrontés avec une catastrophe naturelle ou sociale, soit, avant ou après cela, les hommes réagiront d'une manière ou d'une autre et tenteront d'établir de nouvelles formes de vie sociale qui aient pour eux un sens. Cela, nous ne pouvons pas le faire pour eux et à leur place; pas plus que nous ne pouvons dire comment cela pourrait être fait. Ce que nous pouvons faire, c'est détruire les mythes qui, plus que l'argent et les armes, constituent l'obstacle le plus formidable sur la voie d'une reconstruction de la société humaine.

COMMUNICATION

CORNELIUS CASTORIADIS

D'abord, une remarque sur les propos de Candido Mendes relatifs au « langage impérial » de Domenach et à l' « absence de langage » des barbares. Ils me rappellent un beau poème de Cavafis intitulé précisément *les Barbares :* les gens d'une ville de l'Empire, ayant appris que les barbares allaient arriver le jour même, se réunissent sur le forum; ils attendent les barbares, espérant qu'enfin quelque chose va les faire sortir de leur ennui, de leur « mal du siècle ». Les consuls et les préteurs portent pour la circonstance leurs toges brodées et leurs plus beaux bijoux; on peut supposer que les vieillards s'attendent à être égorgés et les femmes à être violées. Mais la journée passe, la nuit commence à tomber – et soudain, tout ce monde se disperse, dans le malaise et la confusion. Car des messagers viennent d'arriver de la frontière, annonçant qu'il n'y a plus de barbares. « Et maintenant, qu'allons-nous devenir sans barbares? Ces hommes étaient, en quelque sorte, une solution. » Ce sont les deux derniers vers du poème.

Si j'étais, moi aussi, dans l'attente des barbares – ce qui n'est pas le cas –, je devrais dire que je ne les vois pas – pas ici, en tout cas. Je vois seulement Candido Mendes, que je n'arrive pas à distinguer d'un Occidental ultra-décadent, et qui, moyennant un langage dont la préciosité repose sur quarante siècles de culture et dont il exploite savamment toutes les ressources, se flatte de se poser en barbare – ce qui est évidemment une idée de « civilisé ». Mais supposons qu'il y ait des barbares et qu'ils se présentent ici. Que pourrions-nous faire? Ou bien les barbares veulent effectivement nous égorger et la seule question qui se pose alors est celle du rapport de forces : ils nous égorgent ou nous les égorgeons. Ou bien une discussion est possible, et dans ce cas il faut se plier à certaines règles d'usage du langage, et ne pas chercher, dans la discussion, la victoire par la violence, par la violence du discours, mais l'élucidation des questions; la « civilisation » n'est rien d'autre que cela.

Candido Mendes taquinait gentiment Domenach sur l'Occident, et Domenach a répondu qu'il pensait effectivement qu'en un certain sens il existait une supériorité de l'Occident. Pour ma part, je récuse ces termes (tout en constatant que ceux qui se veulent barbares parlent en fait un langage occidental). Il y a *une* particularité de l'Occident qui nous importe ici : la culture occidentale (gréco-occidentale : puisque cela commence au moins avec Hérodote) est la seule à s'être intéressée à l'existence d'autres cultures, à s'être interrogée sur elles, et finalement à se mettre en question elle-même, à se relativiser en fonction de ce savoir portant sur les autres cultures. Cela, les Gréco-Occidentaux l'ont fait – et c'est à partir de cela que nous pensons. Si aujourd'hui nous pouvons discuter du problème du développement comme d'un problème mondial, c'est-à-dire intéressant tous ceux qui vivent sur cette planète indépendamment de la culture particulière à laquelle ils appartiennent, c'est grâce à cela : c'est la condition de fait et de droit de notre discussion. Au-delà de cela, il n'y a, à mes yeux, ni supériorité, ni infériorité de l'Occident. Il y a simplement un fait : une terre qui a été unifiée par la violence occidentale. Dans les faits, l'Occident a été et reste victorieux – et non pas seulement par les armes : il le reste par les idées, par les « modèles » de croissance et de développement, par les structures étatiques, etc., qui créées par lui, sont reprises aujourd'hui partout.

Une deuxième remarque sur le rapport de la philosophie et de la « science », à partir d'une phrase d'Attali, qui a dit : « Le philosophe accompagne le scientifique, qui ouvre les portes. » Erreur gravissime. Le scientifique ouvre les portes en utilisant des clefs qui sont fabriquées à partir d'un certain nombre d'idées, d'idées philosophiques. Si, au début du siècle, on avait dit à un physicien : tout ce que vous faites se fonde sur l'*idée* de causalité, il vous aurait ri au nez. Quelques années après, la maison des physiciens a explosé et les débris continuent de leur tomber sur la tête. L' « évidence » de la causalité est redevenue problème, et les physiciens sont obligés de discuter de philosophie. Il en va de même en politique. Il est affligeant de voir des jeunes militants s'aliéner dans un activisme irréfléchi et proclamer que ce qui leur importe c'est l'action, non pas la philosophie. Car, lorsqu'on regarde en quoi consiste leur action et de quoi sont faites les idées de leurs tracts et de leurs affiches, on constate qu'elles ne sont que les sous-produits des écrits d'un philosophe-sociologue allemand du XIXe siècle, nommé Karl Marx. Et lorsqu'on regarde d'un peu près les écrits de Marx, c'est Hegel et Aristote qu'on y trouve.

J'en viens maintenant au problème du « développement ». Il nous faut revenir à l'origine de ce terme et de cette idée. Le développement est le procès moyennant lequel le germe, l'œuf, l'embryon se déploie, s'ouvre, s'étale – où le vivant en général parvient à son état de « maturité ». Parler de développement, c'est se référer à la fois à un « potentiel » qui est déjà là *et* à un accomplissement, un achèvement, un acte, une *energeia* donnés, définis, déterminés; c'est opposer une « matière » déjà riche de déterminations non explicitées à *la* forme qu'elle va devenir – et cette forme est une norme. C'est là le langage d'Aristote, de l'ontologie aristotélicienne, mais cette ontologie, sous une forme ou une autre, sous-tend toute la pensée occidentale. Ainsi, pour ce qui est du problème qui nous occupe : on parle du « développement » des pays du Tiers Monde en posant qu'il existe un état de maturité définissable qu'ils doivent atteindre. Ainsi aussi, lorsque Marx parlait des « facultés qui dès l'origine sommeillent chez l'homme producteur », il parlait le langage d'Aristote. Dans ce langage, dire que quelque chose est, c'est dire que sa forme correspond à une norme, que son *eidos* est défini par son *telos,* et qu'il n'*est* « vraiment », ou « pleinement » que pour autant qu'il est achevé, déterminé, défini. Et c'est ce qui guide, encore aujourd'hui, le scientifique lorsqu'il travaille à la connaissance de la nature : il essaie de traduire dans son domaine cette conception, que ce qui est doit être parfaitement déterminé.

Mais le contenu de cette détermination se modifie, de la Grèce ancienne aux temps modernes. Pour les Grecs, déterminé signifie fini, achevé, et infini signifie moins-déterminé, in-achevé, donc finalement moins-être. Les signes s'inversent avec le christianisme (et le néoplatonisme) : l'être véritable est Dieu, et Dieu est infini. Mais ce Dieu infini est loin, est ailleurs : ce monde-ci reste, si l'on peut dire, aristotélicien. Le véritable bouleversement a lieu lorsque l'infini envahit ce monde-ci. Comment donc la déterminité, la conception de l'être comme être-déterminé, peut-elle être sauvée s'il y a de l'infini « actuel »? Elle peut l'être si la déterminité est pensée comme mathématique, et en fait comme détermination quantitative : le point de référence fixe est fourni par la possibilité de calculer ce dont il s'agit.

Ce bouleversement est conditionné par la confluence, convergence, coïncidence de deux grands facteurs historiques, si toutefois on peut les séparer. L'un, c'est la naissance et le développement de la bourgeoisie, et l'instauration par celle-ci d'un nouvel univers de significations imaginaires sociales. L'autre, c'est la révolution philosophique et scientifique que l'on peut symboliser par quelques noms. Par exemple Descartes, pour qui sa philosophie et sa mathématique sont indissociables, et dont il faut comprendre que le but qu'il assignait au savoir : faire de nous les maîtres et possesseurs de la nature, n'est rien d'autre que le phantasme programmatique des temps modernes. Par exemple aussi Leibniz : *Cum Deus calculat fiat mundus* – phrase décisive pour la nouvelle onto-théologie, mais aussi pour l'économie contemporaine. Le Dieu de Leibniz calcule les *maxima* et les *minima,* plus généralement les *extrema* qui se trouvent toujours être des *optima,* il pense le calcul différentiel et le calcul des variations, et pendant ce temps-là, le monde prend forme. Ce sont aussi ces *extrema* et ces *optima* que prétend calculer l'économiste moderne, ce sont les brachistochrones du développement qu'il essaie de déterminer.

Dans ce monde, à la fois infini et soumis (prétendument) au calcul, il ne subsiste plus aucune forme/norme fixe, sauf celles que fait surgir la quantité elle-même en tant que calculable. Ainsi, l'évolution du savoir scientifique lui-même est de plus en plus vue comme une suite d' « approximations croissantes », en termes de précision de plus en plus grande (des lois, des constantes universelles, etc.). Ainsi aussi dans les affaires humaines, sociales, le point de vue quantitatif de la croissance, de l'expansion devient absolument décisif : la forme/norme qui oriente le « développement » social et historique est celle des quantités croissantes.

Pourquoi rappeler, si vite et si mal, tout cela? Pour souligner le plus fortement possible que le paradigme de « rationalité » sur lequel tout le monde vit aujourd'hui, qui domine aussi toutes les discussions sur le « développement », n'est qu'une création historique particulière, arbitraire, contingente. J'ai essayé de le montrer de manière un peu plus circonstanciée dans les paragraphes de mon rapport écrit relatifs à l'économie, d'une part, à la technique, de l'autre. J'ajouterai seulement ici que si ce paradigme a pu « fonctionner », et avec l' « efficacité » relative, mais néanmoins terrifiante qu'on lui connaît, c'est qu'il n'est pas totalement « arbitraire » : il y a certes un aspect non trivial de ce qui est, lequel se prête à la quantification et au calcul; et il y a une dimension inéliminable de notre langage et de tout langage qui est nécessairement « logico-mathématique », qui incarne en fait ce qui est, sous sa forme mathématique pure, la théorie des ensembles. Nous ne pouvons pas penser à une société qui ne saurait pas compter, classer, distinguer, utiliser le tiers exclu, etc. Et en un sens, à partir du moment où l'on comprend que l'on peut compter au-delà de tout nombre donné, toute la mathématique est virtuellement là, et puis les possibilités de son application; en tout cas, cette « virtualité » est aujourd'hui développée, déployée, réalisée, et nous ne pouvons ni revenir en arrière, ni faire comme si elle ne l'avait pas été. Mais la question est de réinsérer cela dans une vie sociale où il ne soit plus l'élément décisif et dominant, comme il l'est aujourd'hui. Nous devons remettre en cause la grande folie de l'Occident moderne, qui consiste à poser la « raison » comme souveraine, à entendre par « raison » la rationalisation, et par rationalisation la quantification. C'est cet esprit, toujours opérant (même ici, comme l'a montré la discussion) qu'il faut détruire. Il faut comprendre que la « raison » n'est qu'un moment ou une dimension de la pensée, et qu'elle devient folle lorsqu'elle s'autonomise.

Qu'est-ce qui est donc à faire? Ce qui est à faire, ce qui se trouve devant nous, est une transformation radicale de la société mondiale, qui ne concerne pas et ne peut pas concerner seulement les pays dits « sous-développés ». Il est illusoire de croire qu'un changement essentiel pourrait jamais se produire dans les pays « sous-développés » s'il ne se produisait pas aussi dans le monde « développé »; cela est évident à partir de la considération aussi bien des rapports bruts, militaires et économiques, que des rapports « idéologiques ». Si une transformation essentielle a lieu, elle ne pourra concerner que les deux parties du monde. Et une telle transformation sera nécessairement, d'abord et surtout, une transformation *politique* — que je ne peux concevoir, pour ma part, que comme l'instauration de la démocratie, démocratie qui actuellement n'existe nulle part. Car la démocratie ne consiste pas à élire, dans le meilleur des cas, tous les sept ans un président de la République. La démocratie, c'est la souveraineté du *demos,* du peuple, et être souverain c'est l'être vingt-quatre heures sur vingt-quatre. Et la démocratie exclut la délégation des pouvoirs; elle est pouvoir direct des hommes sur tous les aspects de la vie et de l'organisation sociales, à commencer par le travail et la production.

L'instauration de la démocratie ainsi conçue — et dépassant les formes de vie « nationales » du présent – ne peut venir que d'un immense mouvement de la population mondiale, que l'on ne peut concevoir que comme couvrant toute une période historique. Car un tel mouvement – excédant de loin tout ce que l'on a l'habitude de penser comme « mouvement politique » – ne pourra pas exister s'il ne met pas aussi en cause toutes les significations instituées, les normes et les valeurs qui dominent le système actuel et sont consubstantielles à celui-ci. Il ne pourra exister que comme transformation radicale de ce que les hommes considèrent comme important et comme sans importance, comme valant et comme ne valant pas –, bref une transformation psychique et anthropologique profonde, et avec la création parallèle de nouvelles formes de vie et de nouvelles significations dans tous les domaines.

Peut-être en sommes-nous très loin. Peut-être non. La transformation sociale et historique la plus importante de l'époque contemporaine, que nous avons tous pu observer pendant la dernière décennie car c'est alors qu'elle est devenue vraiment manifeste mais qui était en cours depuis trois quarts de siècle, ce n'est ni la révolution russe, ni la révolution bureaucratique en Chine, mais le changement de la situation de la femme et de son rôle dans la société. Ce changement, qui n'était au programme d'aucun parti politique (pour les partis « marxistes », un tel changement ne pourrait être que le sous-produit, un des nombreux sous-produits secondaires d'une révolution socialiste), n'a pas été fait par ces partis. Il a été effectué de manière collective, anonyme, quotidienne par les femmes elles-mêmes, sans même que celles-ci s'en représentent explicitement les buts; sur trois quarts de siècle, vingt-quatre heures sur vingt-quatre, à la maison, au travail, à la cuisine, au lit, dans la rue, face aux enfants, face au mari, elles ont graduellement transformé la situation. Cela, les planificateurs, les techniciens, les économistes, les sociologues, les psychologues, les psychanalystes non seulement ne l'avaient pas prévu, ils n'ont même pas pu le voir lorsqu'il a commencé à se dessiner.

La même chose, *mutatis mutandis,* est vraie pour le changement de la situation et des attitudes des jeunes – et même maintenant des enfants – qui n'a résulté d'aucun programme politique et que les politiciens n'ont pas été capables de reconnaître lorsqu'il a commencé à leur exploser à la figure. Voilà, entre parenthèses, à quoi revient l'utilité des « sciences humaines » d'aujourd'hui. Je crois pour ma part que dans tous les domaines de la vie, et aussi bien dans la partie « développée » que dans la partie « non développée » du monde, les êtres humains sont actuellement en train de liquider les anciennes significations et peut-être d'en créer de nouvelles. Notre rôle est de démolir les illusions idéologiques qui les entravent dans cette création.

DISCUSSION

JORGE SABATO : Les privilégiés et les non-privilégiés emploient un langage différent tout en utilisant les mêmes mots. Prenons un terme très courant, celui de technologie. Il n'a pas la même signification pour les uns que pour les autres, pour la simple raison que pour les premiers, la technologie est le moyen d'acquérir un plus grand nombre d'articles de moins en moins primordiaux; et alors on commence à dire que la technologie est néfaste, que la vie n'est plus aussi facile que dans le bon vieux temps, etc. Pour les seconds, la technologie, c'est l'espoir, l'espoir de mieux se nourrir, d'avoir une maison, et peut-être d'apprendre à lire et à écrire, d'éliminer la maladie. C'est un espoir fantastique, parce que, dans le passé, les privilégiés ont pu se procurer, grâce à la technologie, nourriture, santé, richesse et puissance. Ainsi, tandis que la technologie est un souci pour les riches, elle est un espoir pour les pauvres. Il en va de même pour la science.

Quant à l'équilibre, c'est un joli mot. Pour les riches, il signifie le maintien du *statu quo* qui leur apporte le pouvoir, le contrôle et des possibilités de bonheur grâce à toutes ces ressources. Le maintien de ce *statu quo* signifie pour les autres qu'ils resteront dans la situation où ils se sont trouvés pendant des siècles. Actuellement, ceux qui se trouvent de ce côté-ci n'acceptent plus un équilibre bon pour certains, mauvais pour d'autres; ils luttent contre cet équilibre, tout en ignorant ce qu'ils voudraient avoir à sa place, mais ils s'en soucient peu. Et voici qu'intervient un événement majeur : le changement. Les masses entrent littéralement dans l'histoire avec le sentiment bien établi que l'équilibre actuel ne peut plus être accepté.

Et lorsque nous examinons l'état présent du monde, nous nous demandons quelle est l'approche des problèmes par ceux qui se trouvent ici et par ceux qui se trouvent là. Pourquoi les puissants et les riches se trouvent-ils si accablés, si malheureux soudain? Les choix religieux, les journaux, les livres parlent d'une problématique, et en effet au cours des dix dernières années une nouvelle problématique est apparue, en même temps que la résurgence de vieux problèmes de la civilisation occidentale; vieux, car des poètes, des écrivains parlèrent, il y a au moins cent ans, de ce dont nous discutons aujourd'hui. Comme les vagues de la mer, cela apparaît et disparaît en fonction de la situation du monde et de l'image que s'en font les privilégiés. Ils sont préoccupés parce que leur pouvoir diminue par rapport au passé, qu'ils ne contrôlent plus le monde entier; leur pouvoir s'est accru sur les éléments matériels mais leur pouvoir réel a diminué, c'est-à-dire le pouvoir de décider ce que sera la vie et l'autonomie ou la souveraineté des pays du monde. Ils redoutent de se trouver dans une situation difficile car, à mesure que les masses prennent conscience, elles n'acceptent plus cette littérature qu'on leur présentait comme une explication de ce que doit être le monde, et elles sont tout étonnées de constater qu'elles peuvent avoir droit à la nourriture, à un toit, à la santé et à l'instruction. Elles sont stupéfaites de voir que le genre humain possède la dimension, la technologie, les ressources nécessaires à leur vie. C'est le droit de tout homme né sur cette planète, car la planète appartient à tous.

Il existe une conception occidentale du monde, que l'on retrouve partout, un système de valeurs, d'intelligence, un système épistémologique dont notre ami a parlé, ce développement historique proposé pour résoudre les problèmes de l'humanité. Mais je dois dire que ce n'est pas la faute des non-privilégiés s'ils croient que la raison va tout résoudre, qu'on peut tout calculer en termes mathématiques. Je voudrais simplement rappeler que ces idées sur la puissance de la raison sont très précisément nées dans cette partie du monde et au sein de cette minorité.

CANDIDO MENDES : J'accepte la décadence, j'accepte aussi la méthodologie, et dans ce sens je fais une concession : nous sommes les pseudo-prosélytes et non les Barbares, dans le sens que nous sommes cet être hybride que vous avez créé chez nous. Et c'est très curieux de voir qu'on n'a pas encore fait ici la critique du mot modernisme. On parle du développement, on parle de crise, mais le mot-clef pour que la démystification se fasse, ce mot n'a pas encore été prononcé. Mais il y a un autre langage impérial, qui est le langage onirique, le langage tragique, et à présent, le langage du délire. Il me semble que la médiation est la rescapée de la rationalité, et toi tu enveloppes la médiation dans le délire de la rationalité. C'est là qu'il y a un langage délirant, impérial. Je pense qu'en Occident l'imagination est très fatiguée, et c'est pourquoi je ne crois pas que ce seront les Occidentaux du centre qui donneront le nouvel *imago-meaning* que tu annonces. C'est à nous, en échappant à ce labyrinthe qu'il incombera de créer ces nouveaux *imago-meanings*. Ils viendront de nos personnalités cassées, de nos diasporas, de nos schismes.

ERNEST BARTELL : Dans notre société, l'utilisation de la maximisation et de l'optimisation est presque une question de principe éthique, car les coûts et les bénéfices – bien entendu, les coûts sont équilibrés par rapport aux bénéfices – ont acquis une telle importance qu'ils en ont presque acquis une valeur morale et éthique. Ils sont devenus des normes pour nos valeurs et, dans cette discussion, j'ai l'impression que nous tentons de mettre en évidence les insuffisances de l'idéalisation de ces techniques. Pourtant, il y a encore dans le monde beaucoup de gens qui voudraient utiliser ces techniques et voir ce qu'ils pourraient en tirer. Je me demande si notre devoir envers eux consiste à abandonner ce projet, qui a été faussé et qui les a si facilement trompés, et si nous ne devons pas entreprendre un travail éducatif auprès d'eux sans tenir compte de ce qui peut se produire chez eux. Pour eux, la croissance économique n'est pas tout le développement économique, mais une grande partie des concepts de développement dépend de la liberté économique afin d'obtenir le loisir nécessaire au développement d'une nouvelle culture. Car le loisir dépend de la liberté économique qui accompagne nécessairement la croissance économique. Ainsi, nous ne rejetons pas la technique que l'homme a élaborée grâce à sa raison, mais elle n'est qu'un instrument rationnel, sans valeur idéale. Nous avons besoin de mythes et de croyances, et le danger réside, à mon avis, dans la confusion entre les croyances et l'outil. Aussi ne détruisons pas la foi et les croyances des gens, leurs aspirations légitimes et leurs espoirs en leur refusant les outils qui sont les seuls dont nous disposons actuellement. C'est pourquoi je souhaiterais que l'on ne tombe pas d'un extrême dans l'autre, mais plutôt qu'on reste à mi-chemin.

ALEX INKELES : Il est faux que les pays occidentaux redoutent uniquement la perte de leur puissance. Dans les relations entre les deux mondes, nous n'avons pas peur, mais nous manquons de connaissances, nous ignorons les projets. Si nous avons peur de quelque chose, c'est de ne pas savoir comment enseigner à nos enfants à prendre part au développement du monde. Je suis profondément convaincu que le développement n'est pas vraiment en crise en tant que tel, mais qu'il existe une crise à propos des méthodes et de notre attitude à l'égard de ce développement. Je suppose qu'il existe également une crise d'espérance relative aux possibilités du développement dans le deuxième monde.

JACQUES ATTALI : J'ai deux remarques à faire. La première, c'est que Castoriadis a réduit l'interprétation des mathématiques à l'utilisation de la quantification, c'est-à-dire du calcul variationnel. Or il y a autre chose encore dans les mathématiques : il y a la formalisation et la conceptualisation de cette quantification; il y a aussi, même en dehors de la quantification, une analyse mathématique qui atteint les limites du surréel.

La deuxième remarque est la suivante : j'ai interprété l'exposé de Castoriadis – et je vais le caricaturer – comme une apologie de l'inaction sous la forme suivante : Castoriadis nous a expliqué que nous avons construit une belle voiture, que nous sommes montés dedans en laissant beaucoup de gens dehors, alors qu'ils avaient aussi envie d'y monter. Puis nous avons mis le moteur en marche et nous avons avancé sur une route obscure. Mais nous avons perdu les clefs de contact. Il nous dit maintenant que nous, intellectuels, avons allumé les phares et voyons devant nous des murs, des fossés, d'horribles choses; et nous vous disons alors : surtout, ne faites rien avant de savoir comment arrêter la voiture. J'avoue que je préférerais essayer de trouver un chemin de traverse, même s'il est plein d'ornières, plutôt que de rester dans cette situation. Je pense que le vrai travail de l'intellectuel aujourd'hui, ce n'est pas de faire une apologie de l'inaction tant qu'on n'a pas trouvé comment arrêter la voiture, mais d'essayer de savoir s'il n'est pas possible, par des actions concrètes, pratiques, de trouver les points sur lesquels, en agissant sur le système, on peut lui faire emprunter un chemin de traverse, s'il est possible d'éviter le mur que font apparaître les phares allumés.

RÉPONSE DE CORNELIUS CASTORIADIS : Bien entendu, la mathématique dépasse ce qui est simple quantification. Cela n'empêche pas que la presque totalité des *applications* de la mathématique au réel se fondent sur les branches de la mathématique où il est question de quantité et de mesure (algèbre, analyse, etc.). Et c'est dans ces applications, en physique notamment et depuis Newton, que les mathématiques ont démontré ce que l'on a pu appeler leur « efficacité déraisonnable ». Ces succès ont fourvoyé les hommes des sciences sociales, et en tout premier lieu les économistes. Depuis un siècle, l'économie politique essaie d'imiter la physique mathématique – avec des résultats pratiquement nuls. Quant aux tentatives plus récentes d'utiliser la formalisation mathématique « non quantitative » aux sciences sociales, comme le structuralisme, leurs résultats sont extrêmement pauvres; le seul domaine où ils semblent posséder une certaine validité est celui des aspects les plus élémentaires du langage (phonologie), où du reste on ne peut même pas parler d'une véritable formalisation, mais de la mise en œuvre d'une *ars combinatoria* rudimentaire. Pour ma part, je pense que la dimension essentielle des phénomènes sociaux et historiques dépasse la puissance de l'instrument mathématique, quel qu'il soit; je ne pense pas, par exemple, qu'une mathématisation ou formalisation quelconque de l'inconscient freudien soit possible et ait un sens.

Je ne fais, et n'ai jamais fait, aucune apologie de l'inaction. *Ici,* notre action c'est la parole. Je parle en mon nom, et je m'accorde le droit de critiquer et de proposer. Et ce n'est pas parce que nous critiquerions l'idéologie que recouvre le terme de développement et son utilisation actuelle, que les gouvernements arrêteront leur aide (ou leur non-aide) au développement. Les gouvernements continueront de faire ce qu'ils font, pour des raisons qui les concernent, et qui n'ont, du reste, rien à faire avec le fait que des gens meurent de faim : elles concernent uniquement le jeu du pouvoir à l'échelle mondiale.

Je ne « confonds » pas, comme il a été dit, science et religion; il s'agit de comprendre que la science aujourd'hui prend la place de la religion. Vous dites : « La crise du développement c'est la crise de la foi. » Vous appelez donc cela foi; c'est peut-être votre héritage, ce n'est pas le mien. La science prend la place de la religion aujourd'hui parce que la religion s'effondre et que la croyance devient croyance en la science. Telle qu'elle existe aujourd'hui, cette croyance en la science est tout aussi irrationnelle que n'importe quelle croyance religieuse. La grande majorité des hommes actuels, y compris les scientifiques, n'ont pas à l'égard de la science une attitude rationnelle : ils y *croient;* il s'agit effectivement d'une sorte de foi. Et c'est cette croyance qu'il faut ébranler, qui se monnaye dans l'idée que les médecins, les ingénieurs, les physiciens, les économistes possèdent la réponse à tous les problèmes qui se posent à l'humanité.

Enfin, en filigrane à travers plusieurs discours tenus ici, apparaît une idéalisation du monde dit sous-développé. Je dis, pour ma part : vous êtes comme les autres, ni meilleurs, ni pires. Vous pouvez fort bien vous égorger les uns les autres, et en réalité vous le faites très souvent. En France, j'ai appartenu à la faible minorité qui a tenté de lutter contre la guerre d'Algérie. Mais j'ai toujours été certain que, si les positions avaient été inversées et que les Algériens dominaient la France, ils s'y seraient comportés, en gros, comme les Français se sont comportés en Algérie. Je crois donc qu'il faut abandonner ce type de polémique et consacrer la discussion aux questions de fond qui sont devant nous.

X

Le développement de la crise du développement

EDGAR MORIN

I. LA NOTION DE DÉVELOPPEMENT

La notion de développement, concept majeur et onusien du demi-siècle, est un maître-mot sur lequel se sont rencontrées toutes les vulgates idéologico-politiques des décennies 50 et 60. Mais a-t-elle été vraiment pensée? Elle s'est imposée comme notion-maîtresse, à la fois évidente, empirique (mesurable par les indices de croissance de la production industrielle et de l'élévation du niveau de vie), riche (signifiant de par elle-même à la fois croissance, épanouissement, progrès de la société et de l'individu). Mais on n'a guère vu que cette notion était *aussi* obscure, incertaine, mythologique, pauvre.

La notion de développement fonde son évidence sur l'évidence de la notion biologique dont elle est l'extrapolation, et dont elle se croit naïvement l'*analogon* sociologico-économique. Il est évident en effet que les organismes biologiques se développent à partir d'un œuf, au cours d'une période qui est à la fois croissance de leurs unités constitutives et épanouissement de leurs potentialités. Mais chaque développement biologique est la répétition d'un développement précédent inscrit génétiquement, et ainsi de suite. C'est le retour cyclique d'un passé, et non la construction inédite d'un avenir.

Or, la notion de développement socio-économique est tout entière tendue vers la construction d'un avenir inédit. Aussi l'apparente évidence développementaliste du processus de croissance dissimule en fait l'obscurité des finalités, l'absence de tout modèle constructeur et le caractère errant, incertain de l'aventure du développement.

En fait cette incertitude était escamotée, tant il semblait évident que l'épanouissement de l'homme, le progrès social, étaient inscrits dans le développement conjugué de la technique et de la science qui à la fois émancipent des servitudes matérielles, assurent le progrès de la rationalité et de la connaissance, et font de l'*homo sapiens/faber* le souverain éclairé de l'univers.

Au fondement donc de l'idée-maîtresse de développement, il y avait le grand paradigme de l'humanisme occidental : le développement socio-économique, entretenu par le développement scientifico-technique, assure de lui-même épanouissement et progrès des virtualités humaines, des libertés et des pouvoirs de l'homme. Voilà ce qui nourrissait la vérité évidente du développement, et chassait l'incertitude pourtant ici fondamentale : est-il bien certain que le développement économique/industriel/technique/scientifique apporte de lui-même épanouissement et progrès anthropo-social? Ici, deux réponses surgissaient, surgissent encore, qui chassent l'incertitude : *a)* oui, si le développement s'opère dans des conditions libérales/démocratiques (non totalitaires); *b)* oui, si le développement s'opère en brisant l'exploitation et le pouvoir capitalistes, c'est-à-dire de façon socialiste. Dans les deux cas, le développement en tant que tel ne comporte pas d'incertitudes; il faut lever seulement l'obstacle principal qui risque de le pervertir ou l'atrophier. (On ne se demande pas si le développement n'apporte pas, de par lui-même, aussi, des ferments de néo-totalitarisme et de néo-capitalisme.)

C'est sur ces bases qu'autour des années 60 s'épanouit le mythe du développement (alors que surgissent déjà les premiers symptômes de crise). Ce mythe s'affirme sous deux aspects : un aspect global et synthétique qui est le mythe de la société industrielle; un aspect réducteur de caractère économico-technocratique.

a) Le mythe de la société industrielle est un mythe néo-saint-simonien, selon lequel les sociétés qui ont atteint le stade industriel vont dès lors réduire leurs antagonismes, leurs conflits et leurs inégalités extrêmes, assurer aux individus le maximum de bonheur que puisse apporter une société, en bref résoudre progressivement les problèmes sociaux et humains fondamentaux qui ont pu se poser au cours de l'histoire. Sur le plan planétaire, capitalisme et (soi-disant) socialisme seront amenés à converger dans un type de société fondamentalement le même où l'abondance et l'équilibre concourent l'un à l'autre.

b) En même temps, comme il apparaissait évident que la croissance industrielle était le moteur du développement économique, lequel devenait le moteur du développement social, lequel devenait le moteur du développement/épanouissement humain, il était donc clair qu'assurer la croissance c'était assurer par enchaînement nécessaire toutes les formes de développement.

Ainsi donc on avait affaire à la fois à un mythe global, multidimensionnel, riche et à une pratique réductrice, techno-cratique, économistique et pauvre, puisque les experts de la croissance étaient les guides et comptables du développement.

De plus, cette primauté de fait d'une pratique techno-économistique entraînait celle-ci à s'auto-finaliser elle-même. Étant donné qu'il était bien évident que :

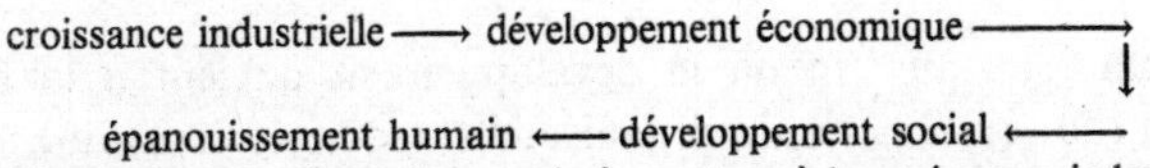

croissance industrielle ⟶ développement économique ⟶ ↓

épanouissement humain ⟵ développement social ⟵

l'épanouissement humain renvoie à son tour à la croissance industrielle qui le nourrit :

croissance industrielle . . . . développement/épanouissement
↑___________________________________↓

Or, comme l'idée de développement social et l'idée de développement humain sont des idées floues, pour échapper à ce flou, on les mesure uniquement avec des indices de croissance et des courbes économiques. Ainsi, le seul indice mesurable du développement est, pour les technocrates, la croissance industrielle elle-même.

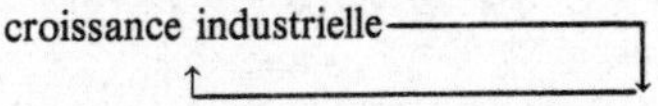

croissance industrielle ⟶ ↓
↑___________________↓

Croyant faire de la croissance *pour* le développement (social, humain), on fait de la croissance pour la croissance.

Ici on découvre qu'à la racine même de la notion de développement, ce qui est pauvre est justement ce qui semble le plus riche : l'idée d'homme et l'idée de société. On a construit l'idée de développement sur un mythe humanistique/rationalistique unidimensionnel et pauvre de l'homme et sur une idée mécanistique/économistique étonnamment bornée de la société. Pourquoi? Mille raisons se présentent à l'esprit et nous ne voulons pas les énumérer ici. Indiquons seulement celle à laquelle on pense le moins : il n'existe pas encore d'anthropologie, c'est-à-dire de véritable théorie de l'homme, et nous vivons sur le mythe borné de l'*homo sapiens/faber :* il n'existe pas encore de véritable théorie de la société, *ergo* de ce que peut être un véritable développement social.

Et cette carence d'importance fondamentale est elle-même liée à une autre carence, dans le concept même de développement. En effet, on a oublié que dire développement, c'est dire *auto-développement.* Auto = Homme (société, individu). Le développement donc doit être conçu comme :

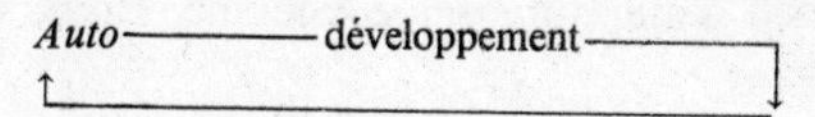

dans une récursion sans fin où le développement devient à la fois moyen et fin du système auto-organisateur (société, individu). Or tout concept de second ordre, c'est-à-dire comportant le préfixe récursif *auto*, nous dit que l'objet doit nécessairement comporter une récursion sur le sujet : ici, la société, l'homme.

Bien entendu, on ne saurait proposer ici, en prestidigitateur, une théorie de la société et une théorie de l'homme. Mais nous devons révéler l'incertitude, l'obscurité, le mythe là où l'on voyait la certitude, l'évidence, la rationalité. Et c'est bien ce que va nous révéler la crise du développement.

II. LA NOTION DE CRISE

Avant de considérer la crise du développement, il faut considérer la notion de crise elle-même. Cette notion, qui prétend avoir la valeur élucidante du diagnostic, n'a elle-même jamais été élucidée. On parle de crise de civilisation, de crise de société, de crise des valeurs, et on sait de moins en moins ce qu'est une crise. Finalement, la notion de crise tend à se renverser en son contraire. Alors qu'en médecine la crise est ce qui permet le diagnostic, en sociologie le mot de crise devient ce qui permet d'éluder le diagnostic.

Énonçons ici, de manière extrêmement schématique, les caractères qui permettent de définir une crise au sein du système (ou subsystème) social.

La crise se reconnaît tout d'abord à un progrès de l'incertitude et à la régression du déterminisme propre à ce système, c'est-à-dire à une régression de la prédictabilité.

Ce caractère est lié à un blocage de processus régulateurs (les *feed-back* négatifs), et donc à un déblocage de virtualités jusqu'alors inhibées ou réprimées au sein du système, lesquelles tendent à se développer de façon déviante, la déviance s'entretenant elle-même, dans les conditions de crise (*feed-back* positifs) – jusqu'à ce que ces déviances se heurtent à des répressions/inhibitions fondamentales ou jusqu'à ce qu'elles deviennent tendances aptes à transformer partiellement le système.

Au cours de ces processus donc, il y a relâchement des processus d'intégration au sein du système. Les complémentarités tendent à se muer en antagonismes.

La situation de crise suscite, dans les divers secteurs qu'elle affecte, recherche des solutions; cette recherche peut avoir un caractère heuristique-pratique ou/et un caractère magico-mythologique (localisation du mal dans un groupe bouc émissaire qu'il faut sacrifier, recherche du salut dans l'idée messie, dans le chef ou parti infaillible); la solution de la crise peut être le retour au *statu quo ante;* elle peut être de caractère progressif si la crise développe une structure plus complexe dans le système; elle peut être régressive si la crise entraîne une régression du système sur un état moins complexe et plus rigide.

Une telle définition de la crise est-elle applicable à un processus, précisément le processus de croissance/développement économique de l'évolution sociale des années 60-74, et est-elle applicable à un concept : le concept de développement?

Je me prononcerais affirmativement dans le sens où le processus des années 60-74 a vu surgir des événements, des phénomènes et des tendances imprévus pour les observateurs des années 50, faisant surgir des incertitudes, des problèmes, des déviances, des antagonismes, des désintégrations plus que des réintégrations. Je pense également qu'à la lumière de ces « crises » éparses et diverses, la notion de développement est – à preuve notre colloque – elle-même entrée en crise. Là où elle prétendait intégrer harmonieusement, symbiotiquement les notions de croissance, épanouissement, liberté, bonheur, équilibre, etc., elle devient problématique, et ces notions entrent en antagonisme; là où elle s'affirmait avec certitude, elle devient incertaine.

Nous allons nous borner ici à la crise du développement dans les sociétés dites développées d'Occident (Europe de l'Ouest, USA). Nous n'allons pas traiter des problèmes déjà bien connus de la crise du développement dans les sociétés dites en voie de développement, problèmes fondamentaux, qui mettent en question à la fois la validité du modèle occidental de développement, des voies pour l'assurer, et l'ensemble des relations internationales à l'échelle planétaire.

Nous n'allons pas non plus examiner de front les problèmes qui se posent en URSS, dans les démocraties populaires, en Chine, mais nous examinerons rapidement quel est le sens de la réponse que le communisme d'appareil prétend apporter à la crise du développement.

III. CRISES DE CROISSANCE OU CROISSANCE D'UNE CRISE ?

Au cours de la décennie 60, les sociétés occidentales, que, dans le jargon sociologique dominant, on appelle sociétés industrielles avancées, connaissent effectivement une croissance industrielle quasi continue, une élévation globale en termes monétaires de leur richesse, et, en termes de pouvoir d'achat, de leur niveau de vie. Tout semble aller, pour la plupart des observateurs, aussi bien optimistes que pessimistes (comme Marcuse) dans le sens d'une intégration croissante des larges masses rurales et ouvrières, d'une conquête de plus en plus large du bien-être, d'un épanouissement paisible de la vie individuelle dans la vie privée et le loisir. Rares sont ceux qui pressentent logiquement, à partir de quelques indices déviants et périphériques, qu'une crise se prépare et s'annonce dans et par ces développements mêmes.

De fait, quelques éruptions locales se produisent, quelques explosions déviantes, qui sont d'abord négligées, considérées comme accidents; lorsqu'on voit qu'elles sont sources de nouvelles tendances, on s'efforce de rationaliser les phénomènes nouveaux en les ramenant à quelque problème techno-économique. En fait, chacun de ces phénomènes affecte le mythe du développement et le paradigme qui le sous-tend.

A. La crise culturelle/civilisationnelle.

a) *Le sens de la marginalisation juvénile.*

De la constitution d'une sub-culture juvénile dans la culture de masse (1957-1962, le rock, le pop, en France le « yé-yé ») à l'éclosion d'une révolution culturelle en germe (1967-1969, phénomène hippy, les communes), de la révolte sauvage de jeunes gens de Stockholm, la nuit de la Saint-Sylvestre 1956, aux grandes révoltes étudiantes de Berkeley (1964-1965) et au mai parisien (1968), il s'est accompli un phénomène de radicalisation, de marginalisation, de ségrégation de la jeunesse, qui dépasse les phénomènes classiques (et toujours présents) de révolte contre la famille, de « crise d'originalité juvénile », de « conflit de générations ». Une partie de la jeunesse devient le siège de foyers de fermentation et contestation : non seulement politique, mais aussi culturelle/civilisationnelle. En même temps que s'amplifient et s'étendent les foyers de militantisme politique dit « gauchiste », il se constitue des foyers de révolution culturelle/existentielle où deviennent virulentes et corrosives les valeurs jusqu'alors anesthésiées incluses dans la culture occidentale (l' « aimons-nous les uns les autres » chrétien, le « liberté-égalité-fraternité » de la Révolution française), en même temps que fermentent des aspirations néo-naturistes, néo-archaïques, néo-religieuses rejetées par le culte de la technique, de la production, du travail efficace. Ce qui est remarquable, c'est que ce mouvement part non seulement des fils d'*heïmatlos* ou déviants, mais aussi des enfants de la classe riche, nourris dans le confort et le bien-être, assurés d'être les bénéficiaires premiers et principaux du « développement ».

On pourrait penser que la « crise de la jeunesse », si importante soit-elle, n'est qu'une crise de jeunesse, c'est-à-dire qu'elle ne concerne que la jeunesse et se colmate d'elle-même avec l'intégration dans la société adulte. Or, tout d'abord, il faut remarquer qu'elle se colmate de plus en plus difficilement, que l'intégration dans la vie de travail est une intégration de résignation plus que d'acceptation. De plus, et surtout, elle porte à la virulence des symptômes qui se manifestent eux-mêmes, d'abord de façon larvaire, puis de façon de plus en plus marquée, dans l'univers adulte. C'est :

b) *Le nouveau malaise dans la civilisation : insatisfaction, crise du bonheur.*

Déjà, en 1957 ou 1958, le film de Martin Ritt, *No down payment,* essayait de faire comprendre ce qui encore aujourd'hui commence à peine à être compris. Les personnages du film sont des *middle-class* de Californie. Ils se sont installés dans des bungalows idylliques, sur des collines ensoleillées, dans la région la plus riche du monde, où règne le plus doux climat. Ils ont des enfants, des frigidaires, des voitures, des amis, tout le confort et le bien-être. Pourtant ils sont ravagés de l'intérieur : pas seulement l'ambition de gagner toujours plus, d'avoir plus de standing, d'être quelqu'un, mais aussi la sexualité, l'alcool, l'ennui et, souterrainement, une insatisfaction insondable qu'aucun ne sait nommer. Alors le personnage le plus lucide du film s'interroge à peu près en ces termes : « Nous sommes des hommes moyens, normaux *(average men),* nous vivons dans la paix, la démocratie, l'aisance, nous devrions être heureux... Mais que nous manque-t-il? »

Cette insatisfaction diffuse, on la localisait d'abord en termes neurologiques, psychologiques. On la croyait relever des tranquillisants, des consultations au psychanalyste. Au cours de la décennie 60 se multiplièrent aux États-Unis les thérapies de toutes sortes, pour soigner la peur, la solitude, l'angoisse. On ne pouvait comprendre que le mal que refusait la jeunesse en révolte, en fuite, était celui-là même dont souffrait déjà l'adulte au sein de la civilisation du bien-être et de confort, où soudain se creusait le vide de la vie médiocre, celle-là même que développait le développement.

Or le développement avait promis le bonheur et la plénitude. La culture de masse, jusque dans le milieu des années 60 exaltait le bonheur individuel, à travers la *happy end* des films, les conseils et les recettes des magazines. Tout cela se montre au cours de la décennie 60; dans l'évolution des films où tend à se substituer au dogme de la *happy end* une fin incertaine, aléatoire ou tragique; et dans l'évolution des magazines féminins, où à la mythologie euphorique du bonheur (conseils d'amour et conseils domestiques qui assurent infailliblement le bonheur) succèdent une problématique du bonheur (comment affronter le vieillissement, la maladie, la séparation, la solitude, les malentendus avec les enfants) puis une revendication émancipatrice; on découvre que là où sont atteintes certaines conditions de bien-être, se posent soudain des problèmes existentiels jusque-là masqués.

Ainsi se creuse un nouveau malaise dans la civilisation, dans et par le développement économique. Celui-ci, non seulement réveille des problèmes déjà présents, mais, au lieu d'apporter épanouissement humain, apporte insatisfactions, solitude. Et ainsi, à nos yeux, émerge la première crise du développement dans les couches les plus développées des sociétés les plus développées : c'est non seulement que la croissance économique ne résout pas quelques-uns des problèmes les plus fondamentaux des êtres humains, mais c'est aussi que ce développement suscite et développe, si l'on peut dire, un sous-développement moral, affectif, psychologique. Il développe, en même temps que des possibilités d'épanouissement humain, des carences qui précisément minent cet épanouissement.

c) *Le développement intègre dans la civilisation bourgeoise moderne de larges couches rurales et prolétaires urbaines, mais au cœur de cette civilisation triomphante il introduit des fissures et de nouvelles lignes de rupture.*

Ce processus d'intégration a tout d'abord été compris, par les chantres du développement, comme un processus de promotion à tous égards positif. Puis certains ont remarqué qu'il s'agissait en même temps d'un processus d'homogénéisation, qui s'opérait en ruinant les cultures locales, régionales, ethniques, et en desséchant la sève d'une riche culture plébéienne. Il faut aller plus loin encore et considérer que l'homogénéisation culturelle/civilisationnelle entraîne, dans le cas des ethnies désarticulées et laminées par le processus, une crise d'identité qui, en contrecoup, suscite un mouvement auto-défensif de l'identité qui se dégrade. Et cela d'autant plus que l'intégration se fait en conservant la structure hiérarchique de la société, c'est-à-dire en maintenant les ethnies dominées dans leur statut subordonné ou inférieur. Ainsi, aux USA, c'est à la fois le maintien de la domination blanche anglo-saxonne et les débuts d'intégration économique/culturelle/civilisationnelle des noirs et des *chicanos* qui nourrissent le développement d'une revendication radicalisée : non pas seulement acquérir la plénitude des droits de l'Américain blanc anglo-saxon, mais sauvegarder sa différence et la fonder dans un statut autonome ou indépendant. En

France, en Grande-Bretagne, les deux vieilles nations millénaires, où l'intégration nationale semblait un fait accompli, se produisent des phénomènes de revendication régionaliste/ethnique, non seulement dus (comme ont voulu le croire avec entêtement les technocrates) au sous-développement économique de ces régions, mais suscités en réponse au déracinement et au processus d'homogénéisation socio-culturelle du développement.

Plus encore : ce qui semblait le mieux intégré au sein de la civilisation bourgeoise, au point qu'on était incapable d'y voir le moindre problème social, la jeunesse, la féminité, est entraîné dans un mouvement à la fois d'autonomisation et de contestation. Nous l'avons dit précédemment en ce qui concerne la jeunesse. Il faut ajouter ici que la contre-culture nouvelle joue un rôle quasi catalytique, qui favorise et accélère, non seulement les processus qui jouent désormais au niveau des ethnies, des minorités de tous ordres qui jusqu'alors subissaient comme une tare leur déviance (minorités sexuelles dont notamment les homosexuels), mais un nouveau processus féminin où la revendication de l'égalité des droits s'accompagne d'une aspiration à l'épanouissement de l'identité proprement féminine.

En même temps donc qu'une homogénéisation, et suscitées en réaction par cette homogénéisation, se dessinent des lignes de rupture aux frontières bio-sociales (jeunes/adultes, hommes/femmes) jusqu'alors invisibles, et aux frontières des ethno-classes. Ces phénomènes sont tellement aberrants aussi bien pour la sociologie régnante que pour la théorie marxiste l'une avec son concept abstrait de société, l'autre son concept abstrait de classe, qu'ils ne sont littéralement pas perçus dans leurs premiers développements. Ensuite, avec carcans et forceps, on les fait entrer dans la théorie, expliquant dans le premier cas qu'il s'agit de retards, de crises de croissance, de réactions archaïques ou irrationnelles, dans le second cas qu'il s'agit évidemment d'une conséquence de la lutte des classes.

On ne voit donc pas ce qui se passe en fait : le développement, en même temps qu'il accomplit un modèle culturel/civilisationnel bourgeois, le sape et le désintègre. En même temps qu'il s'opère par et pour l'épanouissement d'un modèle d'humanité masculin, adulte, bourgeois, blanc, il suscite une réaction multiple qui non seulement conteste la domination de ce modèle, mais aussi la valeur de ce modèle. Ainsi des ferments juvéniles, féminins, multi-ethniques, multiraciaux sont en œuvre, mais en désordre, sans qu'arrive encore à se constituer un nouveau modèle d'humanité fondé à la fois sur l'épanouissement de l'unité générique de l'espèce et sur l'épanouissement des différences.

B. Le syndrome écologique.

On croit encore aujourd'hui que le développement n'a été problématisé que très récemment (1969), et seulement par la prise de conscience simultanée de l'extension des pollutions et de la raréfaction des ressources énergiques, provoquées par la croissance industrielle « exponentielle ». En fait, le problème écologique se pose à de multiples niveaux, et il a commencé à se poser à travers la crise culturelle/civilisationnelle que nous venons d'évoquer.

1. Néo-archaïsme/néo-naturisme.

Tout d'abord, le phénomène du développement des vacances, week-ends, etc., est apparu comme un phénomène évident exprimant une aspiration au « loisir », laquelle traduisait un besoin « naturel » jusqu'alors insatisfait dans la civilisation, sauf pour une élite privilégiée. Or, il faut considérer aussi ce phénomène comme une réponse, une évasion à l'égard des contraintes de plus en plus serrées d'une vie urbaine chronométrée, « rationalisée », bureaucratisée, technicisée. Réponse elle-même ambivalente, car cette fuite hors de l'univers « technique » se fait à l'aide de la technique (auto, avion, frigidaire, confort dans les résidences néo-archaïques ou les terrains de camping) et souvent de façon rationalisée/bureaucratisée (voyages organisés et chronométrés).

Ce qu'il fallait remarquer aussi, c'est qu'il se développait, au cours de ces années 60, un néo-rousseauisme collectif, un appel quasi mystique aux vertus de nature. Ce néo-rousseauisme, vouant un culte panique aux éléments (terre, eau, soleil), s'accompagnait d'un néo-archaïsme, dont on cherche la substance et le symbole dans les demeures (vieilles fermes, maisons néo-rustiques, tentes), dans les activités corporelles (marche, nage, chasse, pêche), dans les objets, meubles, bijoux, vêtements de matière presque brute, de confection naïve ou artisanale, dans une néo-gastronomie qui revalorise les produits élémentaires et les modes élémentaires de préparation (grillades au feu de bois, potées, etc.).

Or tout cela converge avec la diffusion de la nourriture industrialisée, mais qui perd ses saveurs, des objets manufacturés, mais anonymes et standards; c'est un contre-courant apporté par le courant même du développement.

Le néo-archaïsme et le néo-naturisme font irruption pendant les périodes de week-end et de vacances. A cette occasion se manifeste, chez les individus, un véritable dédoublement de personnalité. Ils se transforment en pseudo-paysans, pseudo-hommes des bois, modifient tous les rites de la vie quotidienne; bien plus, comme dans la religion eskimo étudiée par Marcel Mauss, ils changent de dieux. Au culte de l'efficacité, du travail, de la rentabilité, se substitue le culte de la gratuité, du farniente, de la dépense. Cette dualité ne se manifeste pas seulement dans l'alternance loisir/travail; elle s'insère dans la vie quotidienne elle-même, surtout dans les classes aisées, et les symboles néo-naturistes/néo-archaïques s'insèrent dans la gastronomie comme dans l'aménagement du logis.

Les clubs de vacances, dont le Club Méditerranée est le modèle premier, se constituent en néo-arkhé-villages qui constituent le négatif (au sens photographique du terme) et le positif (au sens de valeur) de l'organisation de la vie dans le milieu urbain techno-rationalisé. Les contraintes et tabous sexuels sont en partie levés. Une apparente égalité fraternitaire règne entre les membres, qui se tutoient et se nomment par leur prénom, dans l'effacement de l'origine sociale. L'argent est symboliquement supprimé, remplacé par des pseudo-perles en matière plastique; la fête règne en permanence. Ainsi il se crée des « utopies concrètes » qui sont des îlots arkhénaturistes où tout ce qui est nié, inhibé, réprimé dans la vie quotidienne triomphe. On pourrait presque parler d'une contre-culture temporaire s'il y avait, de façon manifeste, l'expression d'une protestation et d'une aspiration radicales.

Or ce dernier aspect demeure longtemps masqué. Au lieu de voir tout ce que les multiples aspects du néo-naturisme/néo-archaïsme comportent de réaction à l'égard du développement, on y voit au contraire le fruit enrichissant du développement : lui seul a pu, peut apporter cet épanouissement. Au lieu de voir schizophrénie et appauvrissement dans ce dédoublement et la succession de deux vies, on y voit au contraire une conquête, le développement d'une seconde vie se greffant sur la première.

Effectivement, il a pu sembler que tout ce phénomène était vécu sur le plan d'une alternance du vivre et non comme le mûrissement d'une alternative de vie. C'est l'irruption de la contre-culture juvénile, avec l'aspiration à vivre dans le néo-archaïsme et le néo-naturisme, non pas en vacances, mais en expérience permanente, communautaire, libérée autant que possible des contraintes du travail urbain, réalisant les aspirations fraternitaires et libertaires, qui a posé ces problèmes (certes au niveau d'une minorité se renouvelant sans cesse) en termes d'alternative.

Mais cette déviance minoritaire nous révèle par là même le mal et le problème profonds là où l'on croyait qu'il y avait déjà solution harmonieuse. Le développement, en tant que développement des contraintes chrono-techno-bureaucratiques dans tous les secteurs de la vie quotidienne urbaine, se trouve dès lors problématisé, et la question revient sur la vie quotidienne elle-même : le genre de vie, la structure parcellaire du travail, l'autorité hiérarchique dans l'entreprise. Là encore, la croissance apparaît comme apprenti sorcier qui libère des forces de destructuration et de désintégration qu'elle colmate encore et réintègre tant bien que mal, voire récupère plus ou moins, mais qui poursuivent leur œuvre corrosive et critique. Là encore le développement apparaît non seulement en tant que gain et conquête, mais aussi en tant que dépossession et perte, perte d'une relation fondamentale avec la nature, perte d'une communauté primordiale, perte d'une substance nutritielle sans laquelle la « consommation » n'est que poison.

2. La « bombe écologique ».

Et ici nous arrivons au dernier symptôme de la crise du développement, à l'alerte écologique, que les augures considèrent seulement comme étant le premier symptôme, la première alerte crisique concernant la croissance.

Puisque tout est très présent à l'esprit de chacun, déblayons pour arriver à ce qui est l'essentiel.

L'essentiel, ce n'est pas la limitation actuelle des ressources énergétiques utilisables, puisqu'il est très concevable que dans un avenir proche on puisse utiliser des sources d'énergie illimitées, comme l'énergie atomique et surtout l'énergie solaire.

L'essentiel, ce ne sont pas les pollutions, puisqu'il est concevable, sous la pression vitale, d'élaborer des politiques anti-pollutionnistes, et de trouver des solutions techniques aux divers types de pollution, y compris de dégrader le non-biodégradable.

L'essentiel, il apparaît encore à peine, et pourtant il est d'importance encore incalculable. C'est à la fois : *a)* la perte du faux infini dans lequel se lançait la croissance industrielle et tout l'énorme procès dit de développement; *b)* la nécessité logiquement inéluctable de renoncer à l'idée réductionniste qui faisait de la croissance industrielle la panacée universelle du développement anthropo-social.

Ce qui se dévoile, c'est une contradiction interne radicale au cœur du mythe vulgatique du développement. La croissance, dans ce mythe, était conçue non seulement comme le producteur, mais comme le régulateur interne du développement : elle devait par ses vertus, résoudre les problèmes historiques fondamentaux de l'humanité, réduire puis dissoudre les conflits, antagonismes, créer donc dans son double mouvement producteur/régulateur une société harmonieuse.

Or, ce qu'a apporté de fondamental la prise de conscience écologique, c'est une prise de conscience logique à partir d'un véritable renversement copernicien. La croissance économique était conçue comme le *feed-back négatif* majeur de la société moderne, son principe d'ordre et de stabilité. La concevoir comme un phénomène exponentiel, c'est la concevoir comme un *feed-back positif,* une énorme déviation se développant en *runaway* de façon quasi explosive, et dont le seul terme est la désintégration. *C'est donc la concevoir désormais aussi comme un principe de désordre et d'instabilité.*

Certes, cette prise de conscience, peut-on justement dire, fait partie de l'aventure du développement. Dans la nature biologique ou sociale, les courbes exponentielles se transforment tôt ou tard en courbes en S; les régulations externes (contraintes de l'environnement) et internes (auto-contrôle) interviennent, et la catastrophe linéairement prévisible n'est qu'une vue abstraite de l'esprit : l'alerte apocalyptique en outre concourt *concrètement* à la correction. Certes, certes. Mais c'est de cela précisément dont nous devons prendre conscience et dont nous n'avons pas pris conscience : c'est du caractère absolument *incontrôlé* de la croissance. Nous la croyions contrôlée par la technique, mais celle-ci ne faisait qu'aménager à court terme et au contraire participait de façon majeure au déchaînement incontrôlé. On pouvait la croire contrôlée par la science. Mais la science est devenue elle-même un processus incontrôlé. On pouvait la croire contrôlée par les idéaux humanistes démocratiques, mais ceux-ci, loin de guider la croissance, devenaient des marionnettes désarticulées, des masques idéologiques. On pouvait la croire guidée par le progrès, mais c'est ce progrès linéaire qui apparaît comme la course à l'abîme. On pouvait la croire guidée par la rationalité, mais en fait c'était une rationalisation délirante qui, comme dans la névrose, prenait le masque de la rationalité.

Alors doit surgir le problème du *contrôle.* Comme l'a dit Michel Serres, il ne s'agit plus de maîtriser la nature, il s'agit de maîtriser la maîtrise. Il ne s'agit plus de mépriser la nature, il s'agit de corriger la méprise.

Que veut dire contrôle? Sur le plan strictement empirique, il n'y a pas, il ne peut y avoir de réponse à cette question dans les termes où le problème est posé. L'arrêt de la croissance – la croissance zéro – signifie immédiatement crise. Pas besoin d'un nouveau plan Mansholt pour le comprendre. La crise du pétrole de 1973-1974 a fait l'effet d'un mini-néo-plan Mansholt à l'état sauvage, et les perturbations crisiques ont commencé. La continuation de la croissance tend à approfondir les multi-crises déjà commencées, à y faire confluer de nouvelles crises éco-sociales; elle ne peut que donner un répit incertain à court terme, en préparant une aggravation à moyen terme.

Ce qu'il faut comprendre, c'est que le problème du contrôle fait surgir précisément le noyau problématique complètement occulté dans le mythe euphorique et la pratique techno-économistique du développement, tout ce qui se trouve impliqué dans le préfixe *auto*.

C. Le paradigme pourri.

Mais pas de contrôle possible, sinon par la mort et/ou par la régression, tant qu'on n'aura pas compris que l'auto-contrôle ne peut se faire dans le cadre du paradigme qui précisément commande ces processus en chaîne qui échappent à tout contrôle. La crise du développement, ce n'est pas seulement la crise des deux mythes majeurs de l'Occident moderne, la conquête de la nature (objet) par l'homme (sujet/souverain du monde), le triomphe de l'individu atomisé bourgeois. C'est le pourrissement du paradigme humanistico-rationnel de *l'homo sapiens/faber,* où science et technique semblaient devoir accomplir l'épanouissement du genre humain.

Ici encore, refusons l'alternative simpliste; rejeter la technique, rejeter la science, rejeter la rationalité, rejeter l'humanisme. Il s'agit de voir des questions là où on voyait des réponses évidentes : science, technique, rationalité, humanisme, telles qu'ils sont, telles qu'ils continuent à se développer, sont précisément la cause des problèmes dont ils sont censés être les solutions.

IV. LA NATURE DE LA CRISE DU DÉVELOPPEMENT

La crise du développement, c'est l'inter-dépendance, l'inter-relation, la convergence entre ces crises que nous avons recensées. Elle montre que la société dite industrielle sécrète des problèmes radicaux qu'elle ne peut résoudre en même temps qu'elle résout ou atténue d'autres problèmes radicaux. Elle nous amène, non à rejeter la notion de développement, mais à critiquer ce qu'elle avait jusqu'alors à la fois de mythologique, de réductionniste (techno-économistique), de mutilé (et par conséquent de mutilant).

Mais, bien entendu, il ne s'agit pas que de la crise d'un concept. Il s'agit en même temps d'une crise anthropo-sociale. Crise culturelle/civilisationnelle. Crise de la croissance industrielle/économique. Crise de la société bourgeoise. Là apparaît à la fois la vérité et l'erreur de la prédiction marxienne. La crise de la bourgeoisie est arrivée, mais non sur le marché mondial, non sous l'effet de la montée révolutionnaire des masses ouvrières, mais crise interne, dans le principe culturel qui justifiait son hégémonie et sa domination, dans son aptitude à surmonter ses contradictions. Comme toujours, la crise de l'idéologie et de la classe dominante est la crise des fondements mêmes de la société. Les notions de science, technique, rationalité, qui semblaient être les notions guides, contrôleuses, régulatrices, apparaissent au contraire comme les notions aveugles, incontrôlées, fabriquant de l'irrationalité, irrationalité dont toujours la forme la plus extrême (parce que la mieux camouflée) a été la rationalisation : rationalisation idéologique (où l'on scotomise tout ce qui ne peut être intégré par le schème doctrinaire abstrait), rationalisation techno-bureaucratique (où l'on scotomise, voire liquide physiquement tout ce qui n'entre pas dans le schème opérationnel mutilant).

C'est une crise à la fois phénoménale et générative. Elle concerne l'existence phénoménale des sociétés, la vie des individus, et va apporter des perturbations de plus en plus considérables. Elle est générative dans le sens où elle affecte les structures génératives qui assurent l'autoperpétuation de la société, c'est-à-dire l'ensemble de règles, principes, normes qui commandent l'auto-organisation, l'auto-production et (comme on dit un peu improprement) la reproduction sociale.

Il faut voir donc l'ampleur et la radicalité de la crise, c'est-à-dire abandonner tout espoir de solution rapide.

V. DE LA SOLUTION

A. LA PSEUDO-SOLUTION.

La solution supposerait une théorie, sinon exhaustive, du moins pertinente de l'homme et de la société; une théorie du développement non mutilée et non appauvrissante; un pouvoir de contrôle doté de la conscience globale lucide des processus des moyens d'action, capable de les gouverner; un puissant et large mouvement de forces sociales allant dans le sens du « vrai » développement.

Le communisme d'appareil prétend détenir cette solution. Il prétend détenir la théorie fondamentale de l'homme : le marxisme. Il prétend apporter le développement épanouissant : le communisme. Il prétend constituer le pouvoir de contrôle et d'action doté de la conscience lucide. Le parti unique est éclairé par la vérité scientifique, toujours interprétée au gré des circonstances par ses dirigeants infaillibles. Le parti, qui colonise l'appareil d'État et annihile toute force d'opposition et de critique, inévitablement réactionnaire et criminelle, dispose d'une puissance formidable qui permet d'organiser la société et d'orienter son développement dans le sens du communisme. Le Parti exprime la volonté des masses populaires qui dès lors n'ont nul besoin de s'exprimer directement, par voie d'élections, de protestations ou de grèves.

Du coup, cette solution rejette toute problématique de crise de la science, de la technique, de la rationalité. Ce sont des pseudo-crises, qui ne reflètent que la seule crise du capitalisme. Du coup l'héritage du paradigme bourgeois d'Occident est intégralement assumé.

Or, il faut connaître de l'intérieur l'expérience des pays dits socialistes pour comprendre que le communisme d'appareil a reconstitué une société hiérarchisée de classes, qu'il annihile d'énormes possibilités de développement, qu'il ne peut se maintenir que dans la répression généralisée, que les traits de civilisation égoïste/individuelle/bourgeoise sont les traits réels et que le communisme n'est que le masque idéologique, comme le christianisme pendant des siècles en Occident fut le masque d'une société de violence et d'oppression, que les vices du technocratisme, du bureaucratisme s'y déploient, que l'homme nouveau n'est qu'une légende dérisoire, que la théorie marxienne de l'homme et de la société, si riche qu'en ait été son apport, est elle-même insuffisante et mutilée, et par là appauvrissante et mutilante.

Le communisme d'appareil a donc toutes les apparences de la solution; c'est pourquoi sa formule, plus ou moins achevée, se répand dans la planète précisément pour assurer le développement : succédant au dogme du développement par le capitalisme succède le dogme du développement par l'appareil du parti unique. En dépit des expériences, il continue et continuera à exercer sa fascination.

B. ALORS?

Alors, nous voyons que la pensée techno-économistique de l'Occident bourgeois ne détient pas la solution. Nous voyons que le communisme d'appareil ne détient pas la solution. Nous ne voyons pas la solution en vue. Nous pouvons seulement énoncer « idéalement » les conditions nécessaires à l'élaboration d'une solution.

Les solutions ne peuvent venir que de la conjonction d'une nouvelle conscience (dans la pensée et dans l'action) et d'innovations surgies de l'inconscient même du corps social.

Du côté de la pensée consciente, il faudrait :

1. Reformuler le concept de développement, le restructurer. Non plus subordonner le développement à la croissance, mais la croissance au développement. Non plus subordonner le développement social

au développement économique, mais le développement économique au développement social; non plus subordonner le développement de l'homme au développement technique/scientifique, mais le développement technique/scientifique au développement humain. Cela peut sembler évident. Mais cela nous renvoie à nouveau au problème fondamental : qu'est-ce que le développement social, qu'est-ce que le développement humain, notions qui semblaient trop bien entendues et qui sont toujours creuses et vagues parce qu'on vit sur une notion pauvre et étriquée de l'homme et de la société. Du coup on découvre le besoin urgent d'une théorie de l'homme et de la société.

2. Il s'agit de penser les problèmes du développement comme tous les problèmes théoriques humains et sociaux, au niveau réflexif des concepts de second ordre, c'est-à-dire qui impliquent toujours une récursion de l'objet (ici le développement) au sujet (ici la société, l'homme); donc qui nécessite l'introduction du préfixe *auto*-. Le concept clef doit donc être, comme nous l'avons dit, auto-développement.

Ici, nous sommes persuadés des possibilités de développement de l'homme et de la société. Mais nous sommes également persuadés que ce développement est inséparable d'une méta-morphose sociale.

La société moderne ne peut se développer sans se transformer radicalement. Du coup, on peut considérer les crises du développement comme des premières poussées transformatrices, où jaillissent les déviances annonciatrices des mouvements futurs possibles. Du coup, nous pouvons supposer que déjà le génie inconscient (de la société, de l'espèce) est en travail. Mais nous devons savoir que nous sommes au début seulement et de la prise de conscience théorique, et des surgissements créateurs de l'inconscient social. La crise elle-même suscite aussi des possibilités régressives et favorise le recours magique en la pseudo-solution.

VI. L'HORIZON

Aussi l'horizon de cette fin de siècle nous semble très incertain. Pour tenter la prévision, il faut tout d'abord reconnaître à la fois la possibilité et l'improbabilité de deux hypothèses extrêmes.

La première hypothèse extrême est celle de la catastrophe. Elle est matériellement possible, puisque l'humanité développée a accumulé et accumulera de plus en plus un potentiel auto-destructeur, non seulement atomique, mais aussi démographique et écologique. Cela dit, l'énormité de la menace thermo-nucléaire joue elle-même un rôle de frein. Les courbes exponentielles de la croissance démographique et écologique doivent probablement (au prix de gaspillages et de souffrances qu'on ne sait encore prévoir) prendre la forme de courbes en S.

La seconde hypothèse extrême est celle de la métamorphose sociale qui serait une nouvelle naissance de l'humanité. Les potentialités existent, nous l'avons dit, dans l'être humain et l'être social qui ne sont qu'au début de leurs possibilités évolutives. Des aspirations de plus en plus profondes et larges se manifestent dans ce sens et se cristallisent à travers les mots mythes de socialisme, communisme, anarchisme. Mais non seulement ces forces sont encore trop faibles et dispersées, mais encore elles sont errantes, détournées, mythifiées, et d'immenses bonnes volontés qui croient œuvrer au service de la révolution travaillent sans le savoir à écraser les germes de la révolution. Pour moi, c'est la grande tragédie de l'époque, ce qui accroît l'improbabilité de la « nouvelle naissance de l'humanité » et du « vrai » développement.

Entre ces deux polarités extrêmes, nous entrevoyons la probabilité d'un moyen âge planétaire. En fait, sans doute, il a déjà commencé. Au lieu d'une féconde synthèse entre l'ordre et le désordre, ce que devrait être le progrès, nous voyons se dessiner la juxtaposition d'un ordre rigide (assuré par des appareils implacables) et d'un désordre non créateur (où se dissoudront les règles « civilisées ».)

Cette hypothèse est certes la plus probable. Mais tous les grands changements, tous les grands progrès, dans l'histoire de la vie comme dans l'histoire de l'homme, ont été des victoires de l'improbable.

COMMUNICATION

EDGAR MORIN

Le problème préliminaire, c'est un problème de concepts. Je crois qu'il est d'autant moins artificiellement posé ici que, s'il y a crise du développement, un des premiers effets de cette crise comme de toute crise, est de rendre incertain ce qui était certain, trouble ce qui était clair, et de soulever des contradictions au sein d'une notion qui semblait cohérente.

Même au niveau biologique, le terme de développement pose des problèmes. En effet, qu'est-ce qui se passe dans le processus strictement biologique du développement au moment où se forme l'embryon? Il y a un processus de spécialisation des cellules. Mais quand on regarde ces spécialisations, ce qui apparaît un progrès du point de vue de l'ensemble, apparaît comme une régression, comme une dégénérescence sur le plan des unités. Par exemple, les cellules de l'épiderme vieillissent prématurément, les cellules les plus nobles, les cellules nerveuses, perdent la capacité de régler leur métabolisme. Autrement dit, on fabrique des cellules spécialisées à partir des processus où elles dégénèrent relativement les unes et les autres. Ainsi, même du point de vue biologique, le processus de développement s'opère avec des limitations, des contraintes et même des régressions. Chacune de nos cellules possède l'ensemble du capital informationnel qui fait notre individu, mais il n'y en a qu'une petite partie qui s'exprime, le reste étant inhibé. Cela nous montre que le développement n'est pas une notion univoque. Souvent, le développement, en tant qu'acquisition de performances, se paie par une perte de compétence. A l'école, à l'usine, au bureau, on apprend en même temps qu'on désapprend. Dans de nombreux cas, il faut opérer de véritables régressions, de véritables involutions pour évoluer. C'est là le sens du message évangélique (il faut redevenir petit enfant pour comprendre certaines choses) et celui du message rousseauiste qu'on a voulu voir comme le rêve naïf d'un imaginaire paradis perdu. Le sens de la parole de Rousseau, c'est que le développement doit nécessairement faire un retour involutif sur quelque chose d'archaïque, au sens profond du terme « arché », c'est-à-dire revenir à un principe vital fondamental et premier. Or l'un des aspects de cette crise du développement est qu'elle fait surgir spontanément une sorte de besoin néo-archaïque ou néo-rousseauiste.

Sur le plan économico-social, il s'agissait d'un mythe du développement, lié à un autre mythe qu'on appelait la société industrielle. Ce mythe a été très fort, universel, mais il a duré très peu de temps. En effet, il jaillit dans l'après-guerre, à partir des années 50-55, puis se déploie dans le début de la décennie 60; et brusquement, à partir de 1968-1969-1970, interrogation générale : là où il y a ce développement, il est problématisé. Le développement économico-social est toujours une aventure inédite. Pourtant on parlait de ce développement avec encore plus d'assurance que l'on parlait du développement biologique. C'est-à-dire qu'il semblait absolument évident que l'on allait vers un progrès certain.

Pourquoi l'idée de développement semblait-elle aussi évidente, aussi euphorique? C'est qu'elle s'appuyait sur quelque chose de paradigmatique : l'idée que la science, la raison, la technique, l'industrie sont *entre-associées;* chacune développe l'autre et toutes assurent le développement de l'homme; donc ce développement est conçu comme un épanouissement de rationalité. Or la rationalité occidentale était tellement close et rétrécie qu'elle expulsait hors d'elle-même tout ce qu'elle ne pouvait pas intégrer et qui devenait l'irrationnel, à commencer par la complexité de l'être vivant. De plus, la science et la technique se sont développées sur le mode quantitatif. D'où l'idée que le plus est toujours le mieux (plus il y a de production, plus il y a de spécialisation, mieux c'est, etc.); on est persuadé que l'accroissement quantitatif renvoie toujours à un développement qualitatif.

Ma deuxième idée est la suivante. La crise des profondeurs culturelles de la société commence dans les années 60. Il y a tout d'abord des premiers foyers de crise qui semblent tout à fait périphériques, déviants, anomiques. Ils semblent non liés les uns aux autres; mais je crois qu'aujourd'hui, rétrospectivement, on peut voir une certaine configuration critique qui chemine à travers l'épanouissement et l'euphorie du mythe de développement. J'en ai tenté une brève description dans mon rapport. Disons qu'il y a un nouveau malaise de la civilisation. Je dis nouveau car je pense évidemment à l'ouvrage de Freud qui porte ce titre.

On a vécu sous ce mythe extrêmement puissant que le développement, s'il n'allait peut-être pas donner *ipso facto* le bonheur, allait au moins créer les conditions véritables pour l'épanouissement du bonheur humain. Et je crois que jamais l'idée du bonheur n'a autant imbibé une civilisation dans son devenir et que jamais elle ne s'est révélée aussi rapidement décevante. Effectivement, là où les conditions matérielles, techniques et économiques du bonheur furent réalisées, là justement le malaise s'est développé. On a voulu voir les phénomènes sous une seule face, par exemple le développement des loisirs. Que vont faire les gens pendant leurs loisirs? Ils vont se reposer. Ils vont se détendre et être contents. Oui. Mais on ne voit pas l'autre face, c'est-à-dire pourquoi a-t-on tellement besoin de fuir la vie quotidienne, urbaine, étiquetée, chronométrée, rationalisée, technocratisée? Pourquoi a-t-on tellement besoin de fuir? Pourquoi est-on si fatigué? L'historien futur verra dans les années 60, si notre histoire continue, c'est-à-dire si elle n'est pas arrêtée par un cataclysme, un tournant absolument essentiel car les valeurs de base se modifient; ce sont les bases civilisationnelles et culturelles de notre société qui se nécrosent, précisément dans et par leurs développements.

Quand on se retourne vers les années 60, nous sommes désormais capables de lire ou de voir le visage de ce sphinx qui apparaît quand les brouillards commencent à se dissiper. Aujourd'hui nous devons absolument tenter de dessiner ce nouveau visage qui n'a pas encore pris toutes ses formes ni tous ses contours. J'en ai fait un croquis incomplet dans mon papier.

DISCUSSION

HELIO JAGUARIBE : Deux questions essentielles ont été discutées, qui n'impliquent pas la disparition des sciences sociales, des sciences humaines, mais qui impliquent une importante révision. L'une, c'est que nous vivons actuellement la crise du fonctionnalisme. Certaines des meilleures choses produites ces dernières décennies en sociologie furent l'œuvre de sociologues américains qui ont travaillé selon les vues fonctionnalistes. Il me semble qu'ils ont apporté une contribution importante, même si je ne suis pas fonctionnaliste et pense que le monde est devenu non fonctionnaliste, mais le fonctionnalisme en tant que système a permis une certaine compréhension des affaires humaines.

J'admettrai aisément que le socialisme est en crise et que nous sommes en quelque sorte chargés de trouver une combinaison de la tradition dialectique marxiste et des aspects du fonctionnalisme résistant à la critique. C'est pourquoi, il me semble qu'on devrait parler en termes de changement de paradigme, et non en termes d'absence totale des sciences humaines.

JACQUES ATTALI : Finalement, au nom de qui parlons-nous? A travers le monde, une immense majorité de gens ressentent un besoin de croissance économique. Il faut savoir aussi que l'appareil industriel est de plus en plus capable d'assurer sa croissance, et que rien, aujourd'hui, ne permet de dire que ce système économique n'est pas voué à un avenir extraordinairement épanouissant : de nouveaux marchés, de nouveaux biens, de nouveaux besoins. Je pense qu'il a devant lui un avenir extraordinaire, et je me demande si les intellectuels ne sont pas aujourd'hui manipulés : ne faudrait-il pas avant tout répondre à cette question-là? Finalement, quand on observe ce qui s'est passé au XVIe siècle (c'était peut-être déjà une première crise du développement), on se demande s'il n'y a pas eu une récupération de la crise de conscience européenne par le système marchand, et s'il n'y avait pas un complot de ce système afin d'utiliser la crise en question pour développer son champ de puissance et de domination. Ne pourrait-on pas imaginer qu'aujourd'hui le système économique, se rendant compte de l'extraordinaire pression que va représenter l'internationalisation de la production et la transformation du système national de consommation en un système internationalisé, standardisé, puisse avoir besoin de l'existence d'une crise, ou plutôt d'une pseudo-crise, de conception du bonheur afin de mieux nous récupérer ensuite, car il représente, il faut s'en rendre compte, la seule réponse disponible, aujourd'hui encore, face à cette remise en cause de la réalité sociale; bref, n'a-t-il pas finalement profondément besoin d'histrions, de pantins, des marionnettes que nous serions pour réaliser son expansion finale et planétaire?

Je me demande si vous pensez comme moi que l'avenir n'est pas si noir pour le système économique. Si oui, il faut penser le rôle de l'intellectuel en termes de légitimité. S'il est habilité à poser des questions au nom d'un groupe ou de groupes sociaux, alors il doit se poser un peu en stratège de judo, c'est-à-dire qu'il doit utiliser la force d'un adversaire qui se sert de lui pour transformer cette énergie (qui n'est pour le système industriel qu'un prétexte à un nouveau bond en avant), comme l'était la Renaissance, afin de l'orienter vers autre chose. L'autre chose n'a de sens que si on peut répondre à la question : au nom de qui parlons-nous?

ALESSANDRO PIZZORNO : Pour moi, la question est moins : « au nom de qui parlons-nous? » que « à qui parlons-nous? » Car nous allons où? nous parlons à qui? A un auditoire intellectuel? Et, dans ce cas, devrions-nous penser que les causes de cet échec du développement proviennent de ce que les intellectuels n'ont pas trouvé la bonne réponse? Je ne crois pas que l'on puisse dire pour le moment que l'inflation, les erreurs écologiques, la pénurie des ressources, etc., soient l'effet de nos lacunes. Je crois que les causes doivent en être trouvées ailleurs.

ALEX INKELES : Morin propose que nous nous libérions de notre long emprisonnement dans cette conception technocratique du développement, dominée par l'économisme. Je pense ne pas être le seul ici à suggérer que nous devons chercher une approche d'un concept de développement en des termes plus organiques et humains, et rompre avec le concept linéaire du développement afin de lui donner une forme différente. Pourtant, je pense que Morin sous-estime le fait que, depuis de nombreuses années déjà, dans une communauté de gens concernés par le développement, une telle transformation a en fait eu lieu.

D'autre part, j'ai l'impression que la présentation de Morin a jusqu'à un certain point négligé l'importance essentielle du Tiers Monde et du Deuxième Monde – peu importe le nom qu'on lui donne –, je veux dire le monde développé extra-européen, comme le Japon en Asie. De même qu'il a laissé de côté le problème institutionnel de la croissance dans les pays en voie de développement. Enfin, je crois qu'il ne faut pas non plus négliger les problèmes de l'économie, et celui du développement du niveau de vie, qui demeurent en fait très problématiques puisque c'est une question de vie ou de mort dans la partie sous-développée du monde.

Enfin, il accorde une grande importance au mouvement étudiant, en tant que dénonciateur du processus de désorientation du monde occidental. Je voudrais tout de même rappeler que le mouvement étudiant s'est très rapidement transformé. Si l'on considère ce qu'il est devenu en 1974-1975, il me paraît difficile d'en parler en termes de crise comme en 1968. En fait, sa transformation est significative. Ce que l'on considérait auparavant comme des indicateurs semble être endormi, presque mort. Si l'on veut être sincère, jusqu'à quel point le mouvement étudiant est-il représentatif des tendances générales de la société et jusqu'à quel point n'est-il pas le reflet du statut spécial des étudiants, c'est-à-dire dépourvus de responsabilités? Mais alors subsiste l'autre question : qu'en est-il du reste de la population? C'est une tendance chez les intellectuels de se concentrer surtout sur leurs semblables et sur les étudiants, parce que c'est à eux que nous nous adressons le plus souvent et que c'est la partie de la population avec laquelle nous sommes le plus en contact. Mais qu'en est-il des classes moyennes, de la classe ouvrière et de la paysannerie? Il me semble que nous avons surtout des suppositions, mais peu de faits. C'est là un phénomène typique, auquel nous n'échappons pas et que l'on peut appeler l'arrogance des intellectuels. Cela dit, je reconnais avec vous qu'il y a une profonde érosion de la confiance dans nos institutions de base, particulièrement celles qui sont politiques. Les gens pensent de plus en plus qu'on ne les écoute pas et qu'ils ne peuvent pas influencer les événements. En d'autres termes, ils ont un sentiment accru d'aliénation.

Deuxièmement, je noterai qu'en dépit des affirmations d'Edgar Morin, les gens continuent à être satisfaits de leur vie, particulièrement parce que de larges fractions de la population participent aux bénéfices du système économique.

Troisièmement, je dirai que l'engagement de la plupart des gens dans les institutions de base de nos sociétés se maintient à un niveau stable, ou même augmente. Parce que beaucoup de ceux qui naguère étaient en marge du système y sont de plus en plus incorporés.

STEPHEN GRAUBARD : Pour commencer, je ne crois pas que les

années 60 constituent un grand virage dans l'histoire occidentale. Il y a de fortes chances pour que les idées de nos pères et de nos grands-pères fussent plus justes, et que ce soit 1914 qui ait marqué le virage; nous vivons d'ailleurs encore beaucoup sur ce passé, dans nos commentaires sur ce monde.

Deuxièmement, vous utilisez un certain nombre de termes, et j'ai réalisé soudain que c'était les termes employés par les mass media il y a trois ans. Par exemple, ça fait au moins six mois que je n'ai pratiquement plus entendu l'expression « contre-culture », alors qu'il y a deux ans, j'aurais pu prendre n'importe quel journal et je l'aurais trouvée en première page.

Maintenant, vous vous tournez vers un autre mot à la mode, car chaque année a son mot. Cette année c'est le mot « minorité ». Peut-être ce mot aura-t-il une vie plus longue. Et je ne pense pas seulement au mot, mais à l'idée qu'il recouvre.

Dans la description de ce que vous considérez vraiment être le moment crucial, vous parlez tout de même d'un très petit nombre de sociétés. Vous ne parlez même pas du monde développé dans son ensemble, car, après tout, si nous avions parmi nous un intellectuel soviétique, ou plutôt un savant soviétique (car je ne sais pas ce qu'est un intellectuel soviétique), aurait-il reconnu dans ce dont vous avez parlé le monde de l'Union soviétique des années 60? Et pour des raisons différentes, un Israélien par exemple se serait trouvé dans la même situation, même si, lui, avait lu nos écrits. Ce à quoi vous vous êtes référé, c'est je crois les États-Unis, la France, et peut-être l'Allemagne, peut-être l'Italie, peut-être le Royaume-Uni, mais ce n'est qu'une partie du monde développé. Il se trouve qu'il s'agit de la partie la plus avancée du monde. Et nous continuons à croire que ce qu'on voit dans ces pays, on va bientôt le voir dans le reste du monde. Mais j'aimerais insister sur le fait qu'en réalité ce que nous avons vu ici jusqu'à présent, nous ne l'avons pas vu se produire dans le reste du monde.

J'en arrive au point si remarquablement soulevé par Inkeles. Ce qui me surprend beaucoup, c'est non seulement que la révolte étudiante en Amérique est une chose du passé, mais aussi, étrangement, quand je regarde mes étudiants – et de tous côtés on reçoit les mêmes rapports –, je constate qu'ils sont plus sérieux; ils acceptent davantage le système (peu importe ce que ça signifie) et ils sont plus déterminés. Maintenant, ils ne font pas médecine simplement pour sauver les Indiens du Colorado (s'ils sont dans le Colorado), ils font médecine en grande partie pour les mêmes raisons que ceux des années 40 ou 50. Ce que je veux dire par là, c'est que vous avez parlé éloquemment, et très justement je crois, d'une certaine partie du monde et de certaines classes à l'intérieur de ce monde.

CORNELIUS CASTORIADIS : Attali a demandé : « Au nom de qui parlons-nous? » Pour ma part, je dirai que je parle en mon nom propre. Et je ne pense pas qu'il y ait eu un homme dans l'histoire qui ait parlé au nom de quelqu'un d'autre que lui-même. Mais croire que l'on peut parler au nom des autres, ou de tous, est la mystification la plus répandue parmi les intellectuels et les politiques.

Attali et Graubard ne parlent pas au nom des peuples affamés de ce monde. Ils parlent en leur nom et avec leurs propres vues de ce qu'auraient dû être les vues — peut-être — des peuples du Tiers Monde.

Maintenant, *à qui* parlons-nous? Moi, c'est à vous que je parle ici. Mais à qui est-ce que je parle en général? Personne ne le sait. Chacun parle en quelque sorte en jetant une bouteille à la mer. Et le drôle, en histoire, c'est que ces bouteilles semblent être très efficaces : des siècles plus tard, des gens qui ne connaissent même pas les noms des auteurs des messages et n'ont jamais lu ce qu'ils avaient écrit, pensent en fonction de ce que ces auteurs avaient dit. Ainsi, dans une discussion comme la nôtre, on découvre que la plupart des gens parlent selon les principes cartésiens.

Cela dit, et pour répondre à Attali, je ne pense pas que Morin, Pizzorno ou moi-même ayons un instant sous-estimé l'importance de la faim ou de la satisfaction des besoins élémentaires des peuples du monde. Mais, soit dit sans méchanceté, il me semble un peu démagogique d'introduire ici le problème de la faim; car on pourrait prouver aujourd'hui que les Indiens, par exemple, ont faim parce que les économistes occidentaux et le gouvernement indien avaient le concept occidental de développement en tête et ont voulu l'imposer pour satisfaire leur volonté de pouvoir en accordant la priorité aux aciéries, à la bombe atomique, etc. Car, pour eux, on n'est pas un pays important quand le peuple mange à sa faim, on est un pays important quand on a des aciéries et la bombe atomique.

ERNEST BARTELL : Il est courant de remarquer, et on l'a fait ici, que dans les deux mondes les masses commencent à entrer vraiment dans l'histoire – les masses dans le sens où elles constituent des millions de personnes, non des minorités. Or tout le système a été conçu pour accepter, adopter, manipuler les minorités. Tous les systèmes ont été bâtis sur des minorités; tous les systèmes politiques ont été construits dans ce sens-là. Or, ces vingt dernières années montrent comment, en Europe, les masses essaient d'obtenir chaque parcelle qu'elles estiment devoir leur revenir de droit, et ceci dans toutes les parties du système. Les Universités en sont un bon exemple. Alors ces masses entrant dans l'histoire ont provoqué une distorsion fantastique dans les minorités et dans leur façon de considérer le monde.

Par exemple, il y a 80 millions de touristes maintenant. Il y a vingt ans, il n'y en avait que 2 ou 5 millions. Bien sûr, rien n'est préparé pour 80 millions de touristes, ni les campagnes, ni les plages, ni les hôtels. Et, bien sûr, quand 80 millions de personnes partent en vacances, la minorité en souffre. Elle souffre évidemment parce que tout est surpeuplé, parce qu'on doit faire la queue. Mais ceux qui, pour la première fois dans l'histoire, arrivent à la plage sont heureux; et ce bonheur est perçu par eux comme un droit. Mais tout à coup on découvre que ce n'est plus le bonheur. Pour eux, ça l'est encore bien sûr; depuis vingt ans la qualité de la vie s'est infiniment améliorée pour les masses, bien plus que jamais auparavant dans l'histoire.

Quant aux masses du Tiers Monde, elles sont aussi entrées dans l'histoire puisqu'elles n'acceptent plus d'en être exclues. Et cela est important. Il y a vingt ans, avoir faim était une condition naturelle, et la vie était ainsi faite. Certains mangeaient et d'autres ne mangeaient pas, les gens l'acceptaient; maintenant ils ne l'acceptent plus. Mais nous, nous ne sommes pas préparés, ni politiquement, ni culturellement. J'aimerais insister sur ce point : de nombreux efforts doivent être faits par les intellectuels pour voir comment on peut s'organiser, quel genre de système est nécessaire pour accueillir ces masses qui sont là pour toujours, car elles ne feront plus marche arrière maintenant qu'elles ont goûté au miel.

ANDRÉ HELLIGERS : Depuis le début de cette conférence, je me suis posé une question : selon quels critères jugez-vous le succès ou l'échec du développement? Car il me semble tout de même que s'il se pose en termes de prolongation, d'accroissement de la vie physique, c'est un énorme succès. Mais si le but du développement est le bonheur, alors la question est totalement différente, et je me demande sur quelles prémisses les spécialistes du développement économique se fondent lorsqu'ils songent à ce qu'ils font comme à une réussite ou un échec. Est-ce la question de la vie, ou est-ce la question du bonheur? Si c'est la vie biologique, alors on réussit très bien, trop bien même puisqu'il se pose des problèmes démographiques. Donc, je demande à nouveau : selon quels critères juge-t-on de l'échec ou de la réussite?

RÉPONSE D'EDGAR MORIN : Ce qui m'intéressait, c'était de parler de la part obscure, voilée, qui se trouve dans cette idée de développement. Jaguaribe parlait de mon entreprise de démystification. Je ne suis pas un démystificateur. Je n'ai jamais employé cette expression. J'ai parlé de mythe – je pourrais même dire « religion ». L'idée du progrès indéfini, de la croissance indéfinie, c'est un faux infini. Notre pensée doit reconnaître certaines limites, et du reste, on ne peut arriver à quelque dépassement que ce soit que par une conscience des limites. Donc, il y avait un faux infini et une fausse souveraineté de l'homme.

En ce qui concerne la sociologie, je voulais seulement signaler que nous n'avons pas le principe génératif qui explique la société. Et je pense que mon constat ne doit pas être vu et entendu comme un reproche amer. C'est une incitation à rechercher les fondements théoriques, c'est une incitation à la recherche.

J'ai dit dans mon rapport que je n'avais pas traité du Tiers Monde. Pourquoi? Parce que ce qui m'intéressait, c'était le point où se trouvent des sociétés dites développées qui, elles, se proposent comme modèles au Tiers Monde. Autrement dit, dans ces conditions, c'est de l'intimidation de dire : « Alors, et la faim aux Indes? »

J'en viens maintenant à un deuxième argument d'intimidation, celui qui consiste à dire : tout s'améliore; on fait alors la liste des tableaux positifs, des améliorations de la civilisation. Alors que moi, je voulais insister sur le fait que ce développement occidental des XVIIe, XVIIIe, XIXe et XXe siècles n'est pas un développement linéaire. On sait qu'il y a eu des crises. On en connaît le caractère destructeur. De combien de destructions et de souffrances s'est accompagné ce progrès? On dit que c'est du passé. Des masses de paysans ont été déracinés de leurs campagnes, de leurs traditions, de leur culture, et parqués dans les faubourgs des villes anglaises. C'est du passé? En réalité, ce n'est pas du passé. C'est ce qui se passe dans toutes les villes du Tiers Monde. D'énormes masses rurales qu'on déracine et qui vont à Sao Paulo, à Santiago... Tout ce processus s'accomplit au prix de destructions extraordinaires. Alors, pour savoir aujourd'hui faire des options lucides, osons regarder l'ambiguïté du devenir. Aujourd'hui, à mon avis, l'une des prises de conscience les plus fécondes dans le domaine de l'anthropologie, c'est qu'on se rend compte que l'homme des civilisations archaïques n'est pas un pauvre enfant, un pauvre diable, mais qu'au contraire il a des développements sur le plan personnel, sur le plan de ses sens, de sa psychologie, de son savoir-faire, beaucoup plus riches que n'importe quel individu spécialisé de notre société, et qu'il a aussi une pensée philosophique. Est-ce que ça veut dire qu'il nous faut revenir à une pensée archaïque? Cela veut dire qu'il faut savoir de quelles pertes sont payés les profits dont nous parlons. C'est, autrement dit, l'introduction de l'ambiguïté, de la complexité dans la conscience du développement.

Troisième argument d'intimidation, qui peut se résumer ainsi : « Vous parlez de petits phénomènes, mineurs et non significatifs. » C'est un problème intéressant, posé notamment par Inkeles. C'est effectivement un problème de méthodologie. Ce que j'ai voulu dire dans mon rapport, c'est qu'un phénomène apparemment déviant et marginal comme le phénomène, disons, de protestation ou de contre-culture juvénile était par lui-même révélateur de phénomènes majoritaires en train d'incuber, qui ne se sont pas encore déclenchés. Ça, c'est un problème de diagnostics sociologiques qui permettent peut-être de jeter un regard sur le futur. Jusqu'à présent, les futurologues étaient des gens qui extrapolaient les courants dominants et les projetaient dans le futur. Or une véritable évolution, c'est-à-dire une transformation se fait quand apparaît une déviance qui semble improbable, anomique, comme dépourvue de sens. Et puis, cette déviance s'entretient, devient une tendance, et cette tendance, à un moment donné, restructure la société de façon continue ou de façon violente.

La révolution apportée par Freud dans le diagnostic psychiatrique est celle-ci : le fou est quelqu'un qui exagère les symptômes de l'homme normal; de même en sociologie, certaines déviances, certaines contestations ne font qu'exagérer des processus existant dans la société. Bien entendu, comment pouvez-vous mesurer ces processus? Difficilement par la méthode des Gallup et des sondages. On fait des diagnostics sociologiques et on voit, dix ans après, si on s'est trompé ou si on a eu raison. Par ailleurs, l'idée que j'exposais ici, ce n'est pas l'idée que la société de masse doit être critiquée. Beaucoup d'intellectuels marginaux aux États-Unis ont passé des années à dénoncer la « société de masse »... Or aujourd'hui, il ne s'agit plus de la critique faite par des intellectuels marginaux américains d'une société en pleine apparente santé. *Une crise interne a commencé dans cette « société de masse ».* Il ne s'agit pas de dire : la contestation du bonheur est une chose qui n'est pas neuve dans l'histoire de l'Occident. Il s'agit de dire qu'il y avait un mythe du bonheur qui faisait partie de cette culture de masse dans la société de masse et qui, lui, est en crise, rongé par ses propres contradictions internes. Je ne dis pas que la crise de l'Occident bourgeois n'a pas commencé en 1914. Je dis qu'une crise au niveau le plus profond des fondements culturels commence en 1960.

Biographies

JACQUES ATTALI, né en 1943 à Alger. Études à l'École polytechnique et à l'Institut d'études politiques de Paris. Maître de conférences à Polytechnique et consultant de l'UNESCO.

ERNEST J. BARTELL, C.S.C., né aux États-Unis en 1932. Après avoir fait des études d'économie et de théologie, a enseigné à l'université Notre-Dame et est actuellement président du collège de Stonehill (Massachusetts).

LUCIEN BIANCO, sinologue, directeur d'études à l'École des Hautes Études en sciences sociales (Paris). A écrit plusieurs études consacrées à l'histoire récente de la Chine et à sa situation actuelle.

CORNELIUS CASTORIADIS, né en 1922. Études à Athènes (droit, économie, philosophie). Cofondateur de *Socialisme ou Barbarie,* dont il élabore les principaux textes et qu'il anime de 1949 à 1966. Publie actuellement des ouvrages de philosophie politique.

JEAN-MARIE DOMENACH, né à Lyon en 1922. Études de lettres et philosophie. A dirigé la revue *Esprit* jusqu'en 1976. A enseigné comme professeur invité dans plusieurs universités des États-Unis. A étudié particulièrement les grandes idéologies contemporaines.

RENÉ DUMONT débute à Hanoï; agronome du riz (1929-1932). Anticolonialiste, il rentre à l'Institut agronomique de Paris, où il enseigne de 1933 à 1974. Dans ce temps, il parcourt le monde, à la recherche d'un meilleur développement rural du Tiers Monde et des pays socialistes. A écrit de nombreux livres sur le Tiers Monde.

JAMES GRANT, né en Chine en 1922. Diplômé de Harvard, a dirigé plusieurs organisations s'occupant des problèmes de développement. Préside actuellement, et depuis sa fondation en 1969, le *Overseas Development Council.* Auteur de nombreuses études sur le développement économique dans les pays à faible revenu, particulièrement l'Asie et le Moyen-Orient.

STEPHEN R. GRAUBARD, né en 1924, est éditeur de *Daedalus,* le journal de l'Académie américaine des arts et sciences, et professeur d'histoire à l'université Brown. Auteur de nombreux ouvrages d'histoire contemporaine.

AMILCAR O. HERRERA, docteur en géologie. A enseigné dans les universités de Buenos Aires et du Chili, et fut vice-président de l'Institut de géologie et minéralogie de la république Argentine. Actuellement, professeur à la fondation Bariloche et directeur du Modèle mondial latino-américain. A publié des travaux de géologie économique et récemment des articles et divers ouvrages sur les ressources naturelles et le développement, ainsi que sur la politique scientifique. Conseiller des Nations unies et d'autres organismes internationaux.

FELIPE HERRERA, né à Valparaiso du Chili en 1922. Licence en droit à l'université du Chili et maîtrise en économie à la London School of Economics. Ancien professeur d'économie à l'université du Chili, ministre des Finances du Chili en 1953, président de la Banque interaméricaine de développement de 1940 à 1971; actuellement directeur du programme ECIEL, à Rio de Janeiro, et président du conseil d'administration du Fonds international de promotion de la culture à l'UNESCO. Auteur de plusieurs travaux sur l'économie et l'intégration latino-américaine.

ALEX INKELES, né aux États-Unis en 1920. Professeur (Margaret Jacks) de sociologie et d'éducation de l'université de Stanford, après avoir été professeur de sociologie à l'université de Harvard. Sa compétence s'étend aux aspects sociaux et matériels de la croissance économique, à la société soviétique. Auteur d'articles et d'ouvrages consacrés à la sociologie et la psychologie sociales.

HELIO JAGUARIBE, né à Rio de Janeiro en 1923. Licence en droit à l'Université catholique pontificale, études et travaux en science politique et théorie du développement. Fondateur et directeur de l'Institut brésilien d'économie, sociologie et politique, et éditeur de la revue de l'Institut *Cadernos de Nosso Tempo* (1952-1956). Fondateur et chef du département de Science politique de l'Institut supérieur d'études brésiliennes. A enseigné aux États-Unis comme professeur invité de 1964 à 1969. Actuellement professeur de science politique à la faculté de droit Candido Mendes et coordinateur des séminaires internationaux de celle-ci.

PIERRE MASSÉ, né à Paris en 1898, ancien élève de l'École polytechnique, ingénieur des Ponts et Chaussées, docteur ès sciences. Commissaire général du Plan (1959-1966), président d'Électricité de France (1966-1969), président de la Fondation de France (1969-1973). A écrit des ouvrages sur la planification et le développement.

CANDIDO ANTONIO MENDES DE ALMEIDA, né en 1928 à Rio de Janeiro, dirige la faculté de droit Candido Mendes. Président de la Société brésilienne d'éducation. Enseigne à la faculté des sciences politiques de Rio, ainsi qu'au titre de professeur invité, dans de nombreuses universités des États-Unis. Vice-président de *Pax romana* en 1971, vice-président de l'Association internationale de science politique en 1973. Secrétaire général de la commission brésilienne Justice et Paix. Participe à de multiples réunions et colloques internationaux dans le monde entier.

EDMUND NEUWISSEN, Néerlandais, né en 1931. Économiste, reçu à l'examen du « Doctoraal » d'économie à la faculté des sciences économiques de Tilburg (Pays-Bas) en 1957; résident à Bussum (Pays-Bas).

EDGAR MORIN, né en 1921 à Paris. Études de droit, d'histoire, de philosophie. Résistance de 1942 à 1944. Actuellement directeur de recherches au CNRS. Codirecteur du Centre d'études transdisciplinaires (CETSAS) de l'École des Hautes Études en sciences sociales.

W. C. M. MUTSAERS, titulaire du doctorat d'économie de la faculté des sciences économiques de Tilburg (Pays-Bas), où il avait fait ses études; chercheur en sciences économiques et conseiller de l'Association des banquiers hollandais. A assisté au colloque en tant que conseiller de la Fondation Benevolentia (Amsterdam).

ALESSANDRO DE GIOVANNI PIZZORNO, né à Trieste en 1924. Études à l'université de Turin. Enseigne à Milan et dans diverses universités étrangères, dont Harvard et Oxford. A publié de nombreux travaux de sociologie politique.

JORGE A. SABATO, né en Argentine en 1924. Études de physique à Buenos Aires et de métallurgie à l'université de Birmingham. Ancien membre de la commission de l'Énergie atomique d'Argentine. Actuellement, membre de la fondation Bariloche (Argentine) et conseiller de diverses institutions internationales. Auteur de trois ouvrages, il a également publié de nombreux travaux dans les journaux internationaux.

LUCIANO TOMASSINI, né à Santiago du Chili. Études de droit et de science politique à l'université du Chili, et stage de post-licence à l'Institut royal des affaires internationales. Ancien assistant du président de la Banque interaméricaine de développement. Actuellement assesseur de la direction de l'Institut pour l'intégration de l'Amérique latine à Buenos Aires, et directeur de la revue *Estudios internacionales*. A publié des études sur la politique internationale dans diverses revues de science politique.

GABRIEL VALDES SUBERCASEAUX, avocat chilien. Professeur d'économie à l'université catholique du Chili (1964-1970), ministre des Affaires étrangères du Chili (1971), sous-secrétaire général des Nations unies et directeur régional du PNUD pour l'Amérique latine; président du *Foro Latinoamericano*.

Table

IMPRIMERIE FLOCH À MAYENNE
D. L. 4e TR. 1977 No 4703 (15178)

COLLECTION ESPRIT

« LA CITÉ PROCHAINE »

SAUL ALINSKY, Manuel de l'animateur social.
CHARLES D'ARAGON, La Résistance sans héroïsme.
PIERRE BAUCHET, La Planification française.
SIMONE BUFFARD, Le Froid pénitentiaire.
JEAN-YVES CALVEZ, La Pensée de Karl Marx.
HENRI DESROCHE, La Société festive.
H. DARIN-DRABKIN, Le Kibboutz société différente.
D. DUBREUIL, Grenoble, ville test.
JOFFRE DUMAZEDIER, Vers une civilisation du loisir?
ROBERT FOSSAERT, L'Avenir du capitalisme.
PIERRE FOUGEYROLLAS, Le Marxisme en question.
FRANÇOIS GOGUEL, La Politique des partis sous la IIIe République.
JOHN H. GOLDTHORPE, DAVID LOCKWOOD, FRANK BECHHOFER,
JENNIFER PLATT, L'Ouvrier de l'abondance.
GROUPE D'ÉTUDES DES PROBLÈMES DU CONTINGENT,
Service militaire et Réforme de l'armée.
JACQUES HOCHMANN, Pour une psychiatrie communautaire.
S. HOFFMANN, CH.-P. KINDLEBERGER, L. WYLIE, J.-P. PITTS,
J.-B. DUROSELLE, F. GOGUEL, A la recherche de la France.
ARTURO CARLO JEMOLO, L'Église et l'État en Italie.
DANIÈLE KERGOAT, Bulledor ou l'histoire d'une mobilisation ouvrière.
JEAN LACROIX, Force et Faiblesses de la famille.
HAROLD LASKI, Réflexions sur la révolution de notre temps.
C. M. LORENZO, Les Anarchistes espagnols et le Pouvoir (1869-1969).
SERGE MALLET, La Nouvelle Classe ouvrière.
SEYMOUR MARTIN LIPSET, L'Homme et la Politique.
MAURICE MONTUCLARD, Conscience religieuse et Démocratie.
DANIEL MOTHÉ, Militant chez Renault.
HUBERT MULTZER, La Propriété sans le vol.
LEWIS MUMFORD, Technique et Civilisation.
La Cité à travers l'histoire.
HARVEY O'CONNOR, L'Empire du pétrole.
PLACIDE RAMBAUD, Société rurale et Urbanisation.
ANDRÉ ROUÈDE, Le Lycée impossible.
JOSEPH ROVAN, Le Catholicisme politique en Allemagne.
J.-J. SALOMON, Science et Politique.
JACQUES SARANO, Médecine et Médecins.
ALAIN SCHNAPP, PIERRE VIDAL-NAQUET,
Journal de la Commune étudiante.
FRITZ STERNBERG, Le Conflit du siècle.
JACQUES THIBAU, Une télévision pour tous les Français.
MAURICE VAUSSARD, Histoire de la démocratie chrétienne.
ALFRED WILLENER, L'Image-action de la société.

COLLECTION ESPRIT

« LA CONDITION HUMAINE »

C. CAPITAN PETER, Charles Maurras et l'idéologie d'action française.
LOUIS CASAMAYOR, Où sont les coupables?
Le Bras séculier.
Combats pour la justice.
I.-A. CARUSO, Psychanalyse pour la personne.
C. CASTORIADIS, L'Institution imaginaire de la société.
H. CHATREIX, Au-delà du laïcisme.
M.-D. CHENU, Pour une théologie du travail.
JACQUES DESTRAY, La Vie d'une famille ouvrière.
M. DUFRENNE, Pour l'homme.
MIKEL DUFRENNE et P. RICŒUR,
Karl Jaspers et la Philosophie de l'existence.
HENRI DUMÉRY, La Tentation de faire du bien.
FRANTZ FANON, Peau noire, masques blancs.
NINA GOURFINKEL, Tolstoï sans tolstoïsme.
FRANCIS JEANSON, Signification humaine du rire.
JEAN LACROIX, Personne et Amour.
P.-L. LANDSBERG, Problème du personnalisme.
Essai sur l'expérience de la mort.
J.-J. LENTZ, De l'Amérique et de la Russie.
O. MANNONI, Lettres personnelles à M. le Directeur.
H.-I. MARROU, De la connaissance historique.
Histoire de l'éducation dans l'antiquité.
CANDIDE MOIX, La Pensée d'Emmanuel Mounier.
EMMANUEL MOUNIER, L'Affrontement chrétien.
Traité du caractère.
La petite peur du XXe siècle.
Feu la chrétienté.
Les Certitudes difficiles.
L'Espoir des désespérés.
Mounier et sa génération.
PAUL MUS, Guerre sans visage.
A. NÉHER, L'Existence juive.
PAUL RICŒUR, Histoire et Vérité.
MARIE-CLAIRE ROPARS-WUILLEUMIER, L'Écran de la mémoire.
PIERRE STIBBE, Justice pour les Malgaches.
DR A. VINCENT, Le Jardinier des hommes.
JEAN ZIEGLER, Les Vivants et la Mort.

COLLECTION ESPRIT

« FRONTIÈRE OUVERTE »

M. BENNABI, Vocation de l'Islam.
J. BERQUE, Les Arabes d'hier à demain.
Le Maghreb entre deux guerres.
H. VON BORCH, U.S.A., société inachevée.
G. CASTELLAN, D.D.R. Allemagne de l'Est.
J. DE CASTRO, Géographie de la faim.
Une zone explosive : le Nordeste du Brésil.
B. DAVIDSON, Les Africains.
I. DEUTSCHER, La Russie après Staline.
P. DEVILLERS, Histoire du Viêt-nam de 1940 à 1962.
P. DEVILLERS et J. LACOUTURE, Viêt-nam,
de la guerre française à la guerre américaine.
R. DUMONT, L'Afrique noire est mal partie.
Sovkhoz, kolkhoz, ou le problématique communisme.
Cuba, socialisme et développement.
Chine surpeuplée, Tiers Monde affamé.
Paysanneries aux abois.
R. DUMONT et R. MAZOYER, Développement et Socialismes.
R. DUMONT et B. ROSIER, Nous allons à la famine.
G. ETIENNE, Les Chances de l'Inde.
F. FEJTÖ, Histoire des démocraties populaires.
1. L'ère de Staline. 2. Après Staline.
J. GEORGEL, Le Franquisme, histoire et bilan (1939-1969).
L. HARTZ, Les Enfants de l'Europe.
STANLEY HOFFMANN, Gulliver empêtré.
H. KUBY, Défi à l'Europe.
J. et S. LACOUTURE, L'Égypte en mouvement.
M. LE LANNOU, Le Déménagement du territoire.
M. LIEBMAN, Le Léninisme sous Lénine.
1. La conquête du pouvoir.
2. L'épreuve du pouvoir.
A. MEISTER, Socialisme et Autogestion, l'expérience yougoslave.
L'Afrique peut-elle partir?
V. MONTEIL, Les Musulmans soviétiques.
L'Islam noir.
P. MUS, Le Destin de l'Union française.
Viêt-nam, sociologie d'une guerre.
M. J. C. VILE, Le Régime des États-Unis.
JEAN ZIEGLER, Le Pouvoir africain.